HARDPRESS.NET
HOME OF HARD-TO-FIND BOOKS

Darstellung Des Erzherzogthums Oesterreich Unter Der Ens, Durch Umfassende Beschreibung Aller Burgen, Schlösser, Herrschaften, Städte, Märkte, Dörfer, Rotten,C., C., Topographisch-Statistisch-Genealogisch-Historisch Bearb., und Nach Den Bestehenden Vier Kreisvierteln Gereihet
by Friedrich Schweickhardt (Freiherr Von.)

Address:
HardPress
8345 NW 66TH ST #2561
MIAMI FL 33166-2626
USA
Email: info@hardpress.net

Darstellung

des

Erzherzogthums Oesterreich
unter der Ens,

durch umfassende Beschreibung

aller

Ruinen, Schlösser, Herrschaften, Städte, Märkte, Dörfer, Rotten 2c. 2c.

topographisch = statistisch = genealogisch = historisch bearbeitet,

und

nach den bestehenden vier Kreisvierteln gereiht.

Achter Band.
Viertel Ober = Wienerwald.

Wien, 1837.
Aus J. B. Wallishausser's Buchdruckerei.

Fortſetzung der Ortſchaften der Herrſchaft Mitterau.

Haaberg.

Zwei einzelne Gehöfte, wovon St. Pölten, in vierthalbſtündiger Entfernung, die nächſte Poſtſtation iſt.

Dieſe ſind nach Biſchofſtetten zur Schule und Pfarre gewieſen. Das Landgericht, die Orts und Grundherrſchaft iſt Mitterau; Conſcriptionsobrigkeit Grünbühel. Der Werbkreis unterſteht dem Linien-Infanterie-Regiment Nr. 49.

Den Seelenſtand bilden 2 Familien, 7 männliche, 8 weibliche Perſonen. Dieſe beſitzen 2 Pferde, 7 Kühe, 12 Schafe und 9 Schweine.

Als gut beſtiftete Bauern treiben die hieſigen Einwohner Ackerbau, etwas Waldwirthſchaft, eine Obſtpflege und Viehzucht.

Die Lage dieſer Gehöfte, welche mit Stroh gedeckt ſind, und einzeln ſtehen, iſt unweit Biſchofſtetten, an einem mit Waldung bewachſenen Gebirgszuge, welcher das ſogenannte »Haagholz« benannt wird, daher auch die Benennung eigentlich Haagberg heißen ſollte.

a) Haag.

Ein kleines Dorf von 9 Häuſern, wovon St. Pölten, drei und eine halbe Stunde entfernt, als die nächſte Poſtſtation bezeichnet iſt.

1 *

Dieses ist zur Kirche und Schule nach dem eine halbe Stunde entfernten Bischofstetten angewiesen. Landgericht, Orts= und Grundherrschaft ist Mitterau, Conscriptionsobrigkeit aber ist Grünbühel. Der Werbkreis gehört zum 49. Linien=Infanterie=Regiment.

Die Bevölkerung besteht in 10 Familien, 19 männlichen, 22 weiblichen Personen und 5 Schulkindern. Der Viehstand zählt 4 Pferde, 4 Ochsen, 30 Kühe, 40 Schafe und 38 Schweine.

Als Landbauern gehören die hiesigen Einwohner in die Classe der Gutbestifteten, die nicht nur die gewöhnlichen vier Körnergattungen bauen, sondern auch eine Obstpflege und ziemlich gute Viehzucht treiben, überdieß ihre erübrigende Produkte sammt Vieh nach St. Pölten zu Markte bringen. — Ihre Gründe sind von mittelmäßigem Ertrage, und wegen der abhängigen Lage bisweilen Erdabtragungen ausgesetzt.

Haag besteht in zusammengebauten Häusern, und liegt am Abhange einer mit Waldung bedeckten Höhe, zunächst dem Sirningbache und an der Straße, die von der von St. Pölten nach Wilhelmsburg führenden Straße, über Fridau nach Bischofstetten, und so weiter nach Külb geleitet. Die nächsten Ortschaften sind Rametshofen, Haaberg und Bischofstetten. Hier befindet sich ein Wirthshaus und an Handwerkern ein Binder und ein Schuster. — Klima und Wasser sind vortreffliche.

b) Haag (Ober=).

Ein Dörfchen von 4 Häusern, mit der nächsten, zwei und eine halbe Stunde entfernten Poststation Melk.

Dasselbe ist zur Pfarre und Schule nach Hürm einbezogen. Das Landgericht ist Fridau, Grund= und Ortsherrschaft Mitterau und Conscriptionsobrigkeit Grünbühel. Der Werbkreis gehört zum 49. Linien = Infanterie = Regiment.

In 4 Familien leben 6 männliche, 7 weibliche Personen und 2 schulfähige Kinder; an Viehstand besitzen diese: 2 Pferde, 6 Ochsen, 7 Kühe und 12 Schweine.

Die Einwohner sind Landbauern, mit einer guten Grundbestiftung, welche die gewöhnlichen Körnergattungen bauen, Obst aus ihren Hausgärten erhalten, und etwas Viehzucht treiben. Sie besitzen nur mittelmäßige Gründe, weil solche bisweilen den Erdabtragungen unterworfen sind.

Diese vier Häuser sind zusammengebaut und mit Stroh gedeckt, liegen auf einer mit Feldern und etwas Waldung besetzten Anhöhe, eine Stunde südlich von Härm, zunächst Hainberg, Schatzendorf und Unter-Haag, und werden ob der örtlichen erhöhten Lage zum Unterschiede von mehreren Ortschaften dieses Namens in dieser Gegend, Ober-Haag genannt. — Klima und Wasser sind sehr gut. — Die Jagd liefert blos Hasen.

Hafnerbach,

Ein aus 38 Häusern bestehender Markt, wovon St. Pölten, zwei und eine halbe Stunde entfernt, die nächste Poststation ist.

Kirche und Schule befinden sich hierselbst; diese gehören in das Decanat Melk, das Patronat darüber der Herrschaft Mitterau, die auch Landgericht, Orts-, Grund- und Conscriptionsobrigkeit ist, und mit Goldegg die behausten Unterthanen besitzt. Der hiesige Bezirk gehört zum Werbkreis des 49. Linien-Infanterie-Regiments.

Hier leben in 49 Familien, 77 männliche, 100 weibliche Personen und 82 schulfähige Kinder; der Viehstand zählt: 25 Pferde, 3 Ochsen, 77 Kühe, 151 Schafe und 60 Schweine.

Die hiesigen Einwohner bestehen aus mittelmäßig bestifteten Bauern, unter denen sich folgende Gewerbs- und Handwerksleute befinden: 1 Wirth, 1 Bäcker, 1 Fleischhauer,

1 Binder, 1 Tischler, 1 Kirschner, 1 Hafner, 1 Schmied, 2 Weber, 2 Schuster und 2 Schneider. Der Bauersmann treibt den Feldbau, wozu die Gründe aber nur von mittlerer Beschaffenheit, zum Theil steinig und einige derselben den Erdabtragungen ausgesetzt sind. Uebrigens werden doch die gewöhnlichen Fruchtkörner und andere Knollengewächse gebaut, auch etwas Wein und Obst, vorzüglich aber gibt es viele Zwetschken und Nüsse. Die Viehzucht anbelangend, so ist sie blos auf den Hausbedarf beschränkt, und wird dem Sommer über mit Weide betrieben.

Der Markt Hafnerbach, eine halbe Stunde nördlich von Mitterau situirt, besteht aus zwei Reihen Häuser, die mit Stroh und Schindeln gedeckt sind, eine Gasse und einen freien Platz bildend, wo die steinerne Marktsäule steht, unter denen sich auch einige einstöckige befinden. Sie liegen in einer mäßigen Vertiefung, welche von der Nordseite ein hohes mit Weingärten und Obstpflanzungen lieblich besetztes Gebirg bildet, welches mit Waldungen gekrönt ist. Von der andern Seite wird der Markt von Hügeln umgeben, mit Obstgärten und Feldern, wodurch die Umgebung, da sie so hoch gelegen ist, und eine schöne Fernsicht gegen Süden bietet, zu den angenehmsten und gesündesten der Gegend gehört, die von einem kleinen Bergbache, der Zehnerbach, (richtiger Zenobach) genannt, bewässert wird.

Zunächst dem Markte befindet sich ein mit Schindeln gedeckter herrschaftlicher Schafhof, gegen 500 Stück veredelter Art enthaltend. — Von dem Orte, an dem Wege nach dem eine halbe Stunde südlich davon gelegenen Mitterau, neben dem Wirthshause, ist der in einem Hügel gegrabene große herrschaftliche Weinkeller, welcher für drei tausend Eimer Raum hat. — Die Jagd, Hasen und Rebhühner liefernd, ist ein Eigenthum der Herrschaft Mitterau.

Die Pfarrkirche, dem heiligen Zeno geweiht, steht auf einer Anhöhe vor dem Markte, am Wege nach Mitterau; sie ist neuerer Bauart mit Ziegeln gedeckt, und hat einen Thurm mit stumpf zulaufender Dachung, einer Uhr und vier Glocken. An der Südseite ist die Kirche mit einem gleich hohen Gebäude, der ehemaligen Sakristei, verbunden, unter welchem sich auch eine Gruft befindet, welches Gebäude übrigens älter als die Kirche zu sein scheint, und vielleicht vor Zeiten eine Capelle war. Das Innere dieses Gotteshauses mit runder Wölbung und Stukkatur hat, nebst den Hochaltar, zwei Seitenaltäre im Schiffe, sämmtlich von Holz; ersterer enthält ein Oelgemälde, den heiligen Zeno vorstellend, von den andern ist der eine ein Kreuzaltar, der zweite enthält ein Gemälde, die Familie Christi. Neben dem Hochaltar befindet sich das Oratorium, und an der einen Seitenwand des Schiffes ein steinernes Grabmal des Grafen Montecuccoli, Sohn des dermaligen Herrschaftsbesitzers, der im Jahre 1824 verstarb. Auch ist unter der Kirche noch eine große Gruft vorhanden, welche wahrscheinlich auch die Begräbnißstätte der Enenkel'schen Familie war, worin auch der letzte derselben, Jakob Hartmann, mit welchem diese im Jahre 1627 ausstarb, beigesetzt wurde.

Obschon über die Entstehung dieser Kirche und ihre Schicksale wenig bekannt ist, da alle Urkunden, wahrscheinlich durch die Türken, im Jahre 1683, vernichtet wurden, die unweit von hier ein Lager hatten, und ringsum die ganze Gegend arg verwüsteten, so ist doch das hohe Alter derselben außer allen Zweifel gesetzt; so wie, daß auch hier die Lehre Luthers Platz griff, und durch viele Jahre sich behauptete. — Was die Benennung des Marktes Hafnerbach anbetrifft, so mag solcher von den vielen Töpfern (Hafner) herstammen, die vor Zeiten in großer Zahl hier ansäßig waren.

Noch erwähnen wir, daß die in Saffendorf befindliche

Kirche, eine halbe Stunde von hier, als eine Filiale nach Hafnerbach gehört, zu welch' letzterer Kirche, außer dem Markte Hafnerbach, noch folgende Ortschaften eingepfarrt sind: Pfaffing ½, Hondorf 1¼, Weinzierl 1¼, Wirmling 1¼, Thall 1, Saffendorf ½, Windschnur ¾, Weeghof ½, Pielahag ½, Eichberg ¾, Stein ¾, Oedt 1¼, Hohenegg 1, Hengstberg 1½, Korning 1, Ober=Graben 1, Unter=Graben ¾, Rannersdorf 1¼, Doppl ¾ und Wimpassing ¼ Stunde entfernt.

Haindorf.

Ein Pfarrdorf von 25 Häusern und eine eigene Herrschaft, die mit Mitterau vereinigt ist, mit der nächsten, zwei Stunden entfernten Poststation St. Pölten. Die Kirche und Schule befindet sich hierselbst, sie gehören in das Decanat Melk, das Patronat davon aber besitzt das Stift Göttweih. Landgericht und Conscriptionsobrigkeit ist Mitterau, Ortsherrlichkeit Haindorf, und Grunddominien, welche behauste Unterthanen besitzen, sind Mitterau und Schallaburg. Der Werbkreis gehört zum 49. Linien=Infanterie=Regiment.

Die Seelenzahl umfaßt 29 Familien, 64 männliche, 72 weibliche Personen nebst 20 schulfähigen Kindern; diese besitzen 18 Pferde, 24 Ochsen, 62 Kühe, 70 Schafe und 58 Schweine.

Als Landbauern sind die Einwohner im Besitze einer mittleren Grundbestiftung. Gebaut werden alle vier Haupt=Körnergattungen, etwas Safran und Wein, wovon die Weingärten in andern Gemeinden liegen, und auch Knollengewächse; zudem besitzen sie einen Viehstand mit Stallfutterung und etwas Obstbau. Die erübrigenden Körnerfrüchte werden nach St. Pölten zu Markte gebracht. — An Gewerbs = und Handwerksleuten befinden sich hier: 1 Wirth, 1 Bäcker, 1 Fleischer, 1 Hufschmied, 2 Schuster, 1 Schneider und 2 Weber.

Haindorf liegt am Sirningbache, eine halbe Stunde links von der Linzer-Poststraße, in einer sanften Thalgegend, die rings von Feldern umgeben, und in der Entfernung gegen Osten und Westen von Gebirgen begrenzt wird, welche von den sich südlich erhebenden bedeutenden Höhen ausgehend, gegen die nördlich befindliche Fläche auslaufen. Die hiesige Gegend ist überaus angenehm; besonders freundlich ist das Thal der Sirning, durch welches die Straße bei St. Margarethen sich hinzieht. Der Ort ist zu beiden Seiten der Straße situirt, und hat meist hübsche Häuser, die mit Schindeln und Stroh gedeckt sind. — Klima und Wasser sind gut, die Jagdbarkeit ist ein Eigenthum der Herrschaft Mitterau.

Die Kirche, welche auf einer am Orte östlich sich erhebenden Anhöhe gelegen ist, besteht zu Ehren der heiligen Apostel Peter und Paul. Das Presbyterium ist von gothischer Bauart mit Spitz- und Rippenwölbung, das Schiff aber von neuerer. Die Kirche ist mit einem Schindeldache versehen, der Thurm, an der Seite stehend, viereckig, mit Blech gedeckt, mit einer Uhr und drei Glocken. Das Innere dieses Gotteshauses enthält durchaus Frescomalerei, Arabesken und Verzierungen. Der Hochaltar besteht von Holz mit zwei Säulen, zwischen denen sich das große Altarblatt, Peter und Paul vorstellend, befindet; daneben im Presbyterium links vom Altar, ist ein Oelgemälde vorhanden, mit dem heiligen Thomas von Kempten, welches künstlerischen Werth enthält. Im Schiffe sind zwei Seitenaltäre angebracht, zum Herrn im Elend, und zu Ehren der schmerzhaften Mutter Gottes, beide von Holz errichtet, letzterer aber mit vieler Verzierung von Gyps und Vergoldung geschmückt. Hier befinden sich auch eine uralte und eine neue Sakristei.

Eingepfarrt sind hierher: Haindorf, Winkel ¼, Knezersdorf ¼ und Mannersdorf ½ Stunde entfernt. Der Gottesdienst und die Seelsorge wird von einem Pfarrer allein versehen, der ein Benedictiner-Priester vom Stifte Göttweih ist. — Der Pfarrhof, zunächst der Kirche stehend, ist ein geräumiges, ein Stock hohes Gebäude. — Die Schule ist ganz neu erbaut. — Der Leichenhof liegt um die Kirche und wird von einer Mauer umgeben.

Sowohl der Ort Haindorf, als auch die hiesige Kirche, sind von hohem Alter, und sie soll die Mutterpfarre von dem benachbarten Markersdorf sein. Die Schicksale theilt das Dorf mit der nahen Umgebung, jedoch litt dasselbe durch die französischen Einfälle, ganz vorzüglich aber im Jahre 1809. Wie wir sehen werden, war Haindorf von jeher eine eigene Herrschaft, ist aber seit dem Jahre 1680 mit Mitterau vereinigt, welche beide Dominien zusammen nur einen herrschaftlichen Grundstand besitzen, welchen wir bei Mitterau aufgeführt haben. Es hatte immer, und selbst noch zu Ende des XVII. Jahrhunderts ein bewohnbares Schloß, welches aus zwei nicht gar großen zweistöckigen Haupt- einem kleinen Vorgebäude als Eingang dienend, und zwei beisammenstehenden nicht hohen runden Thürmen bestand, und von einem breiten Wassergraben umgeben wurde, worüber eine Brücke führte. Gegenwärtig ist von diesem Schlosse auch nicht die geringste Spur mehr vorhanden.

Zu welcher Zeit, und von wem der Ort und Schloß ins Dasein gerufen wurde, ist zwar nicht bekannt, jedoch erscheint schon im Jahre 1356 Otto von Emmling als Besitzer davon; diesem folgten nachbenannte Eigenthümer. Im Jahre 1373 Hanns von Egelsee, durch Kauf von Alram, Irnfried und Friedrich von Emmling. Wie lange das Gut bei dieser Familie verblieb, ist unbekannt, doch gelangte solches in der Folge an Wolfgang Walch, der es im

Jahre 1504 an Johann Geyer von Osterburg verkaufte; diesem folgten im Jahre 1525 seine Söhne Roman, Carl und Hector; im Jahre 1538 Romans Sohn, Wilhelm; im Jahre 1542 Georg Geyer von Osterburg, durch Uebernahme; im Jahre 1558 seine Tochter Genovefa, verehlichte Zwickel; im Jahre 1583 Gabriel Freiherr von Kollonitsch, durch Kauf von des Vorigen; im Jahre 1592 dessen Sohn, Georg Gabriel; im Jahre 1625 dessen Bruder, Ferdinand Seifried Freiherr von Kollonitsch, durch getroffenen Vergleich; im Jahre 1654 die Brüder von Walterskirchen, durch Kauf von den Erben des Vorigen; im Jahre 1659 Franz Wilhelm von Walterskirchen, durch brüderliche Theilung; im Jahre 1680 Raimund Fürst von Montecuccoli, durch Kauf vom Vorigen; im Jahre 1681 dessen Sohn, Fürst Leopold Philipp; im Jahre 1723 Franz Raimund Graf von Montecuculi; im Jahre 1758 Graf Zeno; und im Jahre 1802 dessen Sohn, Graf Peregrin von Montecuccoli, der noch gegenwärtig Haindorf besitzt.

Hanau.

Zwei einzelne Gehöfte, von denen St. Pölten, drei Stunden entfernt, die nächste Poststation ist.

Zur Kirche und Schule gehören sie nach Bischofstetten. Landgericht ist die Herrschaft Schallaburg, Orts= und Grundherrschaft Mitterau, Conscriptionsobrigkeit Grünbühel. Der Werbkreis gehört zum Linien=Infanterie=Regiment Nr. 49.

Hier leben in 2 Familien, 6 männliche, 10 weibliche Personen und 1 schulfähiges Kind. Der Viehstand zählt 2 Pferde, 4 Ochsen, 8 Kühe und 12 Schweine.

Die Einwohner sind Landbauern, mit einer guten Bestiftung, welche alle vier Körnergattungen, dann Obst bauen und eine gute Viehzucht treiben. Die hiesigen Gründe sind gut, doch bisweilen den Ueberschwemmungen des S i r n i n g b a c h e s ausgesetzt.

Diese beiden Gehöfte, mit der Benennung H a n a u, liegen einzeln von Wiesen und Feldern umgeben, in einer mäßigen vom S i r n i n g b a c h e durchflossenen Thalebene, eine halbe Stunde nördlich von Bischofstetten, — Klima und Wasser sind gut; die hier bestehende Feldjagd ist herrschaftlich.

H a u n o l d s t e i n.

Ein Dorf von 15 Häusern, wovon St. Pölten zwei und eine halbe Stunden entfernt, die nächste Poststation ist.

Kirche und Schule sind im Orte, und gehören in das Decanat Melk; das Patronat über erstere ist herrschaftlich. Das Landgericht, die Orts = und Conscriptionsherrschaft ist Mitterau. Als Grundobrigkeiten sind bezeichnet: Mitterau, Melk, Schallaburg und Friedau. Der hiesige Bezirk gehört zum Werbkreise des 49. Linien=Infanterie Regiments.

In 16 Familien leben 33 männliche, 36 weibliche Personen und 27 schulfähige Kinder; diese besitzen: 7 Pferde, 12 Ochsen, 40 Kühe, 100 Schafe und 36 Schweine.

Die hiesigen Bewohner gehören in die Classe der mittelmäßig bestifteten Landbauern; ihre Erwerbszweige sind Feldbau von Weizen, Korn, Gerste und Hafer, etwas Obst und Wein, eine nicht unbedeutende Viehzucht mit Weidegang, zum Theil zum Verkauf, und ein Viktualienhandel, der nach St. Pölten getrieben wird. Die hier vorhandenen Gründe wären von guter Beschaffenheit, jenoch leiden sie oft Schaden durch öftere Ueberschwemmungen des P i e l a c h f l u s s e s und des S i r n i n g b a c h e s.

Das Dorf H a u n o l d s t e i n, dessen Häuser mit Schindeln und Stroh gedeckt sind und sich in zwei Reihen hinziehen, liegt eine Viertelstunde von der Linzer-Poststraße rechts entfernt, in einer angenehmen Fläche, gegen Norden und Nordwesten von, mit Weingärten und Waldungen bedeckten Hügeln begrenzt, an deren Fuße der Pielachfluß, in welchem sich weiter gegen Osten der Sirningbach mündet, dem nahen schönen Waldthale zueilt, während auf der andern Seite in weiter Fläche, Auen, Wiesen und Felder anmuthig abwechseln, und ganz in der Nähe des Ortes Weinberge sich gegen Westen gegen die Poststraße hinziehen, die jedoch nur ein Gewächs der geringeren Gattung liefern.

Hier befindet sich eine große Mahlmühle mit Gypsstampfe und Bretersäge, an der Pielach, einstöckig mit Schindeldachung, ein ebenfalls mit einem Stockwerke versehenes Wirthshaus und eine hölzerne Brücke über die Sirning. — Die Jagd liefert Hasen und Rebhühner und ist herrschaftlich. — Das Klima ist gemäßigt, indem die Gebirge vor den rauhen Nordwestwinden schützen; das Wasser ist gut.

Die Pfarrkirche, zu Ehren dem Erzengel Michael geweiht, steht am Ende des Ortes, nördlich auf einem mäßigen Hügel. Das Gebäude ist von älterer Bauart, woran mehrmalige Veränderungen und Anbau sich zeigen, woraus auch ersichtlich wird, daß das Presbyterium viel neuer als das Schiff ist, welches gothische Spitzwölbungen enthält. Der Thurm ist viereckig, mit runder Schindelkuppel, einer Uhr und drei Glocken.

Der Hochaltar, mit Stukkatur und Verzierungen geschmückt, enthält ein großes Oelgemälde, den heiligen Michael, von Pfeiffer, ehemaligen Beneficiat in Weinzierl. Die beiden Seitenaltäre sind von Holz, ebenfalls mit Stukkaturarbeit versehen, und den Bildnissen der heiligen Anna und der Geburt Christi. — An der linken Seitenwand des Schiffes befindet sich ein Grabstein des Herrn Bern-

hard Haydn zum Dorf auf Hainperg (Hainburg), ge=
storben im Jahre 1589 und seiner Ehefrau. Unter der Kirche
ist eine großе Gruft, die ehemalige Begräbnißstätte der
Herren von Geyer auf Osterburg, Besitzer dieser
Herrschaft.

Da auch hier alle Urkunden, welche auf die Kirche Be=
zug hatten, wahrscheinlich im Jahre 1683 durch die Türken
vernichtet wurden, so können wir nur berichten, daß diese
Pfarre sehr alt ist, im XVI. und XVII. Jahrhundert eine
Zeit lang protestantisch war, seit dem Jahre 1630 aber dem
katholischen Gottesdienst wieder zurückgegeben wurde, und
dem alten Kirchengebäude, im Jahre 1745, das dermalige
Presbyterium zugebaut wurde.

Die hierher eingepfarrten Ortschaften sind: Haunolb=
stein, Pielachhäusel ¼, Eibelsau ¼, Eitzlitz=
berg ¾, Mitterau ½, Osterburg ½, Pottscho=
lach ½, Rohr ¾ und Groß=Sirning ¼ Stunde ent=
fernt. — Den Gottesdienst versieht ein Pfarrer, der Weltprie=
ster ist. — Der Pfarrhof, mit einem Stockwerke und
Schindeldach, liegt am Fuße des Hügels, worauf die Kirche
steht, von wo eine lange gedeckte Stiege zu derselben führt;
daneben liegt das ganz neu erbaute Schulgebäude. —
Der Leichenhof befindet sich um die Kirche, von einer
Mauer umgeben.

Vor Jahrhunderten soll dieser Ort Heinrichstein,
auch Arnoldstein geheißen haben, und ward wahrscheinlich
von einem dieses Namens im XI. oder XII. Jahrhundert ge=
gründet. Nach der dritten Silbe Stein dieses Wortes, darf
man wohl mit Gewißheit annehmen, daß ein Schloß hier
stand, nämlich Schloß des Heinrichs oder Arnolds,
daher Heinrichstein. Im Jahre 1683 ward derselbe
von den Türken schrecklich verwüstet, indem 3000 Tartaren,
bei dem eine Stunde östlich gelegenen Markte Hafnerbach

ihr Lager hatten, und von dort aus die ganze Umgebung verheerend durchzogen. Im folgenden Jahre wüthete hier die Pest, auf welche eine Hungersnoth folgte, da es wahrscheinlich an Menschen für den Ackerbau in dieser verwüsteten Gegend fehlte, durch welche auch noch die Wenigen, welche die Türkenwuth und Pest verschont hatten, dahin gerafft wurden. Auch während der französischen Einfälle, in den Jahren 1805 und 1809, wurde der Ort Haunoldstein, wegen seiner Lage an der Hauptstraße, sowohl von Oesterreichern als Franzosen hart mitgenommen, welche letztere im Jahre 1809 den Ort und die Kirche plünderten.

Hengstberg.

Ein Dörfchen von 5 Häusern, mit der nächsten Poststation St. Pölten, die zwei und eine halbe Stunde davon entfernt ist.

Zur Kirche und Schule gehört dasselbe nach dem dreiviertel Stunden entfernten Markt Hafnerbach. Landgericht, Grund-, Orts- und Conscriptionsherrschaft ist Mitterau. Der Werbkreis gehört dem Linien-Infanterie-Regiment Nr. 49.

In 6 Familien befinden sich 10 männliche, 16 weibliche Personen und 5 Schulkinder; der Viehstand zählt: 10 Ochsen, 8 Kühe, 10 Schafe und 18 Schweine.

Die Einwohner, als mittelmäßig bestiftete Landbauern, beschäftigen sich mit dem Körnerbau, wovon sie Weizen, Korn, Gerste und Hafer fechsen, und wozu die Feldgründe von ziemlich gutem Ertrage, doch einige derselben den Erdabtragungen ausgesetzt sind, der Obstpflege und der zum Hausbedarf nöthigen Viehzucht.

Diese fünf Häuser, mit Stroh gedeckt und von Obstgärten umgeben, liegen zusammengebaut, eine Stunde nördlich von Mitterau, auf einem seitwärts der alten Veste Hohenegg sich erhebenden, am Fuße mit Feldern und Wiesen und oben mit Waldung bedeckten Berge. Die Jagdbarkeit, in Hasen und Rebhühnern bestehend, ist ein Eigenthum der Herrschaft Mitterau. — Das Klima ist gesund, das Wasser sehr gut, aber etwas hart. — In diesem Oertchen trifft man auch eine Thongräberei, deren Ausbeute jedoch nur sehr gering ist.

Hohenegg.

Ein Dorf von 6 Häusern, einem alten Bergschlosse und zugleich die Herrschaft dieses Namens, gegenwärtig mit der Herrschaft Mitterau vereinigt, wovon St. Pölten, drei Stunden entfernt, die nächste Poststation ist.

Zur Kirche und Schule gehört der Ort nach dem eine halbe Stunde entfernten Markt Hafnerbach. Landgericht, Grund- und Conscriptionsobrigkeit ist die Herrschaft Mitterau, die Ortsherrlichkeit besitzt Hohenegg. Der Werbkreis gehört zum Linien-Infanterie-Regiment Nr. 49.

Hier leben in 6 Familien, 8 männliche, 11 weibliche Personen und 7 schulfähige Kinder; der Viehstand zählt: 2 Ochsen, 7 Kühe, 8 Schafe und 14 Schweine.

Die Einwohner, als Landbauern, sind gering mit Gründen bestiftet, die aber nur einen mittelmäßigen Ertrag geben, da sie etwas steinig sind, und auch bei ihrer abhängigen Lage hie und da durch Erdabtragungen leiden. Nebst dem Feldbau haben sie auch etwas Obst, und unterhalten eine Viehzucht, die ihrem Wirthschaftsbedarf angemessen ist.

Die mit Stroh gedeckten Häuser liegen beisammen auf einem Berge, dessen Höhe mit Waldungen gekrönt ist, am Fuße desselben aber, kornreiche Felder und Obstgärten sich ausbreiten, und dessen nächste Ortschaften in halbstündiger Entfernung, Hafnerbach, Wimpassing und Sassendorf sind.

Bevor wir dem geehrten Leser die alte Veste Hohenegg vor Augen stellen, sei uns erlaubt zu bemerken, daß von allen Arbeiten, aus dem weitem Gebiete der Wissenschaften, keine angenehmer, keine mit so vielem Interesse verbunden sein kann, als jene, welche die Geschichte, die Cultur und die Vorzüge des vaterländischen Bodens zum Zwecke hat. Diese mühevolle Arbeit finden wir dadurch dankbar, weil seit mehreren Jahren die Bewunderung aufhört, welche Oesterreich bis dahin dem Auslande für solche literarische Arbeiten zollte, und der Eingeborne aufmerksam gemacht, nur die Blicke auf die heimischen Schönheiten seines Vaterlandes wendet, wo ihm das entzückende Vergnügen zu Theil wird, Oesterreich nach verdientem Werthe bewundern zu können, denn er wandelt jetzt wohl nicht mehr auf unbekannter Straße durch die herrlichen Gefilde, an den prachtvollen Schlössern und ehrwürdigen Ruinen der grauen Vorzeit, manchen großen Werken der Kunst und Industrie fremd vorüber, da er Quellen erhalten hat, die seine Aufmerksamkeit erregen, seine Wißbegierde befriedigen, und so seine Wanderungen auf die erhebendste und nützlichste Weise versüßet.

Von allen erschienenen Schriften, welche die Merkwürdigkeiten des Vaterlandes und deren Bekanntmachung zum Gegenstande haben, ist unser gegenwärtiges Werk vorzüglich bestimmt, die alten Wohnsitze erlauchter Dynasten, die geistlichen Stifte, von den erstern Herrschern der alten Mark Oesterreich, in den frühesten Zeiten des Werdens und Aufblühens der sich bald vergrößernden Macht des Landes, zur Milderung der Sitten, Verbreitung und Aufrechthaltung der Religion und Wissenschaften gegründet, die überraschenden Naturscenen aus dem Dunkel zu ziehen, und an das Licht zu stellen; nicht minder das ganze Land Oesterreich seit seiner Gründung durch Beschreibung aller Ortschaften umständlich darzustellen, was zum allgemeinen Nutzen des Vaterlandes uns zweckdienlich scheint. Viele solche interessante Beschrei-

2

bungen haben wir bereits in gegenwärtiges Werk eingeschaltet, und wir waren sehr bemüht, diesen Darstellungen durch eine nach Wahrheit und Möglichkeit erschöpfende Gründlichkeit, aus öffentlichen und Privatquellen, durch Einholung der Beiträge von hohen Besitzern und Oberbeamten, wie auch durch eigene Bereisung und Aufnahme durch den Augenschein, denselben großes Interesse zu geben. Noch bieten sich bis zur Vollendung dieses Werkes eine Reihe merkwürdiger, zum Theil noch wenig bekannter Gegenstände dar, die wir mit derselben Gründlichkeit auf das Umfassendste beschreiben werden, gleich den früheren, und wozu auch die Veste Hohenegg gehört.

Von allen Punkten in der Ebene, die sich bekanntlich außer der Kreisstadt St. Pölten, viele Stunden weit, mit bebauten Boden und mit Ortschaften gleichsam übersäet, verbreitet, erblickt man an der Gebirgskette, welche diese Ebene nördlich begrenzet, von weitem die Ruinen einer großen Burg auf dem Berge, kühn sich aus dem Walde hervordrängend. Es ist die alte Bergveste Hohenegg, die in einiger Entfernung vom Dorfe gleiches Namens, gegen Süden, auf einem freistehenden Felsen, etwas niedriger als das Hauptgebirg, welches den Fels von Osten, Norden und Westen umgibt, pranget, und sie war der Sitz mancher alter und berühmter Geschlechter Oesterreichs. Der weite Umfang des Gebäudes, die vielen Thürme zeigen von Ferne jetzt noch einen herrlichen Wohnsitz, in dessen Innern nun aber Verwüstung und Einsamkeit herrschet. Der Weg hierzu führt an dem neueren Schlosse Mitterau vorüber, durch eine Allee, und dann über Wiesen und Felder dem Anfange des Gebirges zu. Auf der Hälfte des Berges steht das Haus des Försters, welcher allein diese Gegend noch bewohnt; von diesem Hause geht ein Fußsteig zu dem alten Schlosse. — Hohes unbetretenes Gras deckt den Boden umher um die einstmalige Auffahrt, kein

Pförtner öffnet die Thore, und in den öden Vorhöfen, in den weiten Gemächern verhallen die Tritte, und der Sturm sauft durch die Oeffnungen der zerrissenen Wände.

Die Veste, wovon nichts mehr aus den frühesten Zeiten übrig ist, gehört an Umfang und Bauart zu den bedeutendsten in Niederösterreich, und wie die jetzige Gestalt zeiget, stammt sie größtentheils aus dem XVI. Jahrhundert. Sie hat überhaupt in der Anlage und Ausführung viele Aehnlichkeit mit dem Schlosse Rosenberg am Kamp, V. O. M. B., und verräth denselben Meister, welches bei der Verwandschaft ihrer Besitzer der Grabner, Albrechtsberge und Enenkel, um so wahrscheinlicher wird.

Von Norden her ist diese Burg mit zwei tiefen Gräben geschützt, und mit drei hohen gewölbten Einfahrten versehen, über welch' ersterem Thore das gräflich Montecuccolische Wappen in Stein gehauen (vier Adler im geviertheilten Schilde enthaltend) sich befindet, zunächst welchem sich zwei mit dem Ganzen verbundene Bollwerke, gleich runden Thürmen, erheben, die auch früher oben einen Sturmgang, und an der spitzen Dachung mehrere hervorspringende Fenster ähnliche Oeffnungen hatten. Hieher führte zu diesem imponirenden Vorwerke dieser Veste keine Brücke, weil dieses Werk schlicht auf dem Felsen steht; aber von hier zum zweiten Thor bestand eine Zugbrücke, indem zwischen diesem und dem erwähnten zweiten Thore eine Felsenkluft oder ein Graben besteht. Gegenwärtig führt ein hölzerner Steg darüber. Ueber diesen gelangt man zum zweiten Thore, über welches sich ein massiver achteckiger hoher Thurm von fünf Stockwerken kühn erhebt. Früher war derselbe mit einer runden Kuppel geziert, anstatt diesem Schmucke hat er jetzt nur eine hölzerne Dachung, und solcherart eine Fronte mit dem Thurme bildenden, zwei Stockwerke enthaltenden Gebäudes, ist der Thurm massiv viereckig, und erhebt sich von hier aus

2 *

im Achteck, auf welchen Vorsprüngen, oder dadurch gebildeten vier Ecken in früherer Zeit vier geharnischte Schildhalter
standen. In den Bogen des bemerkten Thores, unter dem Thore,
ist eine große rothe Marmortafel angebracht, welche durch eben
den Bogen in zwei Abtheilungen getheilt ist, deren jede ein
steinernes Wappenschild, nämlich das Kirchbergische, als
älteres, und das Enenkelische enthält, und welche von vier
kleineren Ahnenwappen umgeben werden, wobei auch eine Inschrift sich befindet, die den Umbau des Schlosses durch Albrecht Freiherrn von Enenkel im Jahre 1584 angibt, in
welchem Jahre er diese Herrschaft von den Kirchbergischen
Erben erkaufte.

Diese Inschrift ist sehr charakteristisch, und lautet wie
folgt:

»Obwohl das Haus nicht nach der Zier, jetziger Art, ist
gebaut herfür, Oder jeden das nicht gefallen, Das sag ich zu
denselben allen, Weil darum ausgegeben wird mein Geld,
So bau ich auch wie's mir gefällt. Wie nun der Köpfe sind gar
viel, ich auch keine Ordnung geben will, doch sollen die alle
mir lieb sein, so in Freundschaft kommen herein, das schreib
ich recht zum Anfang, Gott bewahre den Ein- und Ausgang.«

Wie wir schon erwähnt haben, rechts und links von diesem Thurm, in den weitgedehnten Nebengebäuden, befanden
sich einst die Wohnungen der Dienerschaft, Werkstätte, Vor-
rathskammer und Küchen, wo noch auf der linken Seite ein
hoher wohlerhaltener Rauchfang hervorragt, an welche sich
dann Ringmauern mit runden Warttthürmen an einer jeden
Ecke zu beiden Seiten anschließen, wodurch ein großer
Vorhof vor dem eigentlichen Schloßgebäude gebildet wird.
Durch den obenbemerkten Thurm und diesen Vorhof, gelangt man zu einem zweiten Graben, oder Schlucht, und zu
der dritten Einfahrt, die in das Schloß führt und in dessen
großen viereckigen Hof. Vor dem dritten Thore befindet sich

ein besonderes Stockwerk und ein dreieckiger Thurm; nun erst
steht das herrschaftliche Wohngebäude in einem Vierecke da,
wozu der Hauptaufgang gleich linker Hand des Thores ist.
Der rechte Flügel vom Hauptgebäude ist fast gänzlich einge-
fallen, da man ihn vor einer Reihe von Jahren seiner Dachung
beraubte, um das Holzwerk derselben zu benützen, welches
aber, in die am Fuße des Felsens sich hinziehende Schlucht
geworfen, unbenützt verfaulte, weil man es aus derselben nicht
herausziehen konnte. Der linke Flügel, so wie die beiden kür-
zeren Seitentheile, haben noch die Ziegeldachung, und enthalten in den gewölbten Erdgeschoß und den zwei Stockwerken
viele meist sehr geräumige Zimmer und Gemächer, worunter
im ersten Stockwerke der große Saal, und im zweiten Stockwerke mehrere in einer Reihe gelegener großer Zimmer sich
befinden, in denen noch die Malerei an den Decken und Wänden sichtbar ist, so wie vieles künstliches Schnitzwerk an den
Thüren, die ehemalige große Pracht derselben ahnen lassen,
während jetzt die zahlreichen schon längst der Bekleidung beraub-
ten Thüren und Fenster den Stürmen der Witterung freien
Eingang gestatten, und auch dadurch dieser noch in leidlichen
Zustand befindlichen Theil des großen Gebäudes, in einigen
Jahren zur Ruine herabsinken wird. An der gegen Süden gekehrten Seite desselben, am Ende der Reihe jener weiten Gemächer des zweiten Stockwerkes, tritt aus einem derselben
eine, aus einer einzigen Steinplatte bestehende, mit eisernen
Geländer umgebene Altane über den senkrechten Mauern des
Schlosses hervor, von welcher der Blick hinabstarrt in die
schwindelnde Tiefe der grausen Felsschlucht, jenseits welcher
üppige Fluren, gegen Osten und Westen von grünen Matten
und von lieblichen Baumgruppen durchzogen, einen sehr freundlichen Anblick gewähren, zwischen denen zerstreute mit Stroh
gedeckte Gehöfte und die am Fuße der Höhen gelegenen Ortschaften Hafnerbach und Wimpassing, dann weiterhin Mitterau

mit seinem freundlichen Schlosse sich erheben, hinter welchem die mit schlanken Pappeln besetzte Linzer = Poststraße sichtbar wird, wo sich dann die ganze schöne Landschaft von St. Pölten bis gegen Melk entfaltet, welche beide Orte selbst die nahen Waldhöhen verbergen, bis die gleich Meereswogen sich aufthürmende österreichische und steierische Gebirgskette, von dem riesigen Oetscher überragt, den schwelgenden Blick fesselt, und die ganze Ferne des Hintergrundes umsäumt. Fürwahr diese Aussicht allein belohnt die Wanderung nach diesem alten Schlosse, und Jedermann wird bedauern, daß dieses herrliche Gebäude schon so weit in Ruine zerfallen ist, und daß es nicht mehr bewohnt werden wird.

Aus den Fenstern des Saales sieht man an dem Thurme ein Wappen mit einer Inschrift, welche der Entfernung und des angewachsenen Mofes wegen nicht zu entziffern ist; nur die Jahreszahl 1594 bringt man mühesam heraus, welche Zeit in den Besitz der Freiherren von Enenkel fällt. Der Einfahrt gegenüber am andern Ende des Hofes, in einem der Seitentheile, befindet sich im Erdgeschoße die geräumige gewölbte Capelle, längst alles Schmuckes beraubt und ebenfalls ganz leer. Sie hatte vormals drei Altäre und zwei Oratorien. Das erste Oratorium enthält sechs Vorstellungen aus der biblischen Geschichte in Wasserfarben gemahlt, als: die Taufe Johannes, die Verführung Adams, den Durchgang der Israeliten durch's rothe Meer, die Geburt und Kreuzigung Christi, und das letzte Gericht.

An dem nördlichen Ende des linken noch erhaltenen Flügels, erhebt sich ein ebenfalls zweistöckiger runder Thurm mit spitzen Ziegeldach, von bedeutender Größe und Dicke, der noch von dem ersten uralten Schlosse herrühren dürfte. — Auch die meist in Felsen gehauenen Keller des Schlosses sind bedeutend, so wie auch unter dem Herde in der großen Küche der Eingang zu einem unterirdischen Gange vorhanden seyn soll, welcher von hier nach der, eine Stunde entfernten Ofterburg führt.

Hohenegg ift eigentlich die ältefte Herrfchaft unter allen, die zur vereinigten Herrfchaft Mitterau gehören, und auch die bedeutendfte, fie follte daher, wie wir fchon bemerkt haben, anftatt Mitterau den Namen führen. Der ihr eigenthümliche Grundftand befteht in 282 Joch 431 Quadrat-Klafter Aecker, 124 Joch 1081 Quadr. Klftr. Wiefen, 12 Joch 886⁶· Quadr. Klftr. Gärten, 456 Quadr. Klftr. Weingärten, 43 Joch 1164 Quadr. Ktftr. Huthweiden, 760 Joch 606 Quadr. Klftr. Hochwaldung, 19 Joch 1306 Quadr. Klftr. Wiefen mit Auholz befetzt, 12 Joch 1378 Quadr. Klftr. Geftripp und 1 Joch 989 Quadr. Klftr. unbenützbarer Boden.— Zur Herrfchaft Hohenegg gehören feit vielen Jahren die Ortfchaften: Dörfchen Hohenegg, Hafnerbach mit der Pfarre, Pfaffing, Saffendorf, Zendorf, Windfchnur, Stein, Eichberg, Oed, Hengftberg, Knorning, Ober= und Unter=Graben, Doppl, Rannersdorf, Ritzersdorf und Wimpaffing, die nun alle mit Mitterau vereinigt find.

Hohenegg hat den Namen wahrfcheinlich von der hohen Lage und dem hervorragenden Felfen (Egg) erhalten. Die erften Erbauer und Befitzer davon find nicht bekannt, und wir kennen auch kein Gefchlecht, welches derfelben den Namen, oder fich von der Vefte die Benennung gegeben hätte. Es ift allerdings eine angefehene uralte Familie von Hohenegg bekannt, die aber nie unfer Hohenegg befaß. Es ftammte aus Schwaben, jenfeits des Rheines unweit Kaiferslauten, und theilte fich in der Folge in die fchwäbifche, dann in die baierifch=öfterreichifche Hauptlinie. In Nieder=Oefterreich, im V. O. W. W. und O. M. B. war es mit mehreren Herrfchaften begütert, meift aber in Oefterreich ob der Ens. Aus diefer uralten, angefehenen Familie, nachhin aber reichsgräflich, stammte der verdienstvolle Genealoge, Johann Georg Adam Freiherr von Hohenegg, der sein adeliges Geschlecht vollständig und ausführlich beschrieben hatte.

Das hohe Alter dieser Veste ist übrigens entschieden, denn sie stand schon im XI. Jahrhundert, und unter Markgraf Leopold III. dem Schönen, war solche mit Persenbeug und Ips in dem Heiratsgute begriffen, welches seine sechstgeborne Tochter Richardis zum Heiratsgute bekam, als sie sich an Heinrich von Regensburg, Grafen von Stephaning vermählte. Nach dessen bald erfolgtem Tode brachte sie diese Besitzung an ihren zweiten Gemahl, Grafen von Wohburg, der darüber vom Herzog Leopold VI. die Lehen erhielt, die Veste Hohenegg aber an Rudolph von Pottendorf überließ.

Durch Verwandschaft kam diese Burg an die Herren von Hohenberg, die auch Mitterau besaßen, dann an das Haus Walsee, wovon Wolfgang von Walsee solche im Jahre 1464 an Mathias von Spauer verkaufte. Diesem folgte im Jahre 1513 Sigmund, und im Jahre 1534 Christoph Freiherr von Spauer. Im Jahre 1542 erkaufte Hohenegg Ludwig von Kirchberg, vom Vorigen; im Jahre 1571 erhielten es dessen Erben, und von diesen im Jahre 1584 Albrecht Freiherr von Enenkel, der den größten Theil der Veste, wie wir oben gesehen haben, umbauen ließ, und unter welchem Hohenegg den höchsten Glanz erreichte. Diesem folgte im Jahre 1606 Georg Achaz, und im Jahre 1613 Jakob Hartmann Freiherr von Enenkel, der letzte dieses berühmten österreichischen Geschlechtes, durch Erbschaft. Sie waren Ritter und Freiherren, vor Zeiten Enickl, Enigl, Ennenchel genannt, und mit Albrechtsberg, Goldegg, Hohenegg, Lichtenegg ꝛc., begütert. Sie stammten aus einem der ältesten einheimischen Geschlechter in Oesterreich, und waren unter den Besitzern von Hohenegg die merkwürdigsten. Schon unter den ersten Re-

genten des babenbergifchen Haufes erblühte diefe Familie, und Otto Enenkel, der erfte, welcher aus diefem Ge-
fchlechte bekannt wurde, kommt fchon im Jahre 1049 in einem
Donationsbriefe, Kaifer Heinrichs III. an den Abt und das
Klofter Nieder=Altaich in Baiern vor. Heinrich und Dietrich Enneckl find Zeugen in einem, dem Klofter Krems-
münfter ertheilten Privilegium vom Jahre 1187. Hans oder
Johann Enenkl, der Wiener genannt, ein Chorherr der
damaligen Collegiatkirche zu St. Stephan in Wien, war der
Verfaffer des in Reimen gefchriebenen Werkes: »Fürftenbuch
von Oefterreich und Steiermark Herrn Hanfen von Enenkl, welches eine Chronik von den erften Regenten, Markgrafen und Herzogen von Oefterreich, bis auf das Jahr 1246
ift.« Georg Enenkl, der edel und weife Ritter, Herzog Albrecht des III. Mauthner zu Linz, befaß Albrechtsberg an der
Pielach, welches Schloß von der Familie von Fläming an
die Enenkel kam. Cafpar Enenkel war mit dem großen Gefolge bei Kaifer Friedrichs IV. prächtiger Krönung und Vermählung zu Rom, wo er nebft mehreren auf der
Tiberbrücke zum Ritter gefchlagen wurde. Von diefem
Zuge und den dabei gehaltenen Feierlichkeiten, hinterließ er
eine merkwürdige Befchreibung. Albrecht, Jofias und
David Enenkel, wurden von Kaifer Rudolph II. mit
ihrer fämmtlichen Descendenz im Jahre 1594, Prag den 14.
Jänner, in den Freiherrnftand erhoben. Ausgezeichnet in den
Wiffenfchaften, und durch ihre hinterlaffenen Schriften, um
Diplomatik und Gefchichte, befonders des öfterreichifchen Adels
verdiente Männer, waren Georg, Achaz und Jakob
Hartmann Freiherr von Enenkel zu Albrechtsberg
und Hohenegg. Der Letzte endete, wie fchon berichtet
worden, den Mannsftamm feines fo alten, rühmlichen Ge-
fchlechtes, und wurde auf feiner Herrfchaft Hohenegg im
Pfarrorte zu Hafnerbach in der Kirche St. Zeno zur

Ruhe bestattet. Unter dem auf seinem Grabmale ausgehaue=
nen Familienwappen findet man auch männlicher Seite das
Wappen der Hager von Allensteig (im W. O. M. W.).
Die Ritter und Freiherren Hager von Allensteig sind
von sehr altem inländischen Adel, und waren in Ober= und
Unter=Oesterreich begütert, und mit den ältesten Familien,
als den von Lapiß, Althan, Trautmannsdorf, Gin=
ger, Geyer von Osterburg, Hohenegg in Ober=Oester=
reich, Enenkel, Trautsohn und mehreren andern großen
Häusern verwandt, und mit ausgezeichneten Ehrenämtern, im
Militär= und Civildienste, bekleidet. Das Vertrauen und die
Gnade des Landesfürsten, die allgemeine Schätzung der Zeit=
genossen und Anerkennung ihrer Verdienste um den Staat,
vereint mit den edelsten Herzen gegen ihre Mitbürger, welche
die letzten lebenden Sprossen dieses Hauses genießen, sind
ein höherer Ruhm, als je ein Marmor der Nachwelt zu be=
wahren vermag.

Nach dem Ausblühen der Enenkel kam die Herrschaft
Hohenegg an Caspar von Neuhaus, von welchem solche
im Jahre 1629 Barbara Gräfin von Montecuccoli, ge=
borne Freiin von Concin erkaufte. Darauf traten in dem
Besitze, im Jahre 1633, nebst derselben, deren Gemahl, Graf
Hieronimus von Montecuccoli; im Jahre 1653 dessen
Vetter Graf Raimund von Montecuccoli; im Jahre
1689 dessen Sohn, Leopold Philipp Fürst von Mon=
tecuccoli; im Jahre 1723 Franz Raimund Graf von
Montecuccoli durch Erbschaft vom Vorigen; im Jahre
1758 Zeno Graf von Montecuccoli; und im Jahre 1802
dessen Sohn, Peregrin Graf von Montecuccoli, wel=
cher noch gegenwärtig die vereinigten Herrschaften Mit=
terau, Hohenegg, Osterburg und Haindorf besitzt.
Die Grafen Montecuccoli de Laterchi, hatten ihr Stamm=
schloß in dem Herzogthume Modena, wurden den 13. März

1613 dem n. ö. Herrenstande einverleibt, und bekleideten ansehnliche Aemter und Würden. Einen immer strahlenden Glanz wird der Ruhm und die Thaten des Helden und Fürsten Leopold Philipp Montecuccoli auf alle Nachkommen dieses Hauses werfen.

Knetzersdorf.

Ein Dörfchen von 9 Häusern, wovon St. Pölten, drei Stunden entfernt, die nächste Poststation bildet.

Zur Pfarre und Schule gehört dasselbe nach Haindorf, eine Viertelstunde davon; Landgericht, Orts = und Conscriptionsobrigkeit ist Mitterau; Grundherrschaften sind Mitterau, Melk und Fridau. Der Werbkreis gehört zum 49. Linien-Infanterie=Regiment.

Hier leben in 11 Familien, 24 männliche, 27 weibliche Personen und 10 schulfähige Kinder; der Viehstand besteht in 14 Pferden, 34 Kühen, 54 Schafen und 27 Schweinen.

Die hiesigen Einwohner sind theils gut, theils mittelmäßig bestiftete Landbauern, welche alle vier Körnergattungen und etwas Obst bauen. Dazu besitzen sie gute Gründe, wovon jedoch mehrere den Ueberschwemmungen des Sirningbaches ausgesetzt sind. Sie treiben eine gute Viehzucht, im Sommer mit Weidegang, womit sie einen Handel unterhalten. — Die Jagd ist herrschaftlich und liefert Hasen und Rebhühner. — Das Klima ist gesund, das Wasser gut.

Knetzersdorf besteht in zusammengebauten, mit Stroh gedeckten Häusern, und liegt von den Auen der Sirning und von Obstgärten umgeben, in einer von mäßigen Hügeln gebildeten Vertiefung, am Sirningbache, zunächst dem Pfarrdorfe, etwa eine halbe Stunde von der Poststraße links.

Knorning.

Ein Dorf aus 16 Hausnummern bestehend, mit der nächsten, drei Stunden entfernten Poststation St. Pölten.

Der Ort ist nach Hafnerbach eingepfarrt und eingeschult. Das Landgericht, die Orts= und Conscriptionsobrigkeit ist die Herrschaft Mitterau, welche auch mit der k. k. Staatsherrschaft St. Pölten die hierorts behausten Unterthanen besitzt. Der Bezirk von hier gehört dem Werbkreis des 49. Linien=Infanterie=Regiments.

Die Bevölkerung besteht in 19 Familien, 38 männlichen, 41 weiblichen Personen und 22 schulfähigen Kindern; der Viehstand zählt 11 Pferde, 23 Ochsen, 57 Kühe, 127 Schafe und 40 Schweine.

Als Landbauern besitzen die Einwohner nur eine geringe Grundbestiftung, die von mittelmäßiger Ertragsfähigkeit ist, weil viele der Aecker den Erdabtragungen ausgesetzt sind. Es werden die gewöhnlich üblichen Fruchtkörnergattungen und Obst gebaut, und nebst diesen landwirthschaftlichen Zweigen eine gute Viehzucht getrieben. Blos ein Weber erscheint unter den Einwohnern dieses Ortes.

Das Dorf Knorning ist zusammengebaut, die Häuser sind mit Stroh gedeckt, und liegen in einer von Feldmarken und Wiesen gebildeten Vertiefung, von Obstgärten umgeben, eine Stunde von Hafnerbach westlich, nahe beim Schlosse Hohenegg, in einer angenehmen Gegend, die gutes Klima und Wasser enthält. — Die Feldjagd in Hasen und Rebhühnern bestehend, ist ein Eigenthum der Herrschaft Mitterau.

Mannersdorf.

Ein Dorf von 13 Häusern, wovon St. Pölten, in einer Entfernung von drei Stunden, die nächste Poststation ist.

Der Ort gehört zur Pfarre und Schule nach Haindorf. Das Landgericht, wird von der Herrschaft Schallaburg ausgeübt; die Ortsherrlichkeit besitzt Mitterau, und Conscriptionsobrigkeit ist Sooß. An Grunddominien werden bezeichnet: Aggsbach, Fridau, Lilienfeld, Goldegg, Mitterau, St. Pölten und Schallaburg. Der Werbkreis gehört zum Linien-Infanterie-Regiment Nr. 49.

Hier leben 17 Familien, 39 männliche, 34 weibliche Personen nebst 12 schulfähigen Kindern; diese besitzen an Viehstand: 16 Pferde, 8 Ochsen, 39 Kühe, 45 Schafe und 40 Schweine.

Die Einwohner sind gut bestiftete Landbäuern, deren Gründe ertragsfähig sind. Sie bauen Weizen, Korn, Gerste, Hafer, andere Nebenfrüchte und auch Obst, und treiben eine gute schöne Viehzucht mit Stallfutterung und Weide.

Der Ort besteht in zerstreuten, mit Stroh und Schindeln gedeckten, gut gebauten Häusern, die in einer größtentheils flachen Gegend, eine halbe Stunde südlich vom Pfarrorte Haindorf gelegen sind, wovon Sieben, Mitterndorf und Ober-Radel die nachbarlichen Orte sind. — Das Klima ist sehr gesund, doch etwas kalt, das Wasser aber vortrefflich. In der Umgegend befinden sich einige Hügeln und Waldpartien, wodurch die Lage von Mannersdorf recht ländlich gestaltet wird. Wie überall hier, liefert die Jagd blos Hasen und Rebhühner, die ein Eigenthum der Herrschaft Haindorf, resp. Mitterau ist.

Margarethen.

Ein Pfarrdorf, welches 26 Hausnummern enthält, und wovon St. Pölten, drei Stunden entfernt, als die nächste Poststation bezeichnet wird.

Kirche und Schule bestehen im Orte; diese gehören in

das Decanat Melk. Das Patronat ist landesfürstlich. Das Land-
gericht und die Ortsherrlichkeit besitzt die Herrschaft Mitterau,
Conscriptionsobrigkeit ist Fridau; Grundherrschaften sind
Mitterau, Fridau, Kreisbach und Pfarre M a r g a r e t h e n.
Der Werbbezirk ist dem 49. Linien-Infanterie-Regimente un-
tergeordnet.

Die Seelenzahl besteht in 36 Familien, 79 männlichen,
72 weiblichen Personen und 18 schulfähigen Kindern. An Viehstand werden gezählt: 33 Pferde, 67 Kühe, 108 Schafe und
60 Schweine.

Die hiesigen Einwohner besitzen als Landbauern eine
mittelmäßige Anzahl von Gründen, die im Allgemeinen von
guter Beschaffenheit, nur die Wiesen aber den Ueberschwemmungen des S i r n i n g b a c h e s ausgesetzt sind. An Gewerbsleuten und Professionisten befinden sich: 1 Krämer, 2 Wirthe,
1 Fleischhauer, 2 Bäcker, 1 Müller, 1 Hufschmied, 1 Schuhmacher, 1 Tischler und 2 Schneider. Es werden alle vier Körnergattungen, jedoch wenig Obst gebaut, und eine gute Viehzucht, meist mit Anwendung der Stallfutterung getrieben,
die aber blos den eigenen Wirthschaftsbedarf decket. Die Erzeugnisse verkaufen die Einwohner auf dem Wochenmarkte in
St. Pölten.

Das Dorf M a r g a r e t h e n, aus aneinander gebauten
Häusern bestehend, ist klein, und bildet nur eine, am Fuße
der Anhöhe, auf welcher die Kirche sammt dem Pfarrhofe liegen, sich hinziehende enge Gasse, mit übrigens freundlichen
Gebäuden, die meist mit Schindeln gedeckt sind, und liegt
ungefähr ein und eine halbe Stunde südlich von der Linzer-
poststaße abseits, drei Viertelstunden von Haindorf, in einer
angenehmen und fruchtbaren Thalebene, welche der S i r n i n g-
b a c h durchfließt, und allwo einige Hügel, zum Theil mit
mäßigen Waldungen bedeckt, sich sanft erheben. Die Gegend
um M a r g a r e t h e n ist überhaupt sehr anmuthig, und am

besten kann man sie vom Kirchhofe aus übersehen, der unweit von der Kirche, und etwas höher als diese gelegen ist.
Das Thal zieht sich gleichsam in einem Kreise um die Anhöhe
herum, üppige Fluren werden von dem zwischen schattigen
Auen dahinfließenden Sirningbache, der hier eine Mühle
treibt, durchschnitten, und dunkle Nadel = und Laubholzwal-
dungen begrenzen dasselbe, und geben dem ganzen einen wahrhaft romantischen Charakter. Diese Naturschönheit steigert
sich übrigens um Vieles, wenn man den Weg von hier über
die Orte Dürnbach, Unter = und Mitter=Nadel und Arnes-
dorf, nach dem eine halbe Stunde entfernten Markte Hirm
antritt.

Das Klima ist sehr gesund und enthält eine reine Luft;
auch das Wasser ist vorzüglich gut. — Die Jagdbarkeit, nur
Hasen und Rebhühner liefernd, darf mittelmäßig genannt werden, und gehört der Herrschaft Mitterau.

Die hiesige Kirche, der heiligen Jungfrau Margaretha zu Ehren geweiht, liegt, wie schon erwähnt, auf einer kleinen Anhöhe, an der Westseite des Ortes, vom ehemaligen Gottesacker umgeben. Sie ist nicht groß, durchaus gothischer Bauart mit Ziegeldach, und hat einen spitzen, ebenfalls mit Ziegeln gedeckten Thurm, welcher eine Uhr und drei
Glocken enthält. Obschon von Außen modernisirt, besteht das
Innere außer dem Presbyterium, aus einem Haupt = und
einem Seitenschiffe, ganz von altgothischer Wölbung, wobei,
was in den Kirchen dieser Gegend nicht oft angetroffen wird,
die Schiffe mit dem ersteren von gleicher Höhe sind. Der
Hochaltar ist von Holz ohne besondere Verzierung, mit
einem großen Altargemälde geschmückt, die heilige Margaretha vorstellend, zu deren Füßen ein großer schwarzer Teu-
fel sich befindet, ein Zeichen des Geschmackes einer vergange-
nen Zeit. Ueber dem Tabernakel ist ein Muttergottesbild mit dem Kinde, in Pastell gemahlt, angebracht, wo-

durch jedoch der untere Theil des Haupt=Altarblattes ganz verdeckt wird. — Seitenaltäre sind zwei vorhanden, beide Marienaltäre, mit sehr alter Schnitzarbeit und Vergoldung; außer diesen steht im Seitenschiffe noch ein kleiner hölzerner Altar, mit dem Bilde des heiligen Johann von Nepomuk. Neben dem Hochaltare in der Wand sind zwei Vertiefungen, sogenannte Sakramentshäuschen, die sprechend genug beurkunden, daß die Kirche und Pfarre in das XIII. Jahrhundert zurückreichen. Besonders bemerkenswerth ist ein an der Wand des Hauptschiffes befindliches Muttergottesbild in Lebensgröße, welches auf Seide gedruckt ist.

Wie wir so eben erwähnt haben, ist die hiesige Kirche von sehr hohem Alter, und scheint der erste erhabene Gegenstand des Ortes gewesen zu sein, als derselbe aufblühte, und von welchem er den schönen Namen der heiligen Jungfrau Margaretha bekam. Damals mag das Gotteshaus noch eine Capelle gewesen sein, die als uralt hier in der Gegend stand, und ein Ort der Verehrung war, von der umwohnenden gläubigen Gemeinde. Die Religionsstürme trugen auch hieher ihre Neuerungen, und ließen die unangenehmen Folgen ihres Vorhandenseins fühlen; doch späterhin wieder ward der seit einer Zeit verdrängte katholische Glaube hier im Orte wieder vorherrschend, und ist es bis jetzt geblieben, wie das unverssegbare Wort des Evangeliums.

Die Seelsorge und den Gottesdienst versieht blos ein Pfarrer, der Weltpriester ist.

Hieher sind eingepfarrt: Margarethen, Eigendorf ¼, Wieden ¼, Linsberg ¼, Kainsdorf ¼, Saudorf ¼, Feillendorf ½, Grub ¼, Wielersdorf ½, Ramersdorf ¼, Klein=Sirning ¼, Oberhofen ¼, Unter=Nadel ½ und Dürnau ¼ Stunde entfernt.

Der Pfarrhof, ebenerdig mit Schindeln gedeckt, unweit der Kirche gelegen, ist ein großes Gebäude mit weitläu-

tigen Wirthſchaftshöfen, da mit dieſer Pfarre eine bedeutende Oeconomie verknüpft iſt. Das Schulhaus befindet
ſich zunächſt dem Pfarrhofe, und der Leichenhof liegt höher als die Kirche.

Mitterndorf.

Ein kleines Oertchen von 4 Häuſern, von welchem St. Pölten, als die nächſte Poſtſtation, drei Stunden entfernt iſt.

Zur Kirche und Schule gehört daſſelbe nach Hürm. Das
Landgericht wird von der Herrſchaft Schallaburg ausgeübt;
die Ortsherrlichkeit beſitzt Mitterau, Conſcriptionsobrigkeit iſt
Sooß; als Grundherrſchaften werden Schallaburg, Walpers-
dorf und Goldegg genannt. Der Werbbezirk gehört zum 49.
Linien-Infanterie-Regiment.

In 4 Familien leben 6 männliche, 9 weibliche Perſonen
und 6 ſchulfähige Kinder. Der Viehſtand zählt: 7 Pferde,
15 Kühe, 30 Schafe und 18 Schweine.

Die hieſigen Einwohner ſind Landbauern, im Beſitze einer mittelmäßigen Grundbeſtiftung, welche Weizen, Korn,
Gerſte und Hafer, nebſt etwas Obſt bauen, und auch eine
ziemlich gute Viehzucht treiben, von der ſie manches Stück
zum Verkaufe ziehen.

Dieſe vier Gehöfte, unter der Benennung Mitterndorf, die mit Stroh gedeckt, von Obſtgärten und Feldern
umgeben werden, liegen in einer hügeligen, aber überaus angenehmen Gegend, unfern Margarethen, Mannersdorf, Dürnau
und Ober-Radel. Die Luft iſt rein und geſund, das Waſſer
ſehr gut. Die Jagdbarkeit beſteht blos in Feldjagd und iſt
herrſchaftlich.

Neubing.

Ein Dörfchen aus 4 Hausnummern bestehend, mit der zwei und eine halbe Stunde entfernten Poststation St. Pölten.

Diese Häuser sind zur Pfarre und Schule nach dem sehr nahen Bischofstetten angewiesen. Landgericht ist Fridau; Grundherrschaft Osterburg; Ortsobrigkeit ist Mitterau und Conscriptionsherrschaft Grünbühel. Der Werbkreis gehört dem 49. Linien=Infanterie=Regiment.

Hier befinden sich 6 Familien, 25 männliche, 20 weibliche Personen und 3 schulfähige Kinder; der Viehstand zählt: 2 Pferde, 4 Ochsen, 13 Kühe, 30 Schafe und 40 Schweine.

Die hiesigen Einwohner gehören in die Classe der Landbauern, welche im Besitze einer guten Grundbestiftung sind. Ihre Beschäftigung ist der Feldbau der gewöhnlichen Körnergattungen, dann eine gute Viehzucht, bei welch' letzteren sie einen Handel unterhalten. Die Gründe sind von mittelmäßigem Ertrage, weil mehrere derselben bisweilen an Erdabschwemmungen leiden.

Diese vier Bauernhäuser, welche mit bedeutenden Obstgärten versehen sind, liegen kaum 10 Minuten vom Pfarrorte Bischofstetten entfernt, in einer angenehmen, mit gutem Trinkwasser und Klima versehenen Gegend. — Die Jagd liefert blos Hasen und Rebhühner.

Oed.

Zwei Gehöfte, wovon St. Pölten als die nächste Poststation, drei und eine halbe Stunde entfernt ist.

Diese sind zur Kirche und Schule nach Hafnerbach angewiesen. Das Landgericht, die Orts= und Conscriptionsobrigkeit ist Mitterau, die hier auch einen behausten Unterthan gleichwie die Herrschaft Gurhof besitzt. Der Werbkreis gehört zum 49. Linien-Infanterie-Regiment.

Es befinden sich hier zwei Familien, 6 männliche, 6 weibliche Personen und 2 schulfähige Kinder: der Viehstand zählt 8 Ochsen, 5 Kühe, 13 Schafe und 7 Schweine.

Die Einwohner sind Landbauern, welche den Ackerbau, etwas Obstpflege, einige Waldwirthschaft und die zum Hausbedarf nöthige Viehzucht treiben. — Die Gründe sind etwas steinig und einige derselben den Erdabtragungen ausgesetzt. — Das Klima ist gesund, das Wasser gut.

Diese zwei mit Stroh gedeckten Gehöfte liegen ganz allein auf der Spitze, der hinter dem alten Bergschlosse Hohenegg sich erhebenden Höhe, ungefähr zehn Minuten von derselben entfernt, die von Feldmarken umgeben werden, an welche sich die nahe, die Spitze des Berges deckende Waldung anstößt, von welcher abgesonderten Lage auch der Name Oed dieser Gehöfte herkömmt.

Osterburg.

Ein Dorf von 8 Häusern, nebst einem alten Bergschlosse und die gleichnamige Herrschaft, wovon St. Pölten, als die nächste Poststation, drei Stunden entfernt ist.

Zur Kirche und Schule gehört dasselbe nach Haunoldstein. Das Landgericht, die Grund = und Conscriptionsobrigkeit ist Mitterau; Ortsherrschaft aber Osterburg. Der Werbkreis gehört zum 49. Linien-Infanterie-Regiment.

In 9 Familien leben 12 männliche 16 weibliche Personen und 6 schulfähige Kinder; der Viehstand zählt: 29 Ochsen, 5 Kühe, 46 Schafe und 16 Schweine.

Die Einwohner, als Kleinhäusler bestiftete Landbauern, ernähren sich von Feldbau, und arbeiten auch um Taglohn, daher sie ganz wenig Viehzucht treiben.

Das Dörfchen ist zusammengebaut, die Häuser sind mit Stroh gedeckt und liegen auf einem zum Theil mit Waldung bedeckten Berge, neben und zwischen dem zum alten Schlosse Osterburg gehörigen Mauerwerk. Weiter oben auf der Höhe, gegen Norden von diesem, steht ein mit Stroh gedeckter Meierhof der Herrschaft, worin 27 Stück Rindvieh und 444 Schafe sich·befinden. — Am Abhange des Berges, neben den nach dem benachbarten Dorfe Haunoldstein führenden Fahrwege, befindet sich ein S t e i n b r u c h, der Herrschaft gehörig.

Das alte Bergschloß O s t e r b u r g liegt eine Viertelstunde nördlich vom Dorfe Haunoldstein, auf einem mit Wald bewachsenen Felsenvorsprunge, an der sich hier von Westen nach Osten hinziehenden bedeutenden Gebirgskette, am Eingange eines schönen, ebenfalls von hohen Waldgebirgen umschlossenen Thales, in dessen Tiefe mit glänzendem Wasserspiegel die rauschende P i e l a ch zwischen üppigen Wiesengründen dahinfluthet, weßhalb dasselbe auch das P i e l a ch=t h a l genannt wird.

Zu dieser Veste führt ein zum Theil in Felsen gehauener Fahrweg, welcher vor Zeiten an zwei Orten mit Mauern und Thore versehen war, wovon noch Spuren vorhanden sind. Die alte Veste besteht jetzt noch aus einem, ein Rechteck bildenden Hauptgebäude mit zwei Stockwerken und Schindeldachung, und hat an manchen Stellen, was unglaublich scheint, drei bis vier Klafter dicke Mauern. In demselben befindet sich die ehemalige C a p e l l e, schon von Außen an den gegen das Thal gekehrten hohen gothischen Bogenfenstern kenntlich, mit altgothischer Spitzwölbung, hoch und geräumig, doch aller innerer Einrichtung beraubt. Die beiden Stockwerke nehmen sehr große, zu Schüttböden gegenwärtig dienende Gemächer ein, zu denen, nebst einer andern, vom Hofe aus führenden Stiege, eine besonders gut gebaute Schneckenstiege, neben der Capelle, leitet. An der gegen den Hof gekehrten Seite, welcher von diesem Hauptgebäude und einer Mauer eingeschlossen wird, befinden sich am zweiten Stockwerke einige große in Stein gehauene Wapen, von den einstmaligen Besitzern dieser Veste, namentlich der Geyer. Gegen die Bergseite umgibt dieses Gebäude ein tiefer in Felsen gehauener Graben, gegen das Thal auslaufend, über den ein hölzener Steg anstatt der ehemaligen Zugbrücke, zu dem, im Verhältniß des großen Gebäudes ziemlich schmalen Eingange führt, über welche eine in Stein gehauene, sehr unleserliche Inschrift, einen Rudolph von Tiernstein, als (zweiten) Erbauer der Burg, im XV. Jahrhundert angibt. Früher war dieses alte Gebäude von einem Zubau neuerer Zeit umgeben, der jetzt ganz verfallen ist, indem größtentheils das Material zu den kleinen Häusern des Dörfchens gleiches Namens verwendet wurde. Dermalen erinnern in der Umgebung desselben nur noch die schwachen Ueberreste von zwei Wartthürmen, und ein kleines gegen den Felsabhang vorgebautes Thürmchen an die ehemaligen Vertheidigungswerke, während auf einem Hügel jenseits des Grabens, dem Schlosse gegenüber, ein sehr hoher runder Thurm, schon von weither sichtbar, Alles beherrschend, majestätisch in die Lüfte ragt, mit ebenfalls drei bis vier Klafter dicken Mauern und vier Gräben nebeneinander, in dessen Inneres man nur durch ein, eine halbe Klafter über den Boden befindliches Loch gelangen kann, und von dessen obern Theile, der ganz frei und ohne Dachung ist, sich eine malerische Aussicht in die nächsten Waldschluchten und die, von der sich gegen Süden ausbreitenden Gebirgskette, begrenzten Ebene darbietet. Auch soll diese alte Burg, welche, vor Erfindung des Schießpulvers, gewiß eine der festesten in Oesterreich war, durch einen bereits bei Hohenegg erwähnten unterirdischen Gang mit dieser in Verbindung gestanden seyn.

Am Fuße des Hügels, auf welchem dieser mächtige Thurm sich erhebt, ziehen sich die meisten der den Ort bildenden kleinen Häuser hin, von wo aus man ebenfalls eine überraschende Ansicht gegen das wunderliebliche P i e l a c h t h a l, das Dorf Hannoldstein und die im Hintergrunde sich hinziehende Fläche genießt, in deren Ferne der Kirchthurm des Marktes Grafendorf und das Schloß von Fridau kennbar sind. So wie diese Aussicht sehr belohnend ist, eben ein so düsteres romantisches Ansehen hat die alte zerfallene O s t e r b u r g an sich selbst, da wie gesagt, die Thore, die Zugbrücken, die Gebäude der Vorhöfe ganz in Ruinen verfallen, und mit Rasen und Bäumen gedeckt sind.

Die Zeit der Erbauung, so wie die Entstehung dieses Namens und die ersten Besitzer, sind unbekannt; eben so wenig hat es eine Familie gegeben mit dem Geschlechtsnamen O s t e r b u r g, oder wie es in den ältesten Schriften heißt: »O s t e r b e r c h.« Zu vermuthen ist, daß diese Weste deßhalb die Benennung O s t b e r c h, oder O s t e r b e r c h erhalten hat, weil sie auf einen gegen Osten gekehrten Fels steht, der in der frühesten Zeit so benannnt worden sein dürfte, und wovon die Burg den Namen überkam.

Im XIII. Jahrhundert erscheint die Familie der H ä u s l e r von P u r g s t a l l als Besitzer der Weste O s t e r b u r g, namentlich aber W e r n h a r d F r i e d r i c h und O t t o M a r q u a r d H ä u s l e r von P u r g s t a l l, von welch' Beiden es im Jahre 1318 C h u n r a d E i s e n b e u t e l erkaufte. Im Jahre 1367 war M a r c h a t von T y e r n s t e i n (T i e r n s t e i n) Eigenthümer dieser Herrschaft, und scheint durch geraume Zeit bei derselben verblieben zu sein, weil, wie schon oben gedacht worden ist, noch im XV. Jahrhundert R u d o l p h von T i e r n s t e i n als Erbauer der Burg, (wahrscheinlich nur einen Zubau zur ursprünglich alten Weste) vorkömmt. Darauf kam O s t e r b u r g in das Eigenthum der Grafen zu Hardegg und Heinrich Graf zu Hardegg und im Machland, welcher Osterburg im Jahre 1500 erkaufte, verschrieb seiner Gemahlin Elisabeth, Herrin von Rosenberg 1500 ungarische Dukaten im gerechten Goldschlag, und sicherte ihr deren Nutzung auf seine Herrschaft und Schloß Osterburg. Nachdem unter Georg Friedrich Grafen zu Hardegg, Glaz und im Machland, durch allzugroße Schuldenlast das Vermögen dieses Hauses zerrüttet war, wurden mehrere Besitzungen, worunter auch Osterburg war, hindangegeben. Johann von Geyer zu Geyersberg kaufte dieß Schloß und die Herrschaft im Jahre 1514 von Johann Ulrich und Julius Grafen von Hardegg.

Das Geschlecht der Geyer hatte seinen Ursprung in Franken, wo Veit Geyer auf seinem Size Zeisberg ober Geyersberg im Jahre 1370 lebte. Hanns Geyer, der Sohn Oswalds II. und Stammvater des in Oesterreich weit verbreiteten Geschlechtes, kam im Jahre 1482 nach Oesterreich; er war des Bischofes von Regensburg Hauptmann und Pfleger zu Pöchlarn, trat aber in Kaiser Friedrichs IV. und Maximilians I. Dienste, war in den Jahren 1502 und 1503 kaiserlicher Mauthner zu Ips, im Jahre 1506 kaiserlicher Rath, Schaz=, Rent= und Hofbaumeister, und erschien im Jahre 1508 am Michaelstage auf dem Landtage zu Krems als Landesmitglied unter der Ritterschaft. Die Veste Osterburg erkaufte er, wie gemeldet, von Johann Ulrich und Julius Grafen von Hardegg am 29. December 1514, und machte sie zu seiner Stammburg, worauf er, seine Söhne, Brüder und Vettern, von Kaiser Maximilian I. die Belehnung mit Osterburg, Haindorf und Hernals mit dem ausdrücklichen Vorbehalte erhielten, daß diejenigen von seinen Anverwandten, welche noch nicht im Lande wären, binnen drei Jahren sich in Oesterreich seßhaft machen sollten.

Als Besitzer von Osterburg erscheinen im Jahre 1525 des Johanns Söhne, Roman, Carl und Hector; im Jahre 1538 Wilhelm Geyer von Osterburg, von seinem Vater Roman; im Jahre 1601 Hector Geyer von Osterburg; im Jahre 1612 Albrecht, und darauf Maximilian Geyer von Osterburg, dessen Gläubiger die Herrschaft und Veste im Jahre 1652 an Georg Freiherrn von Wertema verkauften.

Noch bemerken wir von der Familie der Geyer, daß Johanns Söhne vom Kaiser Ferdinand I. im Jahre 1530 das Recht erhielten, sich sämmtlich Edle von Osterburg schreiben und nennen lassen zu können. Die Geyer von Osterburg bekannten sich alsobald, nach Verbreitung der evangelischen Religion, zu dieser neuen Lehre. Albrecht Geyer von Osterburg unterzeichnete das Bündniß der protestantischen Stände zu Horn, und die Osterburg war unter Albrecht ein Haupt-Versammlungsort der protestantischen Landedlen. Auch wurde durch die Geyers, unter denen vorzüglich Hanns Adam in enger Verbindung mit Erasmus Tschernembel und dem Grafen von Thurn stand, die zur Herrschaft Osterburg gehörigen Pfarren Haunoldstein, Haindorf u. a., mit lutherischen Pastoren besetzt, über welche der Superintendent im nahen Loosdorf gesetzt ward. Hanns Adam Geyer, Herr zu Inzersdorf am Wienerberge, war der eifrige Verfechter des neuen Glaubens. Seine Prediger, die er zu Inzersdorf unterhielt, hatten einen sehr großen Zulauf von Wien, vom Jahre 1578 bis 1586, welcher öffentliche Gottesdienst aber, auf eine Vorstellung des Bischofes von Wien, durch Kaiser Rudolphs Befehl abgestellt wurde. Eben diese Religionsübung hielten die Geyer zu Hernals. Otto Friedrich von Geyer diente im Jahre 1619 unter des Grafen von Thurn Kriegstruppen; er wurde als Rebell in die Acht erklärt und seine Güter confiscirt. Er blieb in der Schlacht am weißen Berge bei Prag, am 8. November 1620. Dagegen war Hanns Christoph Geyer auf Osterburg, Herr der Herrschaften Leiben und Weitenegg, auch als Protestant seinem Landesfürsten getreu, erschien auch bei der von den katholischen Ständen geleisteten Huldigung, und erhielt durch ein besonderes Diplom die Erneuerung und Bestätigung des Titels: »Edler Herr von Osterburg« und noch andere Freiheiten. Hanns Ehrenreich und Christoph Adam, Brüder, sind mit ihrer gesammten Descendenz vom Kaiser Ferdinand II., Kraft Diploms vom 22. August 1650, in den Freiherrnstand mit dem Ehrentitel: von Geyersberg edle Herren auf Osterburg erhoben worden. Unter diesem und Maximilian Freiherrn von Geyersberg kam Osterburg wegen großen Schulden, an einen der ersten Gläubiger Georg Wertemann, Freiherr von Wertema, wonach diese Burg nie mehr an das Haus der Freiherren von Geyersberg kam, welches in Oesterreich mit Albert Carl Graf und Herr von Geyersberg und Osterburg, der in der Schlacht bei Piazenza, den 16. Juni 1746 blieb, erlosch.

Baron Wertema oder Vertema, verkaufte die Herrschaft Osterburg im Jahre 1653 an Horazius Freiherrn von Buccellini, welchem im Jahre 1666 dessen Sohn, Julius Friedrich Freiherr von Buccellini folgte. Im Jahre 1669 erhielt solche Raimund Graf von Montecuccoli, durch Kauf; im Jahre 1689 dessen Sohn, Leopold Philipp Fürst von Montecuccli; im Jahre 1723 Franz Raimund Graf von Montecuccoli im Jahre 1758 Zeno Graf von Montecuccoli; und im Jahre 1802 Peregrin Graf von Montecuccoli, welcher die Herrschaft Osterburg noch gegenwärtig besitzt.

Osterburg besitzt einen Dominical-Grundstand von 132 Joch 841⁶· Quadr. Klftr. Aecker, 59 Joch 82²· Quadr.

Klftr. Wiesen, 577 Quadr. Klftr. Gärten, 31 Joch 1076½· Quadr. Klftr. Huthweiden, 270 Joch 1495³· Quadr. Klftr. Hochwaldung, 2 Joch 1162⁷· Quadr. Klafter Gestrippe. An Ortschaften: Osterburg, Haunoldstein mit der Pfarre Groß-Sirning, Pottschall, Eibelsau, Eißlitzberg, die neu entstandenen Pielachhäuser oder Fischerhütten, dann das sogenannte Waldamt, welches aus den Orten Bischofstetten, Tonnach, Zauching, Haag, Neubing, Baumgarten, Freien, Schützen und mehreren zerstreuten Häusern besteht.

Pfaffing.

Ein Dorf von 15 Häusern, mit der nächsten zwei Stunden entfernten Poststation St. Pölten.

Zur Kirche und Schule gehört der Ort nach dem nahe gelegenen Hafnerbach. Landgericht, Orts- und Conscriptionsobrigkeit ist die Herrschaft Mitterau, welche auch mit Goldegg die hierorts behausten Unterthanen besitzt. Der Werbkreis gehört zum 49. Linien-Infanterie-Regiment.

Die Seelenzahl besteht in 19 Familien, 49 männlichen 47 weiblichen Personen und 14 schulfähigen Kindern; der Viehstand in: 21 Pferden, 2 Ochsen, 35 Kühen, 60 Schafen und 60 Schweinen.

Als Landbauern sind die hiesigen Bewohner im Besitze einer nur mittelmäßigen Grundbestiftung. Ihre landwirthschaftlichen Zweige bestehen im Ackerbau der gewöhnlichen Körnergattungen, etwas Obst und einer ziemlich guten Viehzucht, wobei den Sommer über die Weide Statt findet. — Hier befinden sich 1 Wirth, 1 Müller und 1 Schuhmacher.

Der Ort Pfaffing ist zusammengebaut, die Häuser sind mit Stroh gedeckt, und liegen flach von Aeckern und Wiesen umgeben, östlich eine Viertelstunde von Hafnerbach, unfern der Pielach, welche eine Mahlmühle treibt, auch nicht selten die nahen Wiesen überschwemmt. Die Gegend ist sehr angenehm, das Klima gesund, das Wasser gut. Die Feldjagd im hiesigen Ortsbezirk ist ein Eigenthum der Herrschaft Mitterau.

Pielachhäuser,

auch Fischerhütten genannt, ein Dörfchen von 10 Häusern, von welchen St. Pölten, zwei und eine halbe Stunde entfernt, die nächsten Poststation ist. -

Diese gehören zur Pfarre und Schule nach Haunoldstein. Das Landgericht, die Grund=, Orts= und Conscriptionsobrigkeit ist die Herrschaft Mitterau. Der Werbkreis gehört zum 49. Linien=Infanterie=Regiment.

In 11 Familien befinden sich 21 männliche, 27 weibliche Personen und 5 schulfähige Kinder; der Viehstand zählt 7 Kühe und 21 Schweine.

Die Bewohner sind Landbauern mit einer geringen Grundbestiftung, und beschäftigen sich mit dem Feldbau, der Obstpflege und Viehzucht, die aber ganz unbedeutend ist.

Die Pielachhäuser, mit Stroh gedeckt, liegen zerstreut am Abhange eines Berges, an dessem Fuße die Pielach vorbeifließt, eine Viertelstunde vom Pfarrorte Haunoldstein, in einer sehr angenehmen romantischen Gegend, und unfern der alten Veste Osterburg, am Eingange in das wunderschöne Pielachthal. — Klima und Wasser sind vortrefflich.

Pottschollach.

Ein aus 9 Häusern bestehendes Dörfchen, mit der nächsten, drei Stunden entfernten Poststation St. Pölton

Dieß Oertchen ist nach Haunolbstein eingepfarrt und ein=
geschult. Das Landgericht, die Orts= und Conscriptionsobrig=
keit ist die Herrschaft Mitterau; als Grundbdominien werden
bezeichnet: Melk, Mitterau, Schallaburg und Lilienfeld.
Der Werbkreis gehört zum Linien = Infanterie = Regiment
Nr. 49.

Die Bevölkerung umfaßt 10 Familien, 25 männliche,
32 weibliche Personen nebst 8 schulfähigen Kindern; der Vieh=
stand besteht in 9 Pferden, 4 Ochsen, 25 Kühen, 68 Scha=
fen und 43 Schweinen.

Die Einwohner sind Landbauern, treiben den Ackerbau,
wovon sie Weizen, Korn, Gerste und Hafer fechsen, und
wozu sie auch gute Gründe besitzen, davon jedoch einige den
Ueberschwemmungen des Sirningbaches unterworfen sind;
ferner bauen sie Obst, und treiben eine gute Viehzucht, die
ihnen einen kleinen Handel gestattet. — Die Jagdbarkeit,
blos auf Niederwild beschränkt, gehört der Herrschaft Mit=
terau. — Klima und Wasser sind gut.

Das Dörfchen ist zusammenhängend gebaut, die Häu=
ser sind mit Stroh gedeckt, und liegt sehr nahe an der lin=
ken Seite der Poststraße, zunächst Groß= Sirning, eine halbe
Stunde von Haunolbstein.

R a d e l (Ober=).

Ein Dorf aus 13 Häusern, wovon St. Pölten 3½ Stun=
ben entlegen, die nächste Poststation ist.

Dieser Ort ist nach Hürm zur Pfarre und Schule gewie=
sen. Das Landgericht wird von der Herrschaft Schallaburg
ausgeübt; Conscriptionsobrigkeit ist Sooß; Ortsherrschaft
Mitterau, welche mit Goldegg die hierorts behausten Unter=
thanen und Grundholden besitzt. Der Werbkreis ist dem Li=
nien = Infanterie = Regiment Nr. 49 zuständig.

Hier leben 15 Familien, 32 männliche, 36 weibliche Personen und 10 schulfähige Kinder; sie besitzen 16 Pferde, 10 Ochsen, 32 Kühe, 52 Schafe und 39 Schweine.

Die Einwohner gehören in die Classe der Landbauern, und besitzen eine ziemlich gute Grundbestiftung. Ihre Beschäftigung besteht in Feldbau, wozu die Gründe gut sind, der Obstpflege und einer guten Viehzucht. Die entbehrlichen Erzeugnisse werden nach St. Pölten zu Markte gebracht.

Der Ort Ober = Radel liegt eine gute Stunde von der Linzer = Poststraße links abwärts, und eine halbe Stunde östlich vom Pfarrorte Hürm, in einer sehr schönen und gesunden Gegend, die gutes Wasses enthält.

Rannersdorf.

Ein Dörfchen von 4 Häusern, wovon St. Pölten 2½ Stunden als nächste Poststation entfernt ist.

Zur Kirche und Schule gehört dasselbe nach Hafnerbach. Landgericht, Grund=, Orts= und Conscriptionsobrigkeit ist die Herrschaft Mitterau. Der Werbkreis gehört zum 49. Linien-Infanterie-Regiment.

Die Seelenzahl enthält 4 Familien, 11 männliche, 8 weibliche Personen und 1 schulfähiges Kind; der Viehstand besteht in: 6 Pferden, 2 Ochsen, 14 Kühen und 10 Schweinen.

Die Einwohner sind mittelmäßig bestiftete Landbauern, die alle vier Körnergattungen und Obst bauen und auch Viehzucht treiben, wobei sie einen Handel unterhalten. Sie besitzen zum Feldbau gute Gründe, die jedoch bei ihrer abhängigen Lage den Erdabtragungen unterworfen sind. Klima und Wasser sind gut.

Rannersdorf liegt im Rücken der Osterburg, nahe bei Doppl und Wimpassing, eine halbe Stunde westlich von Hafnerbach, zusammengebaut, und die Häuser mit Stroh gedeckt, von Obstgärten umgeben, auf einer Anhöhe, iu einer wirklich schönen Gegend. Hier bestehen keine Straßen, sondern blos die nöthigen Verbindungswege.

Ritzersdorf.

Ein Dorf von 14 Häusern, mit der nächsten Poststation, St. Pölten, die jedoch bei zwei Stunden entfernt ist.

Der Ort ist nach Grafendorf eingepfarrt und eingeschult. Das Landgericht und die Ortsherrlichkeit besitzt die Herrschaft Mitterau; Conscriptionsobrigkeit ist Fridau. Die Grunddominien, welche hierorts behauste Unterthanen besitzen, sind Mitterau und Fridau. Der Werbkreis gehört zum 49. Linien-Infanterie-Regiment.

Es befinden sich hier 20 Familien, 46 männliche, 42 weibliche Personen und 18 schulfähige Kinder; diese besitzen einen Viehstand von 32 Pferden, 41 Kühen, 68 Schafen und 30 Schweinen.

Als gut bestiftete Landbauern, beschäftigen sich die hiesigen Einwohner mit dem Körnerbau, wozu gute Gründe vorhanden sind, der Obstpflege und Viehzucht mit Anwendung der Stallfutterung.

Ritzersdorf liegt eine halbe Stunde vom Pfarrorte Grafendorf nördlich, und wird von der zur Linzer-Poststraße führenden Verbindungsstraße (der sogenannten Salzstraße) durchzogen. Die Lage des Ortes ist ganz flach, und wird rings von Feldern umgeben. — Hier befindet sich ein Wirthshaus, eine k. k. Beschällstation, und an Handwerkern blos ein Schneider. — Die Feldjagd liefert Hasen und Rebhühner. — Das Klima und Wasser sind gut.

Saffendorf.

Ein Dorf von 29 Häusern, mit der nächsten, zwei Stunden entfernten Poststation St. Pölten.

Zur Kirche und Schule ist der Ort nach Hafnerbach gewiesen. Landgericht, Orts = und Conscriptionsobrigkeit ist die Herrschaft Mitterau, welche auch mit den Dominien Goldegg die behausten Unterthanen und Grundholden besitzt. Der hiesige Bezirk gehört zum Werbkreise des 49. Linien = Infanterie = Regiments.

Hier leben in 33 Familien 86 männliche, 83 weibliche Personen und 18 schulfähige Kinder; sie halten einen Viehstand von 27 Pferden, 24 Ochsen, 81 Kühen, 168 Schafen und 96 Schweinen.

Die Einwohner sind gut bestiftete Landbauern, die alle vier Körnergattungen und Obst bauen, und auch eine gute Viehzucht mit theilweiser Anwendung der Stallfutterung treiben, welche von der Art ist, daß sie einen Viehhandel unterhalten können.

Das Dorf, dessen Häuser mit Schindeln und Stroh gedeckt sind, ist zusammengebaut und liegt in einer mäßigen Vertiefung, am Fuße eines mit Obstgärten und Waldung bedeckten Gebirgszuges, eine halbe Stunde östlich von' Hafnerbach. Hier im Orte befindet sich eine Filialkirche. — Die Gegend ist angenehm, die Luft rein, das Wasser gut. Die Jagd, ein Eigenthum der Herrschaft Mitterau, liefert. Hasen und Rebhühner. — An Handwerkern werden blos 1 Binder und 1 Schmied getroffen; auch ein Wirthshaus befindet sich hierselbst.

Die hiesige Filialkirche, in einiger Entfernung nördlich vom Orte, am Fuße des Gebirges gelegen, und von dem ehemaligen Leichenhof umgeben, ist dem heiligen Erasmus geweiht. Das Gebäude ist klein, von gothischer Bauart mit Ziegeldach und hat einen viereckigen Thurm mit zwei Glocken. Auch das Innere enthält gothische Spitzwölbungen, und einen Altar von Holz, mit buntem Schnitzwerk, der sich ehemals in der Capelle des Schlosses Hohenegg befand. Es ist unbekannt, ob dieses uralte Gotteshaus von jeher als eine Filiale, oder früher als eine Pfarre bestand, die etwa während der durch die Reformation entstandenen Unruhen einging. Jetzt wird hier nur während der Wittwoche Gottesdienst, von Hafnerbach aus, gehalten.

Vor Jahrhunderteu hieß der Ort Säseindorf, und war ein eigenes Gut, allwo sich eine adelige Familie befand, wovon Dietrich von Säseindorf und seine Brüder Wulfing und Bernhard noch im Jahre 1314 lebten. Diese mögen die Letzten ihres Stammes gewesen seyn, da schon im Jahre 1320 Dietrich der Häusler und im Jahre 1374 Heinrich Häusler mit Säseindorf begütert waren. Darauf scheint der Ort zur Herrschaft Hohenegg gekommen zu seyn. So wie zu vermuthen ist, daß das obenerwähnte uralte Kirchlein von den Herren von Säseindorf gegründet ward; eben so darf man glauben, daß im XIV. Jahrhundert ein Schloß hier stand, wovon aber längst jede Spur verschwunden ist.

Schützen.

Ein Dörfchen von 7 Häusern, mit der nächsten, über vier Stunden entfernten Poststation St. Pölten.

Zur Pfarre und Schule gehört dasselbe nach Külb. Das Landgericht und Conscriptionsobrigkeit ist die Herrschaft Grünbühel. Ortsherrlichkeit ist Mitterau; Grundbominien sind: Stranersdorf und Melk. Der Werbkreis gehört zum 49. Linien-Infanterie-Regiment.

In 9 Familien leben 18 männliche, 17 weibliche Personen nebst 5 Schulkindern; diese halten einen Viehstand von
8 Ochsen, 23 Kühen, 10 Schafen und 45 Schweinen.

Die Einwohner gehören in die Classe der Waldbauern,
welche eine mittelmäßige Bestiftung besitzen. Sie treiben den
Körnerbau, der aber sehr geringfügig ist, weil die Gründe
wenig ertragsfähig sind. Mehr bedeutend ist die Obstpflege
und Viehzucht, bei welch' letzterer ein Viehhandel unterhalten wird.

Der Ort liegt in zerstreuten mit Stroh gedeckten Häusern, eine halbe Stunde rückwärts (südlich) von Külb, in
einem mäßigen von Feldern und Wiesen bekleideten Thale,
zunächst Frein, Fleischeßing und Maßendorf, in einer schönen
Gegend mit gutem Klima und Wasser versehen. Die Jagd
ist ergiebig an Hasen und Rebhühnern.

a Sirning (Groß=).

Ein Dorf von 40 Häusern, wovon St. Pölten, zwei und
eine halbe Stunde entfernt, die nächste Poststation ist.

Der Ort gehört zur Pfarre und Schule nach Haunoldstein. Das Landgericht, die Orts = und Conscriptionsobrigkeit
ist Mitterau; Grunddominien sind Mitterau, Schallaburg,
Lilienfeld, Melk, St. Leonhard und die k. k. Staatsherrschaft St. Pölten. Der hiesige Bezirk gehört zum Werbkreise des 49. Linien-Infanterie=Regiments.

Hier leben 51 Familien, 134 männliche, 142 weibliche
Personen und 32 Schulkinder. Der Viehstand beträgt 49
Pferde, 1 Ochsen, 92 Kühe, 172 Schafe, 12 Ziegen und
220 Schweine.

Die Einwohner bestehen als gut, und zum Theil auch
mittelmäßig bestiftete Landbauern, welche gute Gründe besitzen, die mit den gewöhnlichen Fruchtkörner=Gattungen be-

4

baut werden, wovon einige derselben jedoch den Ueberschwemmungen des Sirningbaches ausgesetzt sind. Sie erhalten
auch etwas Obst aus ihren Hausgärten, und treiben eine
gute Viehzucht, mit einen Handel nach St. Pölten verbunden
und etwas Weinbau. Hier befinden sich: 1 Wundarzt, 1 Krämer, 1 Gastwirth, 1 Fleischhauer, 1 Wagner, 1 Schmied,
1 Bürstenbinder und 1 Schuhmacher. — Besonders gutes
Klima und vortreffliches Trinkwasser sind Vorzüge der hiesigen Gegend. — Der Jagdnuzen besteht in Hasen und Rebhühnern, welcher ein Eigenthum der Herrschaft Mitterau ist.

Groß-Sirning liegt zu beiden Seiten an der Linzer-
Poststraße zwischen Loosdorf und Prinzersdorf, von beiden
kaum eine Stunde entfernt, ¼ Stunde südlich von Haunolds-
stein, ½ Stunde vom Schlosse Mitterau, und eben so weit
westlich von Markersdorf, in einer angenehmen gegen Norden von Gebirgen begrenzten Fläche, am Fuße einer mit
Wein- und Obstgärten besetzten Hügelreihe. Die Häuser sind
meist solid gebaut und mitunter ein Stockwerk hoch. Hier befinden sich ein Privat-Gasthaus und eine herrschaftliche
Taverne.

Auf der südöstlichen Seite wird das Dorf von der Sirning bespühlt, über die an der Straße eine Brücke führt;
sie nimmt ihren kurzen Lauf bis zur Einmündung in die Pielach unfern Haunoldstein, durch Wiesen und Auen und treibt
nahe bei dem erstbenannten Kirchdorfe eine Gyps- und
Mahlmühle.

Die hiesige Gegend ist ungemein schön, denn zu beiden
Seiten der Poststraße erblickt man anmuthig gelegene Ortschaften, an der Bergkette Ruinen und Schlösser. Zur Rechten erhebt sich das freundliche Dorf Haunoldstein, mit
seiner auf einer sanften Anhöhe lieblich prangenden Kirche,
und etwas tiefer gegen die Berge, erscheinen in Trauer verfallen die Ueberreste der berühmten Osterburg und die

Weste Hohenegg, dann in der Ebene, näher gegen die Straße zwischen hellgrünenden Auen, wird das niedliche Schloß Mitterau sichtbar, während jenseits der Straße aus dem reichen Kranze der Ortschaften, Markersdorf, Eibelsau, Knetzersdorf und Haindorf im Vordergrund gelagert erscheinen; auch die Ruinen von Sooß an der südwestlichen Seite drängen sich aus dem Dunkel des Waldes hervor.

Der Ort Groß-Sirning, welcher den Namen vom Sirningbache erhalten hat, welcher rückwärts dem Markte Kälb entspringt, viele kleine Waldbäche aufnimmt, und wie gesagt, nach einem vierstündigen Laufe, zwischen Haunoldstein und Eibelsau in die Pielach sich ergießt, ist von hohem Alter, und wurde wie der Bach vor Alters Sirnich genannt. Euphemia Gräfin von Peilstein schenkte einen Hof und drei Lehen zu Sirnich dem Kloster Lilienfeld, welche Schenkung Herzog Friedrich II. der Streitbare, im Jahre 1230 bestätigte. (Hanthaler).

b). Sirning (Klein-).

Unter dieser Benennung bestehen 2 Häuser, wovon St. Pölten in einer Entfernung von zwei und einer halben Stunde, die nächste Poststation ist.

Zur Kirche und Schule gehören diese nach St. Margarethen. Das Landgericht wird durch die Herrschaft Schallaburg ausgeübt; Conscriptionsobrigkeit ist Fridau; Orts- und Grundherrschaft Mitterau. Der Werbkreis gehört zum 49. Linien-Infanterie-Regiment.

Es befinden sich hier 2 Familien, 5 männliche, 8 weibliche Personen und 2 Schulkinder; diese besitzen 8 Pferde, 7 Kühe und 8 Schweine.

Die Bewohner sind Landbauern, welche sich mit Acker-

4 *

bau, der Obstpflege und Viehzucht ernähren. Sie besitzen ziemlich gute Gründe, wovon Weizen, Korn, Gerste und Hafer gefechset werden. — Luft und Wasser sind sehr gut.

Die zwei Häuser, Klein-Sirning genannt, liegen eine Viertelstunde vom Pfarrdorf St. Margarethen, in einer mäßigen Thalgegend, und werden vom Sirningbache durchflossen, dann rings von Wiesen umgeben.

Stein.

Ein Dorf von 7 Häusern, wovon St. Pölten bei drei Stunden entfernt, die nächste Poststation ist.

Das Oertchen ist nach Hafnerbach eingepfarrt und eingeschult. Das Landgericht, die Orts-, Grund- und Conscriptionsobrigkeit ist die Herrschaft Mitterau. Der Werbkreis gehört zum 49. Linien-Infanterie-Regiment.

Die Bevölkerung umfaßt 9 Familien, 24 männliche, 25 weibliche Personen und 9 schulfähige Kinder; der Viehstand: 12 Ochsen, 17 Kühe, 38 Schafe und 20 Schweine.

Als gering bestiftete Landbauern, beschäftigen sich die Einwohner mit dem Feldbau der gewöhnlichen vier Körnergattungen, erhalten aber viel Obst aus ihren Hausgärten, und treiben auch eine Viehzucht zu ihrem Hausbedarf. Die Gründe anbelangend, so sind sie nur mittelmäßig und den Erdabtragungen unterworfen.

Die Häuser dieses Oertchens sind mit Stroh gedeckt, sie liegen zerstreut zwischen Obstgärten am Fuße des Felsens, von welchem die Veste Hohenegg herabblickt, und wovon auch der Name Stein genommen wurde. — Klima und Wasser sind gut.

Thanach.

Ein aus 11 Nummern bestehendes Dörfchen, welches von St. Pölten, als die nächste Poststation, drei und eine halbe Stunde entfernt ist.

Zur Kirche und Schule gehört dasselbe nach Bischofstetten. Das Landgericht übt die Herrschaft Schallaburg aus; die Ortsherrlichkeit besitzt Mitterau; Conscriptionsobrigkeit ist Grünbühel und Grunddominien sind: Mitterau, Herzogenburg und Ranzenbach. Der Werbkreis ist zum 49. Linien-Infanterie-Regiment einbezogen.

Hier leben 13 Familien, 35 männliche, 24 weibliche Personen und 15 schulfähige Kinder; sie halten einen Viehstand von 16 Pferden, 4 Ochsen, 35 Kühen, 52 Schafen und 70 Schweinen.

Die Einwohner sind im Besitze einer mittelmäßigen Grundbestiftung, und treiben als Landbauern den Ackerbau und eine gute Viehzucht, wobei sie einigen Handel unterhalten; auch haben sie eine Obstpflege. — Klima und Wasser sind vortrefflich.

Das Oertchen Thanach, aus zerstreuten mit Stroh gedeckten Häusern bestehend, liegt sehr nahe bei Bischofstetten an der Sirning, in einer mit Bergwaldung begrenzten schönen Gegend.

Thürnau.

Ein kleines Dörfchen von 7 Häusern, mit der nächsten zwei und eine halbe Stunde entfernten Poststation St. Pölten.

Dasselbe ist zur Pfarre und Schule nach St. Margarethen gewiesen. Landgericht und Ortsobrigkeit ist die

Herrschaft Mitterau, welche mit Goldegg und Melk die hierorts behausten Unterthanen und Grundholden besitzt. Der
Werbkreis gehört zum Linien=Infanterie=Regiment Nr. 49.

Es befinden sich hier 7 Familien, 25 männliche, 19 weibliche Personen und 2 schulfähige Kinder; der Viehstand
besteht in 12 Pferden, 22 Kühen, 56 Schafen und 24
Schweinen.

Die Einwohner gehören in die Classe der gut bestifteten
Landbauern, welche sich mit dem Feldbau, der Obstpflege und
der Viehzucht beschäftigen, mit welch' letzterem landwirthschaftlichen Zweige sie einen Handel treiben. Die hiesigen
Feldgründe sind von sehr guter Beschaffenheit und liefern Weizen, Korn, Gerste und Hafer. Als Handwerker ist blos ein
Schneider vorhanden. — Hier besteht Feldjagd, die herrschaftlich ist; Klima und Wasser dürfen gut genannt werden.

Der Ort Thürnau (soll eigentlich Dürrnau heißen,
von einer dürren ausgedorrten Au abgeleitet), welcher zusammengebaut ist, und dessen Häuser mit Stroh gedeckt sind, liegt
nahe beim Pfarrorte St. Margarethen, in einer mit Hügeln
abwechselnden fruchtbaren Fläche, in einer sehr angenehmen
Gegend.

Umbach.

Ein aus 7 Häusern bestehendes Oertchen, mit der nächsten, anderthalb Stunden entfernten Poststation Melk.

Zur Kirche und Schule ist dasselbe nach Gerolding ein-
gezeichnet. Das Landgericht, die Orts= und Grundherrschaft
ist Mitterau; die Conscriptionsobrigkeit Schönbühel. Der
Werbkreis gehört zum Linien=Infanterie=Regiment Nr. 49.

Die Seelenzahl beläuft sich auf 7 Familien, 25 männlichen, 14 weiblichen Personen, nebst 13 schulfähigen Kindern;

diese besitzen an Viehstand: 8 Pferde, 17 Kühe, 53 Schafe und 21 Schweine.

Die Bewohner sind Feldbauern mit guter Bestiftung, ohne Handwerker. An landwirthschaftlichen Zweigen besitzen sie Ackerbau, wozu die Gründe von guter Beschaffenheit sind, etwas Obstpflege und eine ziemlich gute Viehzucht, die ihren häuslichen Bedarf deckt.

Umbach ist zerstreut gebaut, und liegt im Gebirge, eine halbe Stunde südöstlich von der Pfarre Gerolding, zwischen Eckartsberg und Lerchfeld, eine Stunde östlich von Schönbühel in einer fruchtbaren Gegend, die gesundes Klima und gutes Wasser enthält. Die ganze Umgebung hier besteht in Anhöhen und Waldungen.

Weinzierl.

Ein kleines Dorf von 7 Häusern, zwei Stunden von der nächsten Poststation St. Pölten entfernt.

Dieses ist nach Hafnerbach zur Kirche und Schule angewiesen. Das Landgericht, die Orts- und Conscriptionsobrigkeit ist die Herrschaft Mitterau. An Grundherrschaften sind verzeichnet: Mitterau, Goldegg und die k. k. Staatsherrschaft St. Pölten. Der Werbkreis gehört zum Linien-Infanterie-Regiment Nr. 49.

Die Seelenzahl besteht in 10 Familien, 17 männlichen, 16 weiblichen Personen und 3 schulfähigen Kindern; der Viehstand in 4 Pferden, 6 Ochsen, 15 Kühen, 15 Schafen und 40 Schweinen.

Von den hiesigen Einwohnern, welche Landbauern sind und eine mittelmäßige Grundbestiftung besitzen, werden als landwirthschaftliche Zweige, der Ackerbau, die Obstpflege, und die dem Hausbedarf deckende Viehzucht getrieben. Die vorhandenen Gründe sind ziemlich gut, doch zuweilen den Erbabtragungen ausgesetzt. Der Jagdnutzen im hiesigen Revier besteht in Feldjagd und ist herrschaftlich. Klima und Wasser sind gut.

Der kleine Ort **Weinzierl** liegt zunächst Saffendorf und eine halbe Stunde östlich von Hafnerbach, in einer von mäßigen, mit Feldern besetzten Höhen gebildeter Vertiefung, in einer angenehmen Gegend.

Wimpassing.

Ein Dorf aus 35 Häusern bestehend, mit der nächsten Poststation St. Pölten, die zwei und eine halbe Stunde davon entfernt ist.

Der Ort ist nach Hafnerbach eingepfarrt und eingeschult. Das Landgericht, die Orts= und Conscriptionsobrigkeit besitzt die Herrschaft Mitterau. Als Grunddominien, welche die hierorts behausten Unterthanen und Grundholden besitzen, werden genannt: Mitterau, Goldegg, Kreisbach und die k. k. Staatsherrschaft St. Pölten. Der Werbkreis gehört zum 49. Linien-Infanterie-Regiment.

Die Bevölkerung besteht in 39 Familien, 96 männlichen, 117 weiblichen Personen nebst 22 schulfähigen Kindern; der Viehstand zählt 25 Pferde, 6 Ochsen, 88 Kühe, 105 Schafe und 175 Schweine.

Die hiesigen, nur mittelmäßig bestifteten Landbauern, erzeugen alle vier Körnergattungen und etwas Obst, auch treiben sie in so ferne eine Viehzucht und Handel damit, als es ihr Wirthschaftsbedarf gestattet. Die Gründe sind von guter Beschaffenheit, doch vorzüglich die Wiesen den Ueberschwemmungen der Pielach ausgesetzt. Hier befinden sich im Orte: 1 Wundarzt, 1 Krämer, 2 Wirthe, 1 Müller, 1 Bäcker, 1 Fleischhauer, 1 Schmied, 1 Schuhmacher, 1 Schneider und 1 Weber.

Der Ort **Wimpaffing**, mit Schindeln und Stroh gedeckt und zusammengebaut, liegt etwas tief am **Pielach=flusse**, der hier eine **herrschaftliche Mühle** mit vier Gängen treibt, die als ein nettes Gebäude mit einem Stockwerk und Ziegeldach, rings von Auen und Feldern umgeben wird. Seine Lage ist zwischen **Mitterau** und **Hafnerbach**, an einer sich gegen letzteren Ort zu erhebenden mäßigen Anhöhe, wobei von Mitterau aus, in ganz gerader Richtung eine schöne Obst=baumallee hierherführt, welche die ohnehin sehr angenehme Gegend noch mehr ziert. Seitwärts des Dorfes ist der mit Schindeln gedeckte **herrschaftliche Meierhof** gelegen, welcher 18 Stück Rindvieh enthält.

Auch befinden sich zunächst dem Dorfe eine **hölzerne Brücke** über die **Pielach** und ein **herrschaftlicher Zie=gelofen**.

Wimpaffing soll vor Zeiten ein **eigenes Gut** und **Edelhof** gewesen sein, jedoch finden wir keine Gülten=Ein-lage, wodurch diese Angabe zur Wahrheit gehoben würde.

Windschnur.

Ein Dörfchen mit 7 Häusern, von dem St. Pölten zwei Stunden entfernt gelegen, die nächste Poststation ist.

Zur Kirche und Schule gehört dasselbe nach dem nahe gelegenen **Hafnerbach**. Das Landgericht, die Orts= und Con=scriptionsherrschaft ist **Mitterau**;- Grunddominien sind: Mit=terau, **Golbegg** und **Pfarre Hafnerbach**. Der hiesige Bezirk gehört zum Werbkreis des 49. Linien=Infanterie=Regiments.

Hier leben in 9 Familien 21 männliche, 24 weibliche Personen und 6 schulfähige Kinder; der Viehstand beläuft sich auf 9 Kühe und 16 Schweine.

Die sehr gering bestifteten Landbauern, unter denen sich 1 Schneider und 1 Schuhmacher befinden, leben zum Theil von Taglohn, und bauen auch Körnerfrüchte, etwas Obst und treiben eine geringe Viehzucht. — Klima und Wasser sind gut.

Diese sieben Häuser des Ortes sind zusammengebaut, mit Stroh gedeckt, und liegen hoch am Abhange des sich nördlich erhebenden Gebirgszuges, eine halbe Stunde von Hafnerbach. Den sonderbaren Namen Windschnur mag das Dörfchen von dem, den größten Theil des Jahres hindurch, hier wehenden Winden gleich einer Schnur von einem festgestellten Punkte aus erhalten haben.

Vor Zeiten stand hier blos ein Weiler, der zur Herrschaft Hohenegg gehörte, um welchen in der Folge noch einige Häuser hinzugebaut wurden, woraus dieß kleine Dörfchen entstand.

Winkel.

Ein Dorf von 11 Häusern, mit der nächsten Poststation St. Pölten, in einer Entfernung von zwei und einer halben Stunde.

Dasselbe gehört zur Kirche und Schule nach Haindorf: das Landgericht, die Orts = und Conscriptionsobrigkeit ist die Herrschaft Mitterau, welche auch mit Melk die behausten Unterthanen besitzt. Der Werbkreis ist zum 49. Linien=Infanterie=Regiment einbezogen.

Die Seelenzahl beträgt in 14 Familien, 36 männliche, 41 weibliche Personen und 7 schulfähige Kinder; der Viehstand: 11 Pferde, 30 Kühe, 65 Schafe und 70 Schweine.

Die hiesigen Einwohner sind gering bestiftete Landbauern, welche sich vom Feldbau der gewöhnlichen Körnerfrüchte, von etwas Obstpflege und einer ziemlichen Viehzucht ernähren, mit welch' letzterer sie auch einen Handel unterhalten. Ihre Gründe dürfen gut genannt werden, nur leidet ein Theil derselben bisweilen durch Ueberschwemmungen des Sirningbaches.

Die Jagd liefert. blos Hasen und Rebhühner. — Klima und Wasser sind gut.

Das Dorf besteht in zusammengebauten Häusern, die mit Stroh gedeckt sind, und wird von dem Sirningbache durchflossen, welcher dasselbe von dem ganz nahen Haindorf trennt. Die Lage ist übrigens eine von kleinen Erhöhungen gegen Westen durchzogene Ebene, in einer angenehmen und fruchtbaren Gegend, ungefähr eine halbe Stunde südlich von der Linzerpoststraße.

Hier befindet sich ein Wundarzt. Zunächst dem Dorfe steht eine von der Sirning getriebene Mahlmühle und eine herrschaftliche mit Schindeln gedeckte Scheune. Seitwärts desselben sieht man noch eine Vertiefung, wo sonst das, wie uns gesagt wurde, mit einem Wassergraben umgebene Schloß, der alten Herren von Winkel gestanden haben soll, von dem aber längst alle Spuren verschwunden sind. Wir bemerken hierbei, daß dieses Dörfchen Winkel nie eine ständische Gülten-Einlage gehabt habe, und daß wir auch von einem adeligen Geschlecht hier keine Spur auffinden können, weßhalb wir stark zweifeln, ob je hier ein adeliger Sitz war. Dagegen aber war jenes Winkel im V. U. M. B. Herrschaft Grafenegg mit einem alten Purgstall versehen, welches die alten Herren von Winkel besaßen, die bis zum XV. Jahrhundert blühten.

Winkelsdorf.

Ein kleines nur 6 Häuser enthaltendes Dörfchen, mit der nächsten, drei und eine halbe Stunde entfernten Poststation St. Pölten.

Dasselbe ist nach Bischofstetten eingepfarrt und eingeschult. Das Landgericht, wird durch die Herrschaft Schallaburg ausgeübt; die Grund- und Ortsherrlichkeit besitzt die

Herrschaft Mitterau ; Conscriptionsobrigkeit ist Grünbühel. Der Werbbezirk ist zum 49. Linien-Infanterie-Regiment ein-bezogen.

In 7 Familien befinden sich 17 männliche, 16 weibliche Personen und 5 schulfähige Kinder; diese besitzen 9 Pferde, 16 Kühe, 40 Schafe und 18 Schweine.

Die hiesigen Einwohner werden zur Classe der gut be-stifteten Landbauern gezählt. Ihre Beschäftigung besteht in Ackerbau der gewöhnlichen Körnerfrüchte, wozu gute, ertrags-fähige Gründe vorhanden sind, und in einer meist mit Weide betriebenen Viehzucht, mit Viehhandel. — Reine gesunde Luft und gutes Wasser sind Vorzüge der hiesigen Gegend. Auch die Jagdbarkeit ist ergiebig an Hasen und Rebhühner.

Winkelsdorf liegt mit seinen wenigen Häusern, die mit Stroh gedeckt sind, zerstreut drei Viertelstunden westlich von Bischofstetten, in einer breiten Thalebene, wobei Schlatzen-dorf, Mitter- und Unter-Radel die nachbarlichen Ortschaf-ten sind.

Zauching.

Drei Häuser, mit der nächsten Poststation St. Pölten, die jedoch drei und eine halbe Stunde entfernt ist.

Diese gehören zur Kirche und Schule nach Bischofstet-ten. Darüber besorgt Schallaburg das Landgericht; Mitterau besitzt die Ortsherrlichkeit; Osterburg die drei behausten Un-terthanen und Grünbühel die Conscriptionsobrigkeit. Der Werbkreis gehört dem Linien-Infanterie-Regiment Nr. 49.

Hier leben 3 Familien, 7 männliche, 6 weibliche Perso-nen und 3 schulfähige Kinder; der Viehstand besteht in 6 Pferden, 12 Kühen, 30 Schafen und 15 Schweinen.

Die Bewohner sind Landbauern mit guter Grundbestif-tung, unter denen sich ein Müller befindet, welche alle vier

Körnergattungen bauen, und eine gute Viehzucht treiben. —
Die Feldgründe sind gut; das Wasser und Klima vortrefflich;
die Jagd ist ergiebig.

Diese mit Stroh gedeckten Häuser liegen zerstreut in
einer sehr schönen angenehmen gegen Süden mit Waldgebirgen begrenzten, und gegen Norden mit freundlichen Auen und
Feldmarken geschmückten Gegend, welche die Sirning durchfließt, unfern Bischofstetten.

Zendorf.

Ein Dorf von 9 Häusern, wovon St. Pölten, zwei und
eine halbe Stunde, als die nächste Poststation, entfernt ist.

Der Ort gehört nach Hafnerbach zur Pfarre und Schule.
Das Landgericht, die Orts = und Conscriptionsobrigkeit ist
Mitterau, welche auch mit Goldegg die behausten Untertha-
nen hierorts besitzt. Der Werbkreis gehört zum 49. Linien-
Infanterie = Regiment.

Es befinden sich hier 10 Familien, 28 männliche, 25
weibliche Personen und 9 schulfähige Kinder; sie halten einen
Viehstand von 17 Pferden, 33 Kühen, 51 Schafen und 40
Schweinen.

Die Einwohner gehören zur Classe der gut bestifteten Land-
bauern; ihre landwirthschaftlichen Zweige bestehen in Ackerbau
der gewöhnlichen Körnerfrüchte, in Obstbau und einer guten
Viehzucht, bei welcher ein Handel getrieben wird. Grund und
Boden ist ertragsfähig. — Wasser und Luft sind sehr gut. —
Die Jagd liefert Hasen und Rebhühner, und ist ein Recht der
Herrschaft Mitterau.

Das Oertchen Zendorf, dessen Häuser zusammengebaut
und mit Stroh gedeckt sind, liegt von Obstgärten umgeben,
zunächst Saffendorf und eine Viertelstunde von Hafnerbach
entfernt, in einer von Feldmarken besetzten Vertiefung, in einer
angenehmen Gegend.

Albrechtsberg.

Ein Dorf von 36 Häusern, mit einem herrschaftlichen Schlosse und zugleich eine eigene Herrschaft, wovon Melk, eine Stunde entfernt, die nächste Poststation ist.

Der Ort gehört zur Pfarre und Schule nach Loosdorf. Das Landgericht, die Orts= und Grundherrschaft ist Albrechtsberg; die Conscriptionsobrigkeit Schallaburg. Der Werbkreis gehört zum 49. Linien=Infanterie=Regiment.

Hier befinden sich 52 Familien, 123 männliche, 143 weibliche Personen nebst 43 schulfähigen Kindern; diese halten einen Viehstand von 14 Pferden, 13 Ochsen, 60 Kühen, 265 Schafen (darunter sind die herrschaftlichen auch verstanden) und 70 Schweine.

Die hiesigen Bewohner sind klein bestiftete Hofstetter, und es gibt darunter nur wenige ganze Bauernwirthschaften. Ihre landwirthschaftlichen Zweige bestehen in Feldbau und Weinbau, in der Obstpflege und Viehzucht, wobei meist die Stallfutterung in Anwendung steht. Die Gründe gehören in die Classe der mittelmäßigen, worauf Weizen, Korn, Gerste, Linsfutter und Hafer gebaut wird. Der hiesige Wein gehört, wie leicht zu denken, nicht zu den guten Gewächsen.

Der Ort Albrechtsberg liegt am rechten Ufer der Pielach, am Fuße des sogenannten Mauerberges und den wunderschönen Auen, welche die Ufer der Pielach begrenzen, in ziemlich regelmäßiger Form, wovon die Häuser mit Schindeln und Stroh gedeckt sind, im Rücken des herrschaftlichen Schlosses, welches sanft erhoben, aus den buschig grünen Auen lieblich hervorragt. Unweit dem Schlosse führt eine schöne gebaute Brücke über die Pielach, über welcher man zur Hauptstraße gelangt, woselbst auch eine alte Mühle steht, die schon im Jahre 1572 erbaut war. Außer dieser befindet sich an dem von besagtem Fluffe abgeleiteten Mühlbache noch eine Mahlmühle.

Die hiesige Gegend ist überhaupt sehr anmuthig und biestet Naturschönheiten aller Art dar, wobei besonders der an der Hauptstraße gelegene Markt Loosdorf mit seinen bunten Safrangärten ein belebtes, heiteres und die jenseits der Straße auf einem hohen felsigen Berge prangende stattliche Feste Schallaburg, ein majestätisches Bild geben, während das Auge die mit Fruchtgefilden bedeckte Ebene, die von Waldgebirgen umgränzt werden, wonnevoll übersieht, und iu deffen Hintergrunde die Lilienfelder = Alpen himmelanstrebend emporragen.

In der Ferne verspricht man sich vom Schloffe Albrechtsberg viel mehr, dagegen man, in der Nähe betrachtet, nur ein unregelmäßiges Viereck bildendes, stockhohes Gebäude trifft, aus deffen Mitte das alte Schloß sich erhebt. Gegen den Berg zu umgibt das sehr massiv und festgebaute Schloß ein Zwinger und Graben, über welchen eine steinerne Brücke führt. Dasselbe besteht aus dem großen neuern Theile, gegen Ende des XVI. Jahrhunderts erbaut, welcher, wie schon gesagt, ein unregelmäßiges Viereck bildend, sich an den ältern höher gelegenen Theil, der zwar noch erhalten, aber nicht mehr bewohnt wird, anschließt, und wo auch der ehemalige Rittersaal sich befindet. Im ersteren sind nebst einer Reihe geräumiger Zimmer, die Kanzlei und die alte Capelle, unter dem gegenwärtigen Besitzer renovirt und geschmackvoll decorirt, in deren Sakristei ein Basrelief vom weißen Marmor sehenswerth ist, worauf die Dreieinigkeit sich dargestellt befindet, dabei das Enenklische und Schiferische Wappen, nebst einer Inschrift, die anzeigt: daß David Enenkel den Altar der Capelle setzen ließ. Die Gruft, welche sich hier befindet, bedeckt ein großer Stein, welchen derselbe Enenkel seiner Gattin Christine, im Jahre 1597

als Denkmal widmete, welcher dieselben Wappen, von sech-
zehn Ahnenwappen umgeben, enthält. Auch sein eigener hölzerner Grabschild vom Jahre 1603 ist noch vorhanden.

Die Veste Albrechtsberg, wovon der Ort den Namen erhalten hat, wurde wahrscheinlich, gleich nachdem
Markgraf Leopold der Erlauchte die Ungarn von Melk
zurücktrieb, also noch im X. Jahrhundert gegründet, und
zwar von einem Albrecht von Perge, daher die Benennung Albrechtsberg. Nach dem Tode des Vogtes von
Perge, der Letzte dieses Zweiges, fiel die Burg im Jahre
1095 an den Markgrafen Leopold IV., den Heiligen zurück. Wie wir bei den Besitzern ersehen werden, kam im Jahre 1390 Albrechtsberg an die Familie der bekannten Enenkel, von denen die Brüder Achaz und Leonhard gegen Ende des XVI. Jahrhunderts eifrige Beförderer des
Protestantismus waren, und den Pastor Chr. Reuter aus
der Pfalz, als Schloßprediger hierher beriefen, der bei der
Kirchenvisitation, welche im Jahre 1580 die österreichischen
Stände durch den Rostocker Superintendenten Doctor Lucas Backmeister veranstalteten, zum Ober-Senior des
V. O. M. B. ernannt wurde. Albrecht Enenkel bewohnte
meist das von ihm erneuerte, von hier nahe gelegene Hohenegg, mit dessen Söhnen diese Linie der Enenkel ausstarb.
Bei Gelegenheit, als Ludwig von Starhemberg, Besitzer des Schlosses von Pielach im Jahre 1629, mit mehreren protestantischen Ständen von Ober-Oesterreich das Stift
Melk belagerte, aber mit ihnen zurückgeschlagen ward, wurde
Albrechtsberg von den Wallonen niedergebrannt. Die protestantische Lehre hatte sich hier festgesetzt, jedoch als Johann Ruprecht Hegenmüller Besitzer dieser Herrschaft
wurde, widmete er die Capelle im Jahre 1623 wieder zum
katholischen Gottesdienste. Als die Türken im Jahre 1683
auch hierher kamen, und am 20. August ein Schwarm Tar-

taren gegen das Schloß anstürmte, welches in guten Ver-
theidigungsstand gesetzt worden war, so wurden plötzlich alle
Leute einberufen und die Zugbrücke aufgezogen, wobei sich ein
Gärtnerjunge verspätete, der, während die Barbaren schon
zwischen den Weingärten und dem Dorfe herzogen, verge-
bens um Einlaß flehte. Nun, obgleich in der größten Angst,
hatte dieser doch so viel Beherztheit, sich mit dem ungelade-
nen Gewehre, daß er bei sich hatte, vor dem Schloßgraben
zu stellen, indem er, als die Feinde heransprengten, einen
mächtigen Lärm und drohende Gebärden machte, wodurch
die Vordersten, wahrscheinlich eine im Hinterhalt dräuende
List fürchtend, den Nachziehenden den guten Vertheidigungs-
zustand des Schlosses berichteten, und somit wieder Alle ab-
zogen.

Die Allodial-Herrschaft Albrechtsberg.

Diese besteht aus dem Dorfe und Schlosse Albrechtsberg, der Rotte Azelsdorf, dem Dorfe Neubach und in
dem Kammerhof. Als solche werden gezählt: 55 Häuser,
79 Familien, 187 männliche, 214 weibliche Personen, 64
schulfähige Kinder, 33 Pferde 26 Ochsen, 118 Kühe, 371
Schafe und 132 Schweine. Der herrschaftliche Grundbestand
besteht in 113 Joch Wälder, 35 Joch Wiesen, 103 Joch
Ackerland und 24 Viertel Weingärten. — Außerdem besitzt
die Herrschaft noch 70 behauste Unterthanen oberhalb Amstetten in mehreren zerstreuten Ortschaften und Rotten, unter
den Namen: Amt Gransfurth.

Der größere Theil der Herrschaft ist an der Pielach flach
gelegen, der andere Theil bildet ein mittelmäßig hohes Wein-
gebirg mit Waldung. Diese wird begrenzt von den Herrschaften Melk, Schönbühel, Sitzenthal, Mitterau und Schal-

5

laburg. — Das Klima ist gemäßigt und mild, das Waffer aber nur mittelmäßig. — Grund und Boden darf gut genannt werden, worauf Weizen, Gerste, Rocken, Hafer, etwas Safran und Hanf gebaut wird. Dabei wird im Allgemeinen die Dreifelderwirthschaft beobachtet. — Auch unterhalten die Einwohner eine ziemliche Obstpflege und treiben den Weinbau, dessen Gewächs aber nicht von guter Gattung ist. Zudem wird eine Viehzucht getrieben, die jedoch nur für den Hausbedarf ausreichet. Die Unterthanen benützen hierbei den Weidegang, die Herrschaft dagegen die Stallfutterung. — Der Kleebau ist sehr stark; die Wiesengründe sind zwar nicht viel, aber sie liefern meist süßes Heu. — Hutweiden sind auch vorhanden. — Die Baumzucht ist unbedeutend. — Im Bezirke der Herrschaft besteht eine gute Seitenstraße, die zur Linzer-Poststraße führt. — Mauthen gibt es keine, an Brücken besteht eine herrschaftliche über die Pielach. — Der Länge nach begrenzt der Pielachfluß das herrschaftliche Gebiet, außerdem bestehen zwei Mühlbäche, woran zwei Mühlen stehen. — In diesen Wässern gehört die Fischerei, so wie im ganzen Bezirk die Jagdbarkeit der Herrschaft Albrechtsberg. — Die Wälder bestehen meist in Nadelholz, Buchen und Eichen. — Fabriken oder sonstige Freiheiten bestehen keine. — An der Pielach befindet sich ein Steinbruch, und an bemerkenswerthen Gebäuden ist blos das herrschaftliche Schloß in Albrechtsberg vorhanden, nebst einem Meierhof.

Wir haben schon vorstehend das hohe Alter von Albrechtsberg und die ersten Besitzer davon angegeben, und bemerken hierbei, daß, als das Schloß an den Markgrafen Leopold IV. von dem Vogte von Perge zurückgefallen war, solches lehenweise an verschiedene Familien im Laufe der Zeit seit zwei Jahrhunderten gekommen zu seyn scheinet. Im Jahre 1311 finden wir zuerst den Friedrich Fleischeß als Besitzer, welchem im Jahre 1337 Hartmuth Fleischeß folgte. Im Jahre 1357 erscheint Johann von der Ips, durch Kauf von den Fleischeßischen Erben; im Jahre 1396 Ritter Georg von Enenkel, durch Einlösung von der Familie Flämming; im Jahre 1415 dessen Sohn, Caspar von Enenkel; im Jahre 1487 dessen Sohn Christoph von Enenkel; im Jahre 1542 dessen Sohn, Achaz von Enenkel; im Jahre 1568 Achaz, Leonhard und Hanns von Enenkel; im Jahre 1574 Leonhard von Enenkel allein; im Jahre 1591 Josias und David von Enenkel, als Erben des Vorigen; im Jahre 1610 Jacob Hartmann von Enenkel; im Jahre 1629 Johann Ruprecht Hegenmüller, durch Kauf von den Erben des Vorigen; im Jahre 1634 dessen Sohn, Wenzel Hegenmüller; im Jahre 1667 dessen Sohn, Johann Ruprecht Freiherr von Hegenmüller; im Jahre 1705 dessen Sohn, Johann Franz Freiherr von Hegenmüller; im Jahre 1726 Johann Joseph Franz Freiherr von Hegenmüller und dessen Gemahlin, Maria Johanna Josepha, geborne Freiin von Leisser; im Jahre 1771 Ferdinand Gottfried Edler von Engelshofen, durch Kauf; im Jahre 1782 Maria Aloisia Edle von Engelshofen, geborne von Stettner; im Jahre 1802 Ferdinand Peil Edler von Hartenfeld und dessen Gemahlin Franziska, geborne von Engelshofen, durch Kauf; im Jahre 1828 Franziska Peil, Edle von Hartenfeld eine Hälfte, kann Ferdinand Peil Ritter von Hartenfeld, Aloisia, Franziska und Johanna von Hartenfeld, endlich die Vormundschaft der minoren Carl Rudolph und Joseph Peil Ritter von Hartenfeld, die andere Hälfte; im Jahre 1830 Jakob Bogsch, k. k. priv. Großhändler; und in demselben Jahre Joseph Friedrich Bogsch, welcher Albrechtsberg noch gegenwärtig besitzt.

5 *

Nachstehende Orte sind Bestandtheile der Herrschaft Albrechtsberg:

Atzlsdorf.

Eine Rotte von 4 Häusern, wovon Amstetten eine Stunde entfernt, die nächste Poststation ist.

Diese gehört zur Pfarre und Schule nach Amstetten. Das Landgericht wird durch die Herrschaft Säusenegg ausgeübt. Conscriptionsobrigkeit ist Amstetten; die Ortsherrlichkeit und die behausten Unterthanen besitzt Albrechtsberg. Der Werbkreis gehört zum 49. Linien-Infanterie-Regiment.

Hier befinden sich 6 Familien, 13 männliche, 14 weibliche Personen nebst 4 schulfähigen Kindern; der Viehstand zählt: 4 Pferde, 4 Ochsen, 22 Kühe, 20 Schafe und 14 Schweine.

Die hiesigen Einwohner beschäftigen sich mit dem Feldbau, wozu mittelmäßige Gründe vorhanden sind, die mit Weizen, Gerste und Hafer bebaut werden; auch treiben sie eine Obstpflege und ziemlich gute Viehzucht.

Die vier Häuser der Rotte Atzlsdorf liegen etwas zerstreut, eine Stunde von Amstetten, in einer angenehmen Gegend, die gutes Wasser und Klima enthält.

Kammerhof.

Ein Wirthschaftshof, in der erwähnten Rotte Atzlsdorf gelegen.

Zur Kirche und Schule gehört derselbe nach Amstetten. Das Landgericht ist Säusenegg, Conscriptionsobrigkeit Amstetten, Ortsherrschaft Albrechtsberg und Grundherrschaft Kammerhof. Der Werbkreis gehört zum Linien-Infanterie-Regiment Nr. 49.

Hier befindet sich eine Familie, 3 männliche und 5 weibliche Personen. Diese besitzen 2 Pferde, 6 Kühe, 10 Schafe und 6 Schweine.

Wie schon erwähnt, liegt dieser Kammerhof in der Rotte Aglsdorf, war früher ein Freisitz, gehört aber gegenwärtig einem Rustikalbesitzer, der die Bauernwirthschaft betreibt.

Neubach.

Ein Dorf von 14 Häusern, mit der nächsten drei Viertelstunden entfernten Poststation Loosdorf.

Dasselbe gehört zur Pfarre und Schule nach Loosdorf. Das Landgericht wird von der Herrschaft Schallaburg versehen, welche auch zugleich Conscriptionsobrigkeit ist. Die Grund- und Ortsobrigkeit besitzt die Herrschaft Albrechtsberg. Der hiesige Bezirk gehört zum 49. Linien-Infanterie-Regiment.

Hier leben in 20 Familien, 48 männliche, 52 weibliche Personen nebst 17 schulfähigen Kindern. Diese besitzen einen Viehstand von 13 Pferden, 9 Ochsen, 30 Kühen, 76 Schafen und 42 Schweinen.

Die hiesigen Einwohner sind gering bestiftete Bauern und Hauer, welche erstere auf ihren mittelmäßigen Gründen, Weizen, Korn, Linsfutter, Hafer und andere Knollengewächse, letztere aber einen mittelmäßigen Wein-, und auch Obstbau haben. Uebrigens treiben alle die zum Hausbedarf nöthige Viehzucht, wobei durchgehends die Stallfutterung angewendet wird.

Der Ort Neubach, von dem abgeleiteten und hier vorbeifließenden Mühlbach des Pielachflusses also genannt, liegt zunächst Albrechtsberg am Fuße des Mauerberges, ist regelmäßig zusammengebaut, und die Häuser sind mit Stroh gedeckt. — Die hiesige Gegend ist schön,

und es gibt auch Wälder, womit der Mauerberg bewachsen
ist. — Klima und Wasser sind vortrefflich; sowohl die Fischerei
im Pielachfluß, als auch die Jagd, welche ziemlich Wild liefert, gehören den Herrschaften Albrechtsberg und Schallaburg.

Goldegg.

Ein herrschaftliches Schloß mit vier Wohnge-
bäuden, und zugleich die Herrschaft gleiches Namens,
wovon St. Pölten als die nächste Poststation, zwei Stunden
entfernt ist.

Die Pfarre ist eigentlich Carlstetten, jedoch gehört
Goldegg zur Localcaplanie Neidling, die eine halbe Stunde
entfernt ist. Das Landgericht, die Orts- und Grundherrschaft ist Goldegg, die Conscriptionsobrigkeit aber Carlstetten zu Wasserburg. Der Werbkreis gehört zum 49. Linien-
Infanterie-Regiment.

Die Seelenzahl besteht in 10 Familien, 18 männlichen
und 29 weiblichen Personen nebst 4 schulfähigen Kindern. Diese
besitzen blos 6 Kühe und 10 Schweine.

Als Landbauern bestehen die hiesigen Einwohner blos
in Häuslern, welche eine kleine Feldwirthschaft haben und um
Taglohn arbeiten. — Im Schlosse befinden sich die herrschaftliche Amtskanzlei und die Beamten.

Die einigen Häuser und das Schloß sammt Meierhof
bilden den Ort Goldegg.

Das herrschaftliche Schloß zu Goldegg ist,
wie erwähnt, zwei Stunden von der l. f. Kreißstadt St. Pölten westlich entfernt, am südöstlichen Abhange einer mit Feldern und Wiesen bedeckten Anhöhe gelegen, an welche sich
bedeutende Nadel- und Buchenwaldungen anschließen, die
sich dann bis zur Spitze der Höhe hinan ziehen. Zum Schlosse
führt neben einer Wiese ein breiter mit Obstbäumen besetzter

Fahrweg, welcher in letzter Zeit sehr gut hergerichtet ward; auch ist vor Kurzem ein neuer breiter Fahrweg, ebenfalls mit Obstbäumen bepflanzt, vom Meierhof zum Schafhof angelegt worden. Das Schloß ist ursprünglich ein sehr altes Gebäude, im Laufe der Jahrhunderte vergrößert und durch Zu- und Umbau nach und nach erweitert, so, daß es dermalen aus einem ältern und neuern Theile besteht, einen größern und einen kleinern Hof einschließend. Sehr massiv und mit einem Ziegeldache versehen, ist dasselbe im Erdgeschoße und theilweise auch im ersten Stock gewölbt, enthält zwei Stockwerke, und an der gegen den großen Vorhof gekehrten Seite einen ziemlich hohen schönen Thurm mit Blechspitze, zwei Glocken und eine Uhr. Darin befindet sich eine geräumige Capelle, mit sehr künstlicher alter Stukkaturarbeit verziert; sie enthält drei Altäre, wovon der Hochaltar, dem gekreuzigten Heiland, und die Seitenaltäre der heiligen Familie und der heiligen Barbara geweiht sind. Auch befinden sich hier ein Bild aus der altdeutschen Schule vom Jahre 1630, die Geburt Christi darstellend, dann eine Mutter-Gottes mit dem Kinde, beide kunstreiche Stücke. Ueberdieß sind mehrere mit Gold und Silber gestickte Meßgewänder aus älteren Zeiten vorhanden. Die Capelle ist sehr hell und freundlich, von neuerer Bauart, obgleich sie nur auf der Südseite Fenster hat. In diese gelangt man auch aus den herrschaftlichen Zimmern und in das Oratorium. Zu ebener Erde im Schloß ist die Kanzlei. — Im ersten Stockwerke des Schlosses bemerken wir den großen Saal, in welchem sich mehrere lebensgroße Oelgemälde, Glieder der Trautsohnischen Familie vorstellend, befinden; ferner ein Cabinet, ebenfalls mit sehr schöner Stukkaturarbeit geschmückt, mit den gemalten Brustbildern von der Kaiserin Maria Theresia, dann ihrem Gemahl Kaiser Franz I., von Joseph II. und dessen Schwester, der Königin Maria Antoinette von

Frankreich; und einen kleineren Saal, gleichfalls mit reichen
Stukkaturverzierungen, woran eine große künstliche Grotte
sich anreihet, durchgehends an den Wänden und am Gewölbe
mit vielen Stein- und Muschelarten versehen. Uebrigens füllen
zahlreiche herrschaftliche Wohn- und Gastzimmer den übrigen
Theil des Schlosses, die sämmtlich in neuester Zeit erst geschmackvoll eingerichtet worden sind. Bedeutend sind auch die
Keller unter dem Schlosse.

Aus dem ersten Stockwerke der Rückseite des Schlosses
gelangt man in den am Abhange des Berges sich hinziehenden
großen Garten, wo die Waldung zu weitläufigen engli-
schen Anlagen sehr glücklich benützt worden ist, indem breite
und zahlreiche Wege, neben denen an vielen Stellen der
Goldeggbach, von der Höhe herabkommend, mit Brücken
versehen, dahinrieselt, an andern Orten wieder malerische
Weiher und Wasserfälle bilden, während schattige Ruhesitze
den Wanderer einladen, in diesen schönen Anlagen zu verwei-
len. Ein vorzüglich lieblicher Punkt ist die sogenannte Schwe-
sternhöhe, ein am Saume der Waldung sich erhebender
einfacher tempelartiger Ruhesitz mit Holzrinden bekleidet, von
wo man eine sehr liebliche Aussicht über die mit Auen und
Waldung umsäumte Gegend von Goldegg, gegen das in
der Tiefe liegende St. Pölten und dessen Umgebungen genießt,
dagegen im fernen Osten die Höhen des Wienerwaldes, unter
ihnen der Riederberg, und gegen Süden die hohen Häupter
der Gebirge um Lilienfeld emportauchen, bis der Blick sich
wieder sammelnd, von den wunderlieblichen Gebilden der
schönen Landschaft, zurückkehrt in die Nähe, allwo eine gut
geführte Pappelallee an einem den Rand des Waldes berüh-
renden Fahrwege einen vorzüglich guten Eindruck hervorbringt,
und über die Landschaft einen an Italiens reizende Gefilde
erinnernden Charakter breitet. Noch befinden sich in diesem
schönen Naturparke mehrere freie mit Blumenbouquets ge-

schmückte Plätze, vorzüglich in der Nähe des Schloffes, und ein großes Glashaus mit Orangerie, so wie auch ein Küchengarten, und an das Schloß anstoßend, eine große mit steinernen Geländer versehene Treppe, welche eine Seite des Vorhofes begrenzt, was einen sehr guten Anblick gewährt.

Zunächst dem Schloffe breitet sich dieser mit einer großen Einfahrt versehene Vorhof aus, auf einer Seite von dieser Terraffe, auf der andern von der Beamtenwohnung, und auf der dritten Seite von Wirthschaftsbehältniffen begrenzt. Die Beamtenwohnung ist ein einstöckiges Gebäude mit Schindelbach. An dieselbe reiht sich der herrschaftliche Meierhof mit Schindelbach, sammt der Wohnnng des Gärtners und Jägers, die mit den Scheunen und Stallungen ein längliches Viereck bilden. Hier befinden sich: 6 Pferde, 2 Ochsen und 12 Kühe. Weiter hinauf gegen den Berg liegt der herrschaftliche Schafhof, welcher gegen 400 Stück veredelte Mutterschafe enthält.

Unterhalb dem Schloffe, gegen Mittag, befindet sich ein großer Teich, noch im Bezirke der Gartenanlagen und von Waldung umgeben, in der Mitte mit einer kleinen Insel, auf welcher ein hölzernes Lusthäuschen steht. Durch diesen Teich fließt der die Gartenanlagen durchziehende Goldeggbach, welcher dann durch eine Schleuße auch die nahe gelegenen Ortschaften bewäffert.

Was das Schloß Goldegg in Bezug auf Entstehung und Alter betrifft, so scheint solches im XIII. Jahrhundert von den Herren von Goldegg erbaut worden, und von denselben den Namen erhalten zu haben, wie wir bei Aufzählung der Glieder dieser adeligen Familie, am Schluffe der Darstellung der Herrschaft ersehen werden.

Noch bemerken wir, daß im Archive des Schloffes mehrere alte, die Herrschaft betreffende Urkunden vorhanden sind,

74

darunter sich auch Vergleichsurkunden aus dem XIII. und XIV. Jahrhundert befinden.

Die Fideicomiß-Herrschaft Goldegg.

Mit dieser sind die Güter Pielahag, Friesing und Uttendorf verbunden, wovon erstere beide mit eigenen ständischen Gülten-Einlagen versehen sind. Diesemnach besitzt sie die Ortsobrigkeit über Afing, Enicklberg, Garbersdorf, Griechenberg, Goldegg, Friesing, Gerersdorf, Grillenhöfe, Hafing, Hötzersdorf, Linsberg, Pielahag, Prinzersdorf, Ranzelsdorf, Rosenthal, Thall, Uttendorf, Weitendorf und Wirmling. Sie zählt 196 Häuser, 248 Familien, 600 männliche, 620 weibliche Personen, 163 schulfähige Kinder, 255 Pferde, 30 Ochsen, 538 Kühe, 1658 Schafe, 28 Ziegen und 611 Schweine. An herrschaftlichen Grundstand von Goldegg allein: 114 Joch 1145⁹⁄₁₀ Quadrat-Klafter Aecker, 28 Joch 143²⁄₁₀ Quadrat-Klafter Wiesen, 5 Joch 405⁸⁄₁₀ Quadrat-Klafter Wiesen mit Auholz bewachsen, 1 Joch 673⁸⁄₁₀ Quadrat-Klafter große Gärten, 986³⁄₁₀ Quadrat-Klafter kleine Gärten, 20 Joch 585²⁄₁₀ Quadrat-Klafter Hutweiden, 556 Joch 953³⁄₁₀ Quadrat-Klafter Hochwald und 796¹⁄₁₀ Quadrat-Klafter Teiche.

Diese Herrschaft liegt ungefähr zwei Stunden westlich von der Kreisstadt St. Pölten, am südlichen Abhange der Gebirgskette, welche von Melk bis über Hollenburg am rechten Donauufer dahinläuft, in einer meist hügeligen Ebene, die nur gegen Westen aus bewaldeten Anhöhen besteht, welche mit Fichten, Tannen, Föhren und Rothbuchen bedeckt sind. Begrenzt wird dieselbe gegen Osten von der Herrschaft Viehhofen, gegen Norden von Carlstetten, gegen Westen von Wolfstein am Gurhof und gegen Süden von Mitterau. Gerersdorf liegt an der Linzer-Poststraße, und einige andere

Schloß Gochsen.

Orte nahe an derselben. Die Gegend ist voll Abwechslungen und Naturschönheiten; sie enthält reines, mildes und sehr gesundes Klima und auch vortreffliches Trinkwasser. — Die Gründe sind an und auf den Anhöhen bei Goldegg nur höchst mittelmäßig, indem sie hier aus einer kaum sechs Zoll tiefen beurbarten Oberfläche mit einer Grundlage von rothgelben Sand und derlei losen Sandstein bestehen, wobei einige trockene Hügel als Schafheiden benützt werden, daher hier nur sorgsame Ackerung und Düngung, etwas Weizen, Rocken, Gerste und Hafer, im Mittelertrag, geben. In der Ebene bestehen die Gründe zum Theil aus Lehm und feinen Sand, theils aus Moorgrund mit Unterlage von Kies und Kalkstein, wobei steinige Anhöhen mit fruchtbaren Niederungen abwechseln, welche letztere zum Theil den Ueberschwemmungen des Pielachflusses ausgesetzt sind, der auch an manchen Stellen mit bedeutenden Weiden=Auen begrenzt ist, und außer welchem, noch der Goldegg= und Kremnizbach das herrschaftliche Gebiet durchfließen. Bei der Herrschaft selbst wird die Wechselwirthschaft, bei den Unterthanen aber die Dreifelberwirthschaft betrieben, wobei letztere auch etwas Klee, Knollen= und Wurzelgewächse bauen, auch zum Theile einige Viehzucht zum Verkaufe treiben und übrigens alle vier Körnergattungen erzeugen. — Die Obstcultur besteht in der Herrschaft nur in geringer Ausdehnung, Weinbau aber ist gar keiner vorhanden.

Die meisten Ortschaften der Herrschaft liegen in geringer Entfernung rechts von der von Wien nach Linz führenden Poststraße, einige aber an derselben, daher auch in Prinzersdorf eine Brückenmauth besteht, durch welchen Ort der Pielachfluß, und durch Friesing der Kremnizbach seinen Lauf nimmt. Ersterer enthält Hechte, Huchen und Weißfische, letzterer Krebsen. — Mühlen bestehen in den Dörfern Prinzersdorf, Uttendorf und Salau;

Fabriken gibt es keine, und eben so auch keine besondern Freiheiten oder Märkte. — Die Gebirgskette gegen Westen enthält Waldungen mit verschiedenen Benennungen, von Fichten, Tannen, Föhren und Rothbuchen, die in regelmäßige
Schläge eingetheilt sind, und forstmäßig behandelt werden.
Sowohl der Fischnutzen, als auch die Jagdbarkeit, in Rehen, Hasen, Fasanen und andern Wildgeflügel bestehend, gehören der Herrschaft Goldegg. — An bemerkenswerthen
Gebäuden sind vorhanden: das herrschaftliche Schloß
zu Goldegg nebst Meierhof, die herrschaftlichen
Meierhöfe zu Friesing, Pielahag und Uttendorf,
ein herrschaftliches Wirthshaus zu Prinzersdorf
und ein großer herrschaftlicher Ziegelofen.

Das Schloß Goldegg, wovon in der Folge unter dieser Benennung sich eine Herrschaft bildete, wurde im XIII.
Jahrhundert von den Herren von Goldegg erbaut und
erhielt ihren Namen. Diese Familie scheint, nach ihrem Wappen zu urtheilen, mit den Edlen von Goldegg in Tirol,
welche im Gericht Jenisina vor Alters ihren Sitz hatten, wie
dieß Freiherr von Brandis in seinem »Immergrünenden
Ehrenkränzlein des tirolischen Adels« berichtet, von einer Ab-
kunft gewesen zu sein. In Oesterreich finden wir folgende
Glieder davon.

Der edle Otto von Goldeck leihet dem Pfarrer Wul-
finger von Bruckh, wie auch Heinrich und Friedrich
Herren von Stubenberg 100 Mark Silber, für welche Sum-
me sich Friedrich Graf von Ortenburg als Bürge und
Zahler verschrieb. Die Urkunde darüber ist gegeben zu Karpfenberg im Jahre 1283 (Archv. Statuum Nr. 15.) Conrad von Goldegg hatte in den Jahren 1286 und 1295
die Veste Stattneck im Ensthal, als eine österreichische Le-
henschaft in Besitz (k. k. Hofkammer). Otto und Chunrad
von Goldegg werden im Jahre 1296 in einem Kaufbrief

von Reimpold von Chuffarn als Zeuge gelesen mit dem Titel: Edle und ehrbare Männer. Die Edl Frau Mechtild, Chunrads von Goldegg zurückgelassene Witwe, stiftete zu ihrem Seelenheil 30 Pfund Pfenninge Wienermünze im Jahre 1302 (Phil. Hueber). Heinrich von Goldegg und Dietmuth seine Hausfrau, verkauften im Jahre 1320 am St. Agnestag einen Hof zu Wolfsbach, dabei Ortolf von Goldegg als Zeuge erscheint (Phil. Hueber). Gottfried von Goldegg wird in Urkunden in den Jahren 1322, 1324 und 1332 in Ennenkels Collect. angeführt. Wulfing von Goldegge hatte einen Rechtsstreit mit Heinrichs von Ebersdorf Hausfrau Margaretha, wegen mehreren Gütern, darüber der Spruch von Herzog Albrecht im Jahre 1332 erfolgt ist (Archiv Statuum). Herzog Rudolph IV. zu Oesterreich, hat im Jahre 1359 an seiner Statt das Schenken- und Truchsessenamt des Erzstiftes Salzburg den Brüdern Wulfing und Haugen (Hugo) Herren von Goldegg neuerlich verliehen (Ennenkel). Johann und Hugo Herren von Goldegg haben nebst andern Mißvergnügten vom salzburgischen Adel wider den Erzbischof Ortolph von Salzburg sich empört, und im Jahre 1359 in Gemeinschaft mit andern österreichischen und salzburgischen Dynasten ein Bündniß wider ihn geschlossen. (Hansitz Germ. Sacr. et Annal. Styriae). Hugo von Goldegg, der Jüngere dieses Namens, kaufte im Jahre 1366 für Leutold von Stadeck die zwei Burgen Westenburg und Kumberg (Arch. Statuum Nr. 677). Conrad Herr zu Goldegg und seine Hausfrau Agnes von Perneck und Janns ihr Sohn, werden im Jahre 1387 in einem Kaufbrief, auf Otto von Stubenberg lautend, angeführt. Im Jahre 1427 aber wird von Stephan Herrn von Zelking noch eines Herrn von Goldegg gedacht, der jedoch schon einige Zeit verstorben gewesen scheint (Ennenkl Collect.)

Ihr Wappenschild hat drei links herein quer liegende

weiße Spitzen in einem schwarzen Feld; die tirolerische Linie aber führte diese weiße Spitzen in einem rothen Felde. Ueber den geschlossenen Turnierhelm waren zwei wie der Schild gleichmäßig tingirte Büffelhörner.

Wir dürfen annehmen, daß gegen Ende des XIV. Jahrhunderts diese Familie ausgeblüht hat; jedoch früher schon mag dieselbe ihr Schloß und Herrschaft Goldegg verkauft haben, weil im Jahre 1384 Martin Radler von Sichtenberg als Eigenthümer erscheint. Im Jahre 1385 kam die Herrschaft durch Kauf an Michael Uttendorfer; im Jahre 1498 an Georg Matseber; im Jahre 1542 an Achaz Matseber und im Jahre 1571 an dessen Erben. Im Jahre 1589 erscheint Albrecht Freiherr von Ennenkel als Besitzer; im Jahre 1601 dessen Sohn Achaz; im Jahre 1618 seine Gemahlin Anna, geborne Freiin von Althann; im Jahre 1639 Christoph Ehrenreich Graf von Schallenberg, durch Heirath von seiner Frau Judith Elisabeth, geborne Freiin von Ennenkel; und im Jahre 1641 Johann Mathias Prücklmayer Freiherr von und zu Goldegg, der am 19. Juli 1640 unter die niederösterreichischen Rittergeschlechter aufgenommen wurde. Derselbe war von armen Bauersleuten in dem Dorfe St. Bernhard im V. O. M. B. im Jahre 1589 geboren. Ein gutherziger Pfarrer zu Friedersbach, welcher an ihm große Geistesgaben bemerkte, ließ ihn in Wien studieren. Allein Prücklmayer wurde nach dem Tode seines Wohlthäters bemüßiget, als armer Student, der wie man sagt, von der Klostersuppe lebte, sein Studium fortzusetzen, bis sein großer Fleiß ihm ein Stipendium verschaffte. In der Folge wurde er auf der Universität zu Wien der Rechte Doctor, Gerichtsadvocat, und im Jahre 1631 niederösterreichischer Kammerprocurator, dann k. k. Rath, im Jahre 1637 aber Kaisers Ferdinand III. wirklicher Hofrath bei der geheimen Hofkanzlei, endlich im Jahre 1648 geheimer Rath und Hofkanzler, und von seiner Herrschaft Goldegg mit dem Titel: Freiherr von Goldegg im Jahre 1648 von besagten Kaiser Ferdinand in den Adelstand erhoben. Er starb im J. 1657 und hinterließ zwei Töchter, Anna Kathárina, welche erstlich mit Philipp Freiherrn von Unverzagt, darauf mit Johann Graf von Wagenspurg vermählt war, und die Herrschaft Goldegg im Jahre 1669 der Gräfin Maria von Trautsohn verkaufte; dann Lucia Ludomilla, die Johann Freiherrn von Charnier zum Gatten hatte.

Im Jahre 1706 folgte im Besitze der Herrschaft Goldegg Johann Leopold Donnat Graf von Trautsohn, als Erbtheil von seiner Mutter der Gräfin Trautsohn; im Jahre 1724 dessen Sohn, Johann Wilhelm Fürst von Trautsohn; im Jahre 1782 Carl Graf von Auersperg, durch Erbschaft vom Vorigen; und im Jahre 1827 Vincenz Fürst von Auersperg, der die Herrschaft noch gegenwärtig besitzt.

Nachfolgende Ortschaften sind Bestandtheile der Fideicomißherrschaft Goldegg:

Afing.

Ein Dorf von 21 Häusern, mit der nächsten Poststation St. Pölten, eine Stunde entfernt.

Der Ort ist zur Kirche und Schule nach Neidling gewiesen. Das Landgericht und die Ortsobrigkeit besitzt die Herrschaft Goldegg; Conscriptionsherrschaft ist Wasserburg. An Grunddominien, welche behauste Unterthanen hierselbst besitzen, sind verzeichnet: Mautern, Herzogenburg, Carlstetten, Goldegg, Zelking und die k. k. Staatsherrschaft St. Pölten. Der Werbkreis gehört zum Linien-Infanterie-Regiment Nr. 49.

Die Bevölkerung besteht in 22 Familien, 36 männlichen, 40 weiblichen Personen und 20 schulfähigen Kindern. Diese besitzen einen Viehstand von 26 Pferden, 6 Ochsen, 32 Kühen, 20 Schafen und 52 Schweinen.

Der Ort liegt eine halbe Stunde östlich von Neidling in einer von Feldern umgebenen mäßigen Vertiefung, wovon die Häuser zusammengebaut mit Schindeln und Stroh gedeckt sind.

Unter den hiesigen Einwohnern, die als Landbauern eine gute Grundbestiftung besitzen, befinden sich 1 Wirth, 1 Fleischhauer, 1 Schuster, 1 Schneider und 1 Schmied. Uebrigens treiben sie den Feldbau der gewöhnlichen Körnerfrüchte, haben etwas Obst, eine Viehzucht, die den häuslichen Bedarf sichert, und verkaufen ihre überflüssigen Produkte nach St. Pölten. — Die Gründe sind hierorts ertragsfähig; Klima und Wasser sind gut, und die Jagdbarkeit, welche der Herrschaft Golbegg gehört, liefert Hasen und Rebhühner.

Enicklberg.

Ein Dörfchen von 12 Häusern, wovon St. Pölten in einer Entfernung von zwei Stunden, als die nächste, Poststation bezeichnet ist.

Dasselbe gehört zur Pfarre und Schule nach Neidling. Das Landgericht, die Grund= und Ortsobrigkeit ist Golbegg; Conscriptionsherrschaft Wasserburg. Der Werbkreis ist zum Linien = Infanterie = Regiment Nr. 49. einbezogen.

In 12 Familien leben 29 männliche, 32 weibliche Personen und 11 schulfähige Kinder; diese halten einen Viehstand von 10 Pferden, 18 Kühen, 20 Schafen und 25 Schweinen.

Die Bewohner bestehen als gering bestiftete Landbauern, treiben jedoch den Ackerbau der gewöhnlichen Körnergattungen, obschon die Gründe sehr mittelmäßig sind, etwas Obstpflege, und eine zu ihrem Bedarf hinreichende Viehzucht.

Der Ort Enicklberg, von dem Berge also benannt,

liegt mit feinen zerstreuten mit Stroh gedeckten Häusern, eine
Viertelstunde rückwärts von Goldegg am Wald auf der Höhe.
Die hiesige Gegend ist recht ländlich, angenehm, mit gesunden Klima und gutem Wasser ausgestattet. Der Jagdnutzen
in der Ortsfreiheit ist ein Eigenthum der Herrschaft Goldegg,
und besteht in Rehen, Hasen und andern Wildgeflügel.

Garbersdorf.

Ein aus 22 Häusern bestehendes Dorf mit der, ein und
eine halbe Stunde entfernten Poststation St. Pölten.

Der Ort ist nach dem nahen Neidling eingepfarrt und ein-
geschult. Das Landgericht, die Grund= und Ortsobrigkeit ist die
Herrschaft Goldegg, Conscriptionsdominium aber Wasserburg.
Der Werbkreis gehört zum 49. Linien-Infanterie-Regiment.

Die Bevölkerung umfaßt 26 Familien, 45 männliche,
52 weibliche Personen und 20 schulfähige Kinder; der Vieh=
stand: 40 Pferde, 6 Ochsen, 32 Kühe, 40 Schafe und
58 Schweine.

Der hiesige Landmann gehört in die Classe der gut bestifteten Landbauern; es wird Feldbau, Obstpflege und eine
gute Viehzucht zum häuslichen Bedarf getrieben, auch setzen
die Einwohner ihre erübrigenden Produkte an Markttägen zu
St. Pölten ab.

Garbersdorf liegt nahe bei Goldegg, nämlich am
Fuße der Höhe, worauf das herrschaftliche Schloß liegt, in
einer angenehmen, fruchtbaren, von hügeligen Wiesen und Feldern bedeckten Thalgegend, die vom sogenannten Goldeggbach durchflossen wird. Die Häuser des Orts, mit Schindeln
und Stroh gedeckt, bilden zwei Reihen, und werden von Obstgärten umgeben. Hier befinden sich eine herrschaftliche
Taferne, 1 Wundarzt und 1 Fleischhauer. — Gesundes
reines Klima und gutes Wasser, zeichnen die hiesige schöne
Gegend aus.

6

Griechenberg.

Ein Dörfchen von 10 Häusern, wovon St. Pölten, in einer Entfernung von zwei und einer halben Stunde, die nächste Poststation ist.

Zur Kirche und Schule gehört der Ort nach Neidling. Das Landgericht, die Orts- und Grundherrschaft ist Goldegg; die Conscriptionsherrschaft Wasserburg. Der hiesige Bezirk ist dem Werbkreise des 49. Linien = Infanterie - Regiments zugewiesen.

Hier leben 14 Familien, 26 männliche, 32 weibliche Personen und 11 schulfähige Kinder. Diese besitzen 11 Pferde, 22 Kühe, 24 Schafe und 23 Schweine.

Als Landbauern sind die hierortigen Einwohner nur mittelmäßig mit Feldgründe bestiftet. Ihre Erwerbszweige bestehen in Ackerbau, etwas Obst und der nöthigen Viehzucht zu ihrem eigenen Bedarf. Die Gründe dazu sind gut.

Das Dörfchen Griechenberg liegt an der Anhöhe bei Goldegg, welche den Namen »Griechenberg« trägt, ganz frei, und wird von Feldern umgeben. Die ganze Umgebung bildet eine wirklich malerische Landschaft, ausgezeichnet durch reine Luft und besonders gutes Wasser.

Friesing.

Ein Oertchen aus 3 Dominicalhäusern bestehend, und ein eigenes Gut, wovon St. Pölten, als die nächste Poststation, eine halbe Stunde entfernt ist.

Zur Pfarre und Schule gehören solche nach Gerersdorf. Das Landgericht, die Grund= und Conscriptionsherrschaft ist Goldegg, Ortsobrigkeit Friesing. Der Werkreis gehört zum 49. Linien=Infanterie=Regiment.

Die Seelenzahl besteht in 8 Familien, 14 männlichen, 24 weiblichen Personen und 4 schulfähigen Kindern. An herrschaftlichen Vieh sind vorhanden: 4 Pferde, 1 Ochs, 20 Kühe und 250 Schafe; an Gründen: 85 Joch 814³⁄₁₀ Quadrat-Klafter Hochwälder, 56 Joch 867 Quadr. Klftr. Aecker, 48 Joch 1114 Quadr. Klftr. Wiesen, 1 Joch 171 Quadr. Klftr. Gärten, 6 Joch 78⁹⁄₁₀ Quadr. Klftr. Hutweiden.

Die Einwohner sind herrschaftliche Dienstleute und Tagwerker. Die Beschäftigung besteht in Feldbau, wozu die Gründe sehr gut sind, und in der herrschaftlichen Viehzucht.

Vor Zeiten stand hier ein herrschaftliches Schloß, welches mit einem breiten Wassergraben umgeben war, und der noch vor fünfzehn Jahren einen Aufenthaltsort für vieles Wassergeflügel bildete. Es wurde ganz abgebrochen und zunächst demselben ein M e i e r h o f aufgeführt, der Theils mit Stroh, theils mit Schindeln gedeckt ist. Rückwärts demselben läuft eine Kastanienallee hin. Hier ist auch eine h e r r s c h a f t l i c h e T a f e r n e und ein einzeln gelegenes, anderes ebenerdiges Gebäude, der sogenannte G e i e r h o f, jetzt zu Drescherwohnungen dienend. Die Einfahrt in den ersterwähnten Meierhof enthält ein Stockwerk, zu dessen beiden Seiten die Stallungen sich ausdehnen, welche gewölbt und solid gebaut sind.

Diese drei Häuser, welche den Ort und das Gut F r i e s i n g bilden, liegen eine halbe Stunde westlich von St. Pölten, in einem sanften Thale, von Feldfluren und Wiesen umgeben, und werden vom K r e m n i t z b a c h e durchflossen, der vor seiner Regulirung viele Ueberschwemmungen anrichtete. — Noch bemerken wir, daß auf dem Platze, wo das alte Schloß stand, jetzt ein Gemüsegarten angelegt ist. — Wälder gibt es hier keine, daher die Jagdbarkeit blos Hasen und Rebhühner liefert. — Klima und Wasser sind gut.

Das Schloß, als der ursprünglich älteste Theil dieser Besitzung, war von hohem Alter, und es gab auch ei

6 *

Geſchlecht, aus dem der Ritter Wolfgang Frieſinger
noch im Jahre 1451 lebte. Indeſſen mögen ſie ihr Stamm-
ſchloß ſchon früher verkauft haben, weil im Jahre 1317
Friedrich der Rädler den Hof zu Frieſing beſaß; er
verkaufte ihn im Jahre 1320 um 200 Pfund Pfennige an
Otto von Ror. Der ehrbare Knappe, Heinrich der
Pickl, zeigt dem St. Pöltner Propſte Chriſtian an, wie
ſein Vorfahr, Reinhard Wiener die Hofmark zu
Frieſing gekauft habe, die nun in eine Veſte umgeſtaltet
ſei. Im Jahre 1440 war Friedrich Hochſtetter Beſitzer davon, der ſolche von Michael Kytzi erkaufte. Rue-
ger ob dem Berg kaufte im Jahre 1471 die Veſte Frieſing von den Brüdern Penckel, vermuthlich Pickl. Hier-
auf kam der Hof zu Frieſing an das Stift St. Pölten.
Im Jahre 1594 erſcheint Eliſabeth von Schönkirchen
als Eigenthümerin dieſes Gütchens; im Jahre 1646 Ferdinand von Hohenfels; im Jahre 1650 Adolph von
Lempruch, durch Kauf von Weickhard Grafen von Starhemberg; im Jahre 1681 deſſen Sohn Johann Adolph;
nach dieſem ſeine Söhne Johann Carl und Johann
Franz; darauf Letzterer allein; im Jahre 1716 Johann
Leopold Donat Fürſt von Trautſohn, durch Kauf von
Johann Franz von Lempruch; im Jahre 1724 deſſen
Sohn Fürſt Johann Wilhelm von Trautſohn; im
Jahre 1782, Carl Graf von Auersperg, durch Erb-
ſchaft vom Vorigen; und im Jahre 1827 Vinzenz Fürſt
von Auersperg.

Gerersdorf.

Ein Pfarrdorf von 19 Häuſern, mit der nächſten Poſtſtation St. Pölten, die eine halbe Stunde entfernt iſt.

Kirche und Schule befinden ſich im Orte und gehören in

das Decanat St. Pölten; das Patronat gehört der k. k. Staatsherrschaft St. Pölten. Das Landgericht wird durch die Herrschaft Mitterau ausgeübt. Orts= und Conscriptions= obrigkeit ist die Herrschaft Goldegg, die auch mit den Domi= nien St. Pölten, Melk, Mautern und Viehofen, die behau= sten Unterthanen besitzt. Der Werbkreis gehört zum 49. Li= nien=Infanterie=Regiment.

Hier befinden sich 25 Familien, 80 männliche, 64 weib= liche Personen und 20 schulfähige Kinder. Diese besitzen einen Viehstand von 29 Pferden, 64 Kühen, 202 Schafen, 8 Zie= gen und 60 Schweinen.

Die hiesigen Bewohner sind gut bestiftete Landbauern, unter denen sich zwei Wirthe, Schuster und Schneider befin= den. Ihre landwirthschaftlichen Zweige bestehen in Ackerbau, etwas Obstpflege und einer guten Viehzucht mit Anwendung der Stallfütterung. Sie besitzen gute Gründe und bauen Wei= zen, Korn, Gerste, Hafer und auch andere Knollengewächse.

Das Kirchdorf liegt an der linken Seite der Poststraße, zwischen St. Pölten und Prinzersdorf, in einer vertieften La= ge, mit wenigen zerstreut gebauten, mit Stroh gedeckten Häusern, von welchen nur das große Einkehrwirths= haus vorne an der Straße steht, die übrigen befinden sich mehr thaleinwärts, die Kirche und der Pfarrhof aber auf einem Hügel, ein geöffnetes Dreieck gegen die Straße bildend. Im Rücken des Ortes erheben sich dunkle Nadel= holzwaldungen, die auf den Anhöhen, welche den Thalein= schnitt gestalten, zerstreut sich erheben, und dem Ganzen ei= nen malerischen Anblick verleihen, der viel erhöht wird, wenn der Naturfreund seine Blicke von Gerersdorf aus, über die Straße richtet, und das Schloß Goldegg mit den vielen pittoresk gelagerten Ortschaften übersieht. — Die nachbarli= chen Orte um Gerersdorf sind Prinzersdorf, Egsdorf, Wei= ßendorf, Hetzersdorf und Uttendorf. — Klima und Wasser sind gut; die Jagd, Rebhühner und Hasen liefernd, ist ein Eigenthum der Herrschaft Goldegg.

Die Pfarrkirche ist dem heiligen Johann den Täufer geweiht, besteht in einem Schiffe von älterer Bauart mit Spitzgewölben, aus dem Presbyterium neueren Styls, mit einem Rundgewölbe und hervorspringenden Lesenen in italienischer Manier, deren Inneres hell und freundlich ist. Das Dach ist durchaus mit Ziegeln gedeckt, der Thurn viereckig, und hat eine gute construirte Spitze von Schindeln, oben mit Blech, einer Uhr und drei Glocken.

Ausgeschmückt wird dieselbe von einem Hoch- und zwei Seitenaltären, wovon aber nur einer zum Messe lesen besteht, mit dem Bildnisse der Zusammenkunft des Heilandes mit Johannes als Kinder; der andere enthält das nur sehr mittelmäßige Altarblatt Maria Heimsuchung. — Der Altartisch am Hochaltar ist von rothem Türnitzer Marmor, und stand ehemals in den Carmeliterinnen-Nonnenkloster zu St. Pölten. Das Uebrige ist von Holz mit Säulen und Vergoldung, und enthält ein Oelgemälde Maria Krönung, dann ober demselben ein großes Medaillon, Johannes den Täufer. Die Kanzel verdient besonders bemerkt zu werden, welche mit reichen, gut gearbeiteten Schnitzwerk verziert ist, und oben auf der Decke eine werthvolle Statue des sitzenden Christus enthält, mit vielen Blättern und Blumen umgeben.

Außer Gerersdorf sind hierher eingepfarrt: Distelburg ½, Eggsdorf ¼, Friesing ¼, Grillenhöf ½, Hafing ¼, Hözersdorf ½, Loipersdorf ¾, Matzersdorf 1, Prinzersdorf ¾, Salau ½, Stamingdorf ¼, Uttendorf ½, Wöllerndorf 1 und Weitendorf ¼ Stunde entfernt. — Den Gottesdienst versieht ein Pfarrer, der ein Weltpriester ist. Der Pfarrhof und die Schule liegen zunächst der Kirche, beide sind

im neueren Style aufgeführt, mit einem Stockwerke versehen und mit Schindeln gedeckt. — Der Leichenhof ist
außerhalb dem Orte angelegt, gegen Südost und mit einer
Planke umgeben.

Gerersdorf ist ein alter Ort, und mag auch sehr
zeitlich schon eine Kirche in Gestalt einer Capelle gehabt
haben, woher das gothische Gebäude des Kirchenschiffes wahrscheinlich stammet; jedoch scheint selbe erst im XV. Jahrhunderte, aus einer Filiale der Pfarre St. Pölten, eine eigene
Pfarre geworden zu seyn. Es findet sich, daß Bischof Leonhard von Passau die Errichtung des Leichenhofes zu
Gerersdorf im Jahre 1431 gestattete, in welchem mit
Bewilligung des Propstes von St. Pölten, jene begraben
werden konnten, die gewohnt sind, in dieser Capelle des
heiligen Johann des Täufers dem Gottesdienst beizu-
wohnen. Um diese Zeit, nämlich im Jahre 1434 finden wir
die Kirche in Gerersdorf schon als eine Pfarre, denn die
Gemeinde hatte damals einen Streit mit ihrem Pfarrer Caspar, wegen Verwaltung des Kirchenvermögens. Propst
Christian legte ihn als Schiedsrichter durch die Anordnung
bei, daß in Zukunft jährlich zu Weihnachten, im Hause des
Pfarrers, die Rechnung vorgenommen, eine Kirchenlade und
ein Opferstock mit drei Schlössern gemacht werden solle, zu
welchem der Pfarrer, die Zechleute und die Gemeinde einen
Schlüssel haben müssen. Er bestimmte überdieß, daß an den
Tagen des heiligen Johann, der Kirchweihe, und an jenem,
an dem die Prozession nach Gerersdorf komme, das halbe
Opfer, das auf den Altar gelegt wird, dem Pfarrer gehöre.
Welche Ursachen übrigens Schuld waren, daß um die Jahre
1730 herum kein Pfarrer hier war, und der Dechant von
Traismauer, Erlicher, aufzeichnen konnte, »ein Taufstein
ist hier, es wird aber nicht getauft,« ist gänzlich unbekannt. —
Bis zum Jahre 1781 kam kein Pfarrer mehr hierher, sondern

der Dechant im Stifte St. Pölten war zugleich Pfarrer in-Gerersdorf. Seit dem obenbenannten Jahre ist aber immer wieder ein eigener Seelsorger angestellt.

Grillenhöf.

Ein Dorf von 11 Häusern, mit der nächsten Poststation St. Pölten, in einer Entfernung von einer halben Stunde.

Zur Pfarre und Schule gehört der Ort nach Gerersdorf. Das Landgericht ist Mitterau; Orts- und Conscriptionsobrigkeit Goldegg, die auch mit Mautern die hierorts behausten Unterthanen und Grundholden besitzt. Der Werbkreis gehört zum 49. Linien-Infanterie-Regiment.

Hier leben in 14 Familien, 41 männliche, 35 weibliche Personen und 9 schulfähige Kinder; diese besitzen 17 Pferde, 1 Ochsen, 40 Kühe, 37 Schafe, 3 Ziegen und 54 Schweine.

Die Einwohner sind gut bestiftete Landbauern, ohne Handwerker unter sich zu haben, und beschäftigen sich mit Feldbau, der bei den vorhandenen guten Gründen, Weizen, Korn, Gerste und Hafer liefert. Nebstdem haben sie etwas Obst und eine gute Viehzucht mit Anwendung der Stallfutterung.

Der Ort Grillenhöf liegt eine Viertelstunde von Gerersdorf nördlich entfernt, in einem schönen Thale zunächst Friesing, Hetzersdorf und Weitzendorf. Die Häuser liegen neben einander und werden vom Kremnitzbache durchflossen, welcher Krebsen enthält. — Klima und Wasser sind vortrefflich. — Da kleine Baumpartien, so genannte Feldhölzer sich hier befinden, so ist die Feldjagd gut.

Der Grillenhof, deßhalb die Benennung des Orts, war einst ein Freisitz und Gut des ehemaligen Fürstenthums

Paſſau, welchen im Jahre 1576 Heimeran Gold von Lampoding, paſſauiſcher Pfleger zu Mautern, gekauft hat. Gegenwärtig iſt das Gut zu Unterthanshäuſern zerſtückt, die jetzt landesfürſtliche Lehen ſind.

Hafing.

Ein Oertchen von 3 Häuſern, mit der eine halbe Stunde entfernten Poſtſtation St. Pölten.

Zur Kirche und Schule gehören ſolche nach Gerersdorf. Das Landgericht wird von der Herrſchaft Mitterau ausgeübt. Orts= und Conſcriptionsobrigkeit iſt Goldegg, die auch mit Mitterau die einigen behauſten Unterthanen beſitzt. Der Werb= kreis gehört zum 49. Linien = Infanterie = Regiment.

Es befinden ſich hier 6 Familien, 22 mänuliche, 13 weibliche Perſouen und 1 ſchulfähiges Kind; an Viehſtand beſitzen dieſe: 8 Pferde, 18 Kühe, 28 Schafe, 1 Ziege und 24 Schweine.

Die hieſigen Einwohner ſind nur gering mit Grundſtü= cken beſtiftet; ſie bauen jedoch auf ihren mittelmäßigen Aeckern die gewöhulichen vier Feldkörnergattungen, erhalten Obſt aus ihren Hausgärten, und treiben eine nahmhafte und gute Vieh= zucht, die mit Stallfutterung betrieben wird.

Hafing oder Hofing, von Hof abgeleitet, liegt ei= ne Viertelſtunde von der Linzer=Poſtſtraße links abwärts, und eben ſo weit von Gerersdorf entfernt, in einer Vertiefung, von Feldern und Obſtgärten umgeben. Die nächſten Dörfer ſind Eggsdorf und Nadelbach. — Gutes Klima, Waſſer und eine ſchöne Gegend ſind hierorts vorherrſchend.

Hözersdorf.

Ein kleines Dörfchen von 8 Häusern, wovon St. Pölten, als die nächste Poststation, drei Viertelstunden entfernt ist.

Dasselbe ist nach Gerersdorf eingepfarrt und eingeschult. Das Landgericht wird von Mitterau aus versehen; Orts= und Conscriptionsobrigkeit ist die Herrschaft Goldegg, die auch mit den Dominium Mitterau die behausten Unterthanen besitzt. Der Werbkreis ist zu dem 49. Linien=Infanterie=Regiment angewiesen.

In 7 Familien leben 21 männliche, 15 weibliche Personen und 3 schulfähige Kinder; der Viehstand besteht in 14 Pferden, 23 Kühen, 47 Schafen 2 Ziegen, und 28 Schweinen.

Die Einwohner als Landbauern sind minder gut bestiftet, und haben keine Handwerker unter sich. Ihre Beschäftigung besteht in Feldbau, der, ungeachtet der nur mittelmäßigen Gründe, doch alle vier Fruchtkörnergattungen abwirft. Nebst diesen haben sie auch Obst, jedoch ist die Viehzucht mit Stallfutterung der vornehmste landwirthschaftliche Zweig.

Die sechs Häuser von Hözersdorf, mit Stroh gedeckt, liegen sehr nahe bei Gerersdorf, auf der rechten Seite der Poststraße, ganz flach in einem Thale, wovon die Gegend nicht besonders schön ist, und werden von dem Kremnitzbache durchflossen. Als nächste Ortschaften werden Prinzersdorf, Grillenhöf und Weißendorf bezeichnet. — Wie in der ganzen Umgegend, ist auch hier das Klima gesund, das Wasser gut, und da übrigens Wälder und Berge nicht existiren, so besteht blos die Feldjagd in Hasen und Rebhühnern, welche ein Eigenthum der Herrschaft Goldegg ist.

Linsberg.

Ein Dörfchen von 8 Häusern, mit der nächsten Poststation St. Pölten, die jedoch zwei Stunden entfernt ist.

Der Ort gehört zur Pfarre und Schule nach St. Margarethen an der Sirning. Das Landgericht ist die Herrschaft Mitterau; die Ortsherrlichkeit besitzt Goldegg und Conscriptionsobrigkeit ist Fridau. Jene Dominien, die hierorts behauste Unterthanen und Grundholden besitzen, sind: Goldegg, Aggsbach, St. Andrä und die k. k. Staatsherrschaft St. Pölten. Der Werbkreis gehört zum 49. Linien-Infanterie-Regiment.

Hier leben 9 Familien, 27 männliche, 28 weibliche Personen und 2 schulfähige Kinder. An Vieh besitzen diese: 12 Pferde, 6 Ochsen, 21 Kühe, 50 Schafe und 28 Schweine.

Man trifft die hiesigen Einwohner als sehr gut bestiftete Landbauern, die auf ihren guten Gründen alle vier Körnergattungen und auch Obst bauen, dann Viehzucht treiben, wobei die Stallfutterung in Anwendung steht.

Der Ort liegt eine halbe Stunde vom Pfarrdorfe St. Margarethen entfernt, auf einer mäßigen Anhöhe, die sich allmälig gegen Süden und Südosten in die fruchtbare Ebene um Grafendorf verflacht, in einer sehr angenehmen Gegend, von Wiesen, Feldfluren, und Obstgärten umgeben, wobei Wieden, Kainrathsdorf und Saudorf, die zunächstgelegenen Dörfer sind. — Luft und Wasser sind von guter Beschaffenheit; die Jagd ist herrschaftlich und liefert Hasen und Rebhühner.

Pielahagg.

Zwei Häuser, ein eigenes Gut, wovon St. Pölten, in 1½stündigen Entfernung die nächste Poststation ist.

Diese gehören zur Pfarre und Schule nach Hafnerbach. Das Landgericht und die Conscriptionsobrigkeit ist die Herrschaft Mitterau, Grund = und Ortsherrschaft Goldegg. Der Werbkreis gehört zum Linien=Infanterie=Regiment Nr. 49.

In 6 Familien befinden sich 15 männliche und 16 weibliche Personen, welche herrschaftliche Dienstleute sind. Der herrschaftliche Viehstand enthält 2 Pferde, 2 Ochsen, 300 Schafe und 30 Stück Rindvieh. Der zu Pielahagg gehörende Grundstand enthält 170 Joch 896 Quadrat=Klafter Aecker, 184 Joch 652 Quadrat=Klafter Wiesen, 32 Joch 174 Quadrat=Klafter Wiesen mit Auholz, und 23 Joch Hutweiden.

Gegenwärtig besteht das Gut Pielahagg in einem herrschaftlichen Meierhof zu Goldegg gehörend, welcher in der Nähe von Hafnerbach, da, wo die Pielach einen großen Ausbug macht, in einer sanften, von Feldern bedeckten, und von der erwähnten Pielach durchflossenen Thalebene gelegen ist, daneben sich eine herrschaftliche Mahlmühle mit drei Gängen und Bretersägen befindet. Die Kuh = und Schafstallungen sind gewölbt, übrigens aber mit Stroh gedeckt. Das Ganze bildet ein längliches Viereck an einer Seite von einem Teiche begrenzt, allwo eine Insel ist, auf welcher noch Trümmer des einstigen Schlosses, nämlich ein einstöckiges Mauerwerk und ein Thurm sich befinden. Außerhalb des Hofes steht eine herrschaftliche Scheune mit vier Tennen und Strohdach. Dieser Hof wird von zwei Obstgärten umgeben.

Vor Zeiten war Pielahagg ein ansehnliches Schloß mit zwei Stockwerken und bestand aus drei verschiedenen Gebäuden, an deren einer Ecke sich ein vom Grunde aus frei aufgeführter massiver Thurm, mit Uhr und Kuppel hoch erhob, und um welches nebst Garten, die Wirthschaftsgebäude herumlagen.

Der Name Hagg bedeutet eine Einzäunung an der Pielach, welches Schloß im eigentlichsten Sinn durch den runden Ausbug von drei Seiten von der Pielach umschlossen war.

Das Alter, so wie der eigentliche Erbauer des Schlosses ist nicht bekannt, doch ist solches von ziemlichen Alter, da schon im Jahre 1471 Burkhardt von Kuenberg als Besitzer von Pielahagg erscheint, der aber keineswegs der erste Eigenthümer war. Von diesem erhielt es durch Kauf, im Jahre 1486, Bernhardt von Thierstein; im Jahre 1491 Ursula von Mainburg, geborne von Hohenberg; im Jahre 1533 Hieronimus Geyer von Osterburg, durch Kauf von Nikolaus Moor von Ainödt; im Jahre 1574 Erasmus Praun, durch Kauf von den Erben des Arnold Geyer; im Jahre 1589 Christoph von Greissen, ebenfalls käuflich; im Jahre 1611 Seifried Adam Freiherr von Windischgräß; im Jahre 1636 Hanns Georg Zinner; im Jahre 1651 Johann Mathias Prückelmayer Freiherr von und zu Goldegg, kaufweise von der Frau Johanna Rueß, geborne Zinner, welcher dieß Gut seiner Herrschaft Goldegg einverleibte, und welches von dieser Zeit an, dieselben Besitzer gleichwie Goldegg hat.

Prinzersdorf.

Vor Alters Bribesendorf, ein Dorf von 32 Häusern mit der nächsten, anderthalb Stunden entfernten Poststation St. Pölten.

Der Ort gehört zur Pfarre nach Gerersdorf, zum Theil auch zur Schule dahin, zum Theil aber nach Märkersdorf. Das Landgericht ist Mitterau, Orts- und Conscriptionsherrschaft Goldegg. Die behausten Unterthanen werden von den

Dominien Goldegg, Fridau, Gurhof, Herzogenburg, der k. k. Staatsherrschaft St. Pölten und der Pfarre Ober-Wölbing besessen. Der Werbkreis gehört zum Linien-Infanterie-Regiment Nr. 49.

Die Seelenzahl umfaßt 39 Familien, 106 männliche und 117 weibliche Personen nebst 23 schulfähigen Kindern. An Viehstand werden gezählt: 41 Pferde, 1 Ochsen, 92 Kühe, 226 Schafe, 10 Ziegen und 110 Schweine.

Unter den hiesigen Einwohnern, die Landbauern sind, gibt es mehrere Handwerker. Der Landmann treibt als Wirthschaftszweige den Feldbau, wozu die Gründe allerdings gut, jedoch öfter den Ueberschwemmungen der Pielach ausgesetzt sind, und der die nöthigen Fruchtkörner und Knollengewächse abwirft, dann die Obstpflege und eine gute Viehzucht, wobei die Stallfutterung in Anwendung steht.

Der Ort Prinzersdorf liegt ungefähr anderthalb Stunden außer St. Pölten, an der Linzer-Poststraße, eine halbe Stunde von Gerersdorf, und bildet zwei lange Häuserreihen zu beiden Seiten der benannten Hauptstraße. Ueberhaupt hat der Ort eine freundliche Lage, hübsche, mitunter Stockwerk hohe Häuser, mit einigen Gasthäusern, verschiedenen Gewerbsleuten und eine Brückenmauth, und ist, vermög seiner Situation an der Straße sehr commerziel und lebhaft. — Man findet gegen Gerersdorf und St. Pölten hin die Straße erhöht und mit Pappeln bepflanzt, während die Seite gegen Mitterau und Loosdorf, der Straße entlang, flach, und hier bei Prinzersdorf über die zweiarmige Pielach (an der großen ist bekanntlich die Holzschwemme) eine hölzerne Brücke mit Obstbäumen bepflanzt, besteht. Die beiden Ufer der allerdings reißenden Pielach sind mit schönen, üppigen Auen besetzt, welcher der ohnedieß pitoresken Landschaft eine erhöhte Annehmlichkeit verleihen. Zwischen beiden Armen dieses Flusses, der sich hier beim Orte theilt, und wovon der eine eine Mühle betreibt, steht das Mauthhaus, und neben diesem eine kleine Capelle, welcher gegenüber an der Straße der Zimmerplatz gelegen ist. Von hier an beginnt die Gegend immer freier und schöner zu werden.

Die Pielach ist ein fischreicher Fluß, wovon die Fischerei sowohl, als auch anderes Wildgeflügel in den Auen und der übrigen Ortsfreiheit, so wie die Jagdbarkeit, welche Rehe, Hasen und Rebhühner enthält, der Herrschaft Goldegg zugehört. — Das hiesige Klima und Wasser sind von ausgezeichneter Güte.

Wie wir schon im Eingange bemerkt haben, hieß der Ort vor Jahrhunderten Bribesendorf, wir wissen also nicht, auf welche Weise solcher zu dem Namen Prinzersdorf gelangte. Indessen ist das sehr hohe Alter über jeden Zweifel erhaben, und verdient in dieser Beziehung eine besondere Erwähnung; denn nach Petz cod. epist. P. I. erscheint solcher in der Schenkungsurkunde Kaiser Heinrichs III. vom Jahre 1043, durch welche der Markgraf Adalbert der Sieghafte von Oesterreich, das Gut Prinzersdorf in Pielachgau von diesem Kaiser zum Geschenke erhielt. Die Schicksale während des achthundertjährigen Bestehens theilt das Dorf mit der nahen l. f. Stadt St. Pölten.

Ranzelsdorf.

Ein Dorf von 22 Häusern, wovon Sieghartskirchen die nächste Poststation ist, in einer Entfernung von einer halben Stunde.

Zur Kirche und Schule gehört der Ort nach Abstetten. Das Landgericht ist Neulengbach, Ortsobrigkeit Goldegg, und Conscriptionsherrschaft Judenau; Grunddominien gibt es mehrere, welche die hierorts behausten Unterthanen und

Grundholden befizen, nämlich: Goldegg, Neulengbach, die k. k. Staatsherrschaft St. Pölten und das Spital zu Tulln. Der Werbkreis gehört zum 49. Linien=Infanterie Regiment.

Hier leben 25 Familien, 58 männliche, 60 weibliche Personen und 21 schulfähige Kinder. Der Viehstand zählt 32 Pferde, 61 Kühe, 100 Schafe und 58 Schweine.

Die Bewohner sind Landbauern, welche den Feldbau, eine Obstpflege und gute Viehzucht treiben. Es werden die gewöhnlichen Körnerfrüchte gebaut, wozu die Gründe gut sind.

Ranzelsdorf liegt eine halbe Stunde von der Post= straße entfernt, zwischen Sieghartskirchen und Abstetten, südlich von Judenau, am rechten Ufer der großen Tulln, in einer recht anmuthigen Gegend, wobei der Ort, meist in gut gebauten theils mit Schindeln, theils mit Stroh gedeckten Häusern bestehend, und eine Gasse bildend, von Obstgärten und fruchtbaren Saatfeldern umgeben wird. Besonders nied= lich ist das Haus des Schmiedes, welches ein Stockwerk ent= hält. Außerhalb des Orts steht links am Wege gegen Abstetten, eine kleine gemauerte Capelle.

Rosenthal.

Zwei einzelne Häuser mit der nächsten Poststation St. Pölten, die zwei und eine halbe Stunde entfernt ist.

Diese sind nach Carlstetten zur Kirche und Schule gewie= sen. Das Landgericht wird durch die Herrschaft Walpersdorf ausgeübt. Conscriptionsobrigkeit ist Carlstetten zu Wasserburg, und Ortsherrschaft Goldegg, die und Walpersdorf, jede einen behausten Unterthan, besizen. Der hiesige Bezirk ist zum Werbkreis des 49. Linien=Infanterie=Regiments einbezogen.

In 2 Familien leben 7 männliche, 10 weibliche Per= sonen und 3 Schulkinder. Diese halten einen Viehstand von 4 Pferden, 9 Kühen, 14 Schafen und 7 Schweinen.

Die Einwohner sind Landbauern, welche alle vier Körnergattungen bauen, etwas Obstpflege und eine gute Viehzucht mit Stallfutterung treiben.

Diese zwei einzelnen, mit Stroh gedeckten Gehöfte, liegen an einer, zwischen mit Feldern bedeckten Anhöhe, eine Viertelstunde westlich von Carlstetten.

Thall.

Drei Häuser, mit der nächsten, zwei und eine halbe Stunde entfernten Poststation St. Pölten.

Diese sind nach Hafnerbach eingepfarrt und eingeschult. Landgericht und Conscriptionsobrigkeit ist die Herrschaft Mitterau, die Ortsherrlichkeit besitzt Goldegg, dann diese, so wie Pottenbrunn und Schallaburg, jede einen behausten Unterthan. Der Werbkreis gehört zum 49. Linien-Infanterie-Regiment.

Es leben hier 5 Familien, 13 männliche, 13 weibliche Personen, welche einen Viehstand von 3 Pferden, 8 Kühen, 22 Schafen und 11 Schweine enthalten.

Als Landbauern sind die hiesigen Bewohner nicht vortheilhaft bestiftet; sie bauen Weizen, Korn, Gerste und Hafer, erhalten Obst von ihren Hausgärten und treiben eine ziemlich gute Viehzucht mit Anwendung der Stallfütterung.

Die drei Häuser unter der Benennung Thall, liegen an einer mit Obstgärten und auf der Spitze mit Waldung bedeckten Anhöhe, unweit Sassendorf und Hafnerbach. — Klima und Wasser sind vortrefflich, die Jagdbarkeit ist ein Eigenthum der Herrschaft Goldegg.

Uttendorf.

Ein Dörfchen von 11 Häusern und ein eigenes Gut,

7

wovon St. Pölten, in einer Entfernung von ein und einer Vier=
telstunde, die nächste Poststation bildet.

Dieser Ort ist zur Pfarre und Schule nach Gerersdorf
gewiesen. Das Landgericht ist die Herrschaft Mitterau, Con=
scriptions = und Ortsobrigkeit Goldegg, die auch nebst Melk
als die Grundherrschaften erscheinen. Der Werbkreis gehört
zum 49. Linien=Infanterie=Regiment.

Die Seelenzahl beträgt 11 Familien, 26 männliche,
28 weibliche Personen nebst 8 schulfähigen Kindern. Der Vieh=
stand besteht in 2 Pferden, 6 Ochsen, 23 Kühen, 200 Scha=
fen, wovon 150 der Herrschaft, so wie 2 Ochsen und 5 Kühe
gehören, 4 Ziegen und 40 Schweinen. Der Dominikal=
Grundstand enthält: 63 Joch 1568 Quadrat=Klafter Aecker,
14 Joch 42 Quadrat=Klafter Wiesen, 611 Quadrat=Klafter
Gärten, 10 Joch 282 Quadrat = Klafter Hutweiden und 17
Joch 693 Quadrat=Klafter Wiesen mit Auholz besetzt.

Die Einwohner sind Bauern, worunter ein Müller sich
befindet; sie beschäftigen sich mit Feldbau und Obstkultur, dann
mit der Viehzucht, wobei die Stallfutterung in Anwendung
steht. Ihre Gründe zum Körnerbau sind mittelmäßig, öfters
aber der Ueberschwemmung des Pielachflusses ausgesetzt.

Das Oertchen Uttendorf liegt an der Pielach, in
zerstreuten und mit Stroh gedeckten Häusern, in einer sehr
schönen Thalebene, von Wiesen und Feldern umgeben, links
ab von der Linzerpoststraße, zwischen Markersdorf und Ge=
rersdorf. — Hier ist auch ein Dominical=Wirthschafts=
hof mit einer großen Meierei, nämlich den Schafstall,
Scheune und Stallungen, welcher ersterer einstöckig mit
Schindelbach, letztere aber mit Stroh gedeckt, ein Viereck
bilden. An der Pielach steht eine hierher gehörige Mahl=
mühle, die ein Privateigenthum ist.

Sowohl Fischerei in der Pielach, als auch der Jagd=

nußen im Ortsrevier, Hasen und Wildgeflügel liefernd, ist ein Eigenthum der Herrschaft Goldegg.

Das Gütchen Uttendorf ist sehr alt, und reicht bis in das XI. Jahrhundert zurück; es war auch vor Zeiten ein adeliges Geschlecht, welches den Namen davon führte. Schon im Jahre 1115 erscheint Udalram von Uttindorf als Zeuge. Ulrich von Utendorf hatte mit Lilienfeld, wegen der Güter zu Laim bei Eschenau, einen Streit, welchen Herzog Albrecht I. im Jahre 1287 zu Gunsten des Stiftes entschied. Wolfgang Uttendorfer lebte im Jahre 1468, mit Stephan von Utendorf starb dieß Geschlecht im Jahre 1495 aus. Das Gütchen kam darauf von Zeit zu Zeit an verschiedene Besitzer, und endlich an die Herrschaft Goldegg, zu welcher dasselbe noch gegenwärtig gehört. Eine eigene ständische Gülten-Einlage haben wir davon nicht aufgefunden.

Weitendorf.

Drei Häuser mit der nächsten Poststation St. Pölten, drei Viertelstunden entfernt.

Diese sind zur Pfarre und Schule nach Gerersdorf gewiesen. Das Landgericht wird durch die Herrschaft Mitterau ausgeübt; Conscriptionsobrigkeit ist Goldegg, die auch mit Neulengbach die wenigen behausten Unterthanen besitzt. Der Werbkreis gehört zum 49. Linien-Infanterie-Regiment.

Hier leben 4 Familien, 12 männliche und 8 weibliche Personen. Der Viehstand zählt: 6 Pferde, 17 Kühe, 46 Schafe und 16 Schweine.

Die Einwohner bestehen als gut bestiftete Landbauern, welche den Feldbau, die Obstpflege und eine gute Viehzucht treiben, die mit Stallfutterung besorgt wird. Die Gründe sind sehr ertragsfähig, und liefern Weizen, Korn, Gerste und Hafer, und auch andere Knollengewächse.

7 *

Diese drei Häuser liegen an der rechten Seite von der Poststraße abwärts, eine Viertelstunde von Gererßdorf, in einem unebenen Thale, jedoch aber in einer schönen Gegend, die gesundes Klima und gutes Wasser enthält. Die Jagd liefert Hasen und Rebhühner.

Wirmling.

Zwei Häuser mit der nächsten Poststation St. Pölten, eine und eine halbe Stunde entfernt.

Zur Pfarre und Schule gehören diese nach dem nahen Hafnerbach, das Landgericht und Conscriptionsobrigkeit ist Mitterau, Orts- und Grundherrschaft Goldegg. Der hiesige Bezirk gehört in Werbangelegenheiten zum 49. Linien-Infanterie-Regiment.

In 3 Familien leben 4 männliche und 4 weibliche Personen nebst 3 schulfähigen Kindern; der Viehstand besteht in 4 Pferden, 1 Ochsen, 11 Kühen, 32 Schafen und 7 Schweinen.

Die Bewohner sind gut bestiftete Landbauern, welche gute Gründe zum Feldbau, auch eine Obstpflege und eine nicht unbedeutende Viehzucht betreiben.

Diese zwei Gehöfte liegen eine halbe Stunde südöstlich von Goldegg und eine halbe Stunde nördlich von Hafnerbach, in einer recht ländlichen Gegend, die auch gutes Wasser enthält.

Alhardtsberg.

Ein Dorf von 46 Häusern und zugleich eine Herrschaft, wovon Amstetten die nächste Poststation ist.

Kirche und Schule befinden sich im Dorfe; davon gehört das Patronat dem Stifte Seitenstetten, die Pfarre aber in das Decanat Waidhofen an der Ips. Das Landgericht wird von dem Magistrate Stadt Steier ausgeübt; die Grund-, Orts-

und Conscriptionsobrigkeit besitzt die Herrschaft Alhardts=
berg. Der Werbkreis gehört zum 49. Linien=Infanterie=Re=
giment.

Hier leben in 57 Familien 107 männliche, 117 weibliche
Personen und 26 schulfähige Kinder; der Viehstand be=
steht in 11 Pferden, 32 Ochsen, 65 Kühen, 70 Schafen und
93 Schweinen.

Die hiesigen Einwohner sind Bauern mit den nöthigen
Handwerkern versehen, und beschäftigen sich mit dem Feldbau
der gewöhnlichen vier Körnergattungen, wozu sie mittelmäßi=
ge Gründe besitzen, mit der Obstpflege, die jedoch ergiebig ist,
und woraus Obstmost bereitet wird, und der Viehzucht zum
Wirthschaftsbedarf.

Der Ort Alhardtsberg liegt zwei Stunden außerhalb
Amstetten, wozu von der Waidhofnerstraße links ab, eine
Straße führt. An der über die Ips bestehenden Brücke theilt
sich der Weg rechts nach Alhardtsberg, und links nach
Kröllendorf und Ulmerfeld. Man wandert bei zwei Mühlen
mit Bretersägen vorüber; und so bergan am Fuße des
Sonntagsberges zu einer kegelförmigen Anhöhe, auf wel=
cher der Ort eine einzige Gasse bildet, mit der Kirche, dem
Pfarrhof und Gasthause, übrigens aber ziemlich zer=
streut liegt. Diese Anhöhe ist reich mit Obstbäumen besetzt
und die Gegend überhaupt sehr schön und malerisch. — Von
hier aus gelangt man in einer Stunde auf den Sonntags=
berg. — Luft und Wasser sind vortrefflich.

Die Kirche ist zu Ehren der heiligen Katharina ge=
weiht und von gothischer, ein hohes Alter verrathender Bau=
art. Darin bestehen ein Hoch= und drei Seitenaltäre,
die alle von Holz und alt sind. Eine Zierde dieses Gottes=
hauses ist der hübsche Thurm mit vier Glocken. — Merkwür=
digkeiten sind keine vorhanden, und an Denkmalen blos die
Grabsteine der freiherrlichen Familie von Stiebar aus

dem XVIII. Jahrhundert, welche Herrschaftsbesitzer von Kröllendorf waren.

Ort und Kirche sind sehr alt und reichen bis in das X. Jahrhundert zurück. Die Kirche war ursprünglich eine Capelle, dann eine Filiale von Aschbach, welche beide sammt dem heutigen Krenstetten an der Url, bei der Gründung des Stiftes Seitenstetten von dem Bischofe Ulrich von Passau im Jahre 1116 demselben einverleibt worden sind. Im XIII. Jahrhundert ward Alhardtsberg eine selbstständige Pfarre, und im XIV. Jahrhundert wurde von einem Theil ihres Kirchsprengels die Pfarre Windhag gebildet, ferners im Jahre 1783 durch 144 Häuser die Pfarre Sonntagsberg errichtet, und überdieß wurden 19 Häuser zur neu erhobenen Pfarre St. Leonhard am Wald genommen.

Filialen von dieser Pfarre sind die Kirche zu Wallmersdorf, welche schon im Jahre 1478 urkundlich erscheint, die Capellen im Schlosse Kröllendorf und Gleiß. — Eingepfarrt sind hierher die Orte: Alhardtsberg, Wallmersdorf ¾, Kröllendorf ½, Kühberg 1½, Mayerhofen ¾, Angerholz ¾, Doppl 1½, Baichberg ¾ und Gleiß ½ Stunde entfernt. — Den Gottesdienst und die Seelsorge versehen ein Pfarrer und Cooperator, welche Priester aus dem Stifte Seitenstetten sind. — Der Leichenhof befindet sich um die Kirche angelegt.

An Schicksalen erlitt die Kirche bei der ersten Türkenbelagerung im Jahre 1529 eine völlige Einäscherung durch Brand, wovon man noch jetzt in den Gewölbern Kohlen und Asche findet.

Der hiesige Pfarrhof, ein sehr großes, ein Stockwerk hohes Gebäude, mit großen und hohen Zimmern versehen, gleicht in der Ferne einem Schlosse und hat die schönfte Lage und Aussicht auf den Sonntagsberg und in die Gegend bis Linz hinauf.

In Alhardtsberg befindet sich kein herrschaftliches Schloß, sondern der dießherrschaftliche Amtssitz ist in Kröllendorf.

Vor Zeiten gab es ein adeliges Geschlecht, welches sich von Alhardtsberg nannte; es scheint, daß der Gründer des Ortes Alhardt geheißen habe, und da solcher am Fuße des Berges liegt, Alhardtsberg genannt wurde. Ob dieser vermuthete Alhardt aus der erwähnten adeligen Familie stammte oder nicht, dieß können wir nicht ausmitteln. Die Familie selbst werden wir bei der nachfolgenden Darstellung der Herrschaft anführen.

Die Herrschaft Alhardtsberg.

Diese besteht in dem Dorfe Alhardtsberg und den Rotten Angerholz und Mayerhofen. Es wird auch allgemein angegeben, daß der Ort Planken zu dieser Herrschaft gehört, welches aber nicht der Fall zu sein scheint, da Planken, selbst nach der Angabe der Herrschaft, eine Parzelle der Herrschaft Steier, aber in Niederösterreich gelegen sei, und eine oberösterreichische Einlage enthält. Uebrigens ist es ein Complex vieler zerstreuten unterthänigen Häuser und liegt zwischen Strengberg und Oed in der Pfarre Wolfsbach.

Vorstehende drei Orte, ohne dem Amt Planken, enthalten 113 Häuser, 136 Familien, 291 männliche, 303 weibliche Personen und 85 Schulkinder; ferner 11 Pferde, 141 Ochsen, 171 Kühe, 313 Schafe und 488 Schweine. Der Dominical-Grundstand besteht blos in 234 Joch Wälder.

Die Herrschaft Alhardtsberg liegt an beiden Ufern des Ipsflusses und wird von den Dominien Kröllendorf, Haagberg, Randeck, Ulmerfeld, Gleiß und Seitenstetten umgeben. Ihre Lage zieht sich an der Berglehne hin, welche vom Sonntagsberg gegen Kröllendorf fortläuft. Das Klima ist zwar etwas rauher als am Ausgange des Gebirges, aber sehr gesund und das Wasser vortrefflich. — Gebaut werden als gewöhnliche Körnerfrüchte: Weizen, Korn, Gerste, Hafer, Wicken, und die für den Hausbedarf nöthigen Knollengewächse. Die Pflege edler Obstforten ist gering, aber jene der gewöhnlichen Gattungen bedeutend, wovon Obstmost erzeugt wird. Die Feldgründe der Alhardtsberger Unterthanen sind nur von mittelmäßiger, die im Amte Planken gelegenen aber, von sehr guter Ertragsfähigkeit. Dabei wird die Dreifelderwirthschaft angewendet. — An Straßen und Wegen durchzieht die Communicationsstraße, von Ulmerfeld und Neuhofen nach Waidhofen, dann ein Verbindungsweg nach Alhardtsberg das dießherrschaftliche Gebiet. — Hier besteht auch eine Brücke über die Ips, welche im Jahre 1821 auf Kosten der Gemeinden erbaut wurde. An bemerkenswerthen Bächen ist die Zauch in der Rotte Kühberg, dann der Ipsfluß vorhanden, in welchem die Herrschaft Kröllendorf und der Pfarrer von Alhardtsberg die Fischerei besitzen. — Von den Gebirgen kommen blos der Schönbühel und Steiererberg zu bemerken. Die Jagdbarkeit enthält einen Umkreis von drei Stunden, und ist ein Regale der Herrschaft Alhardtsberg. — Eine der besten wirthschaftlichen Zweige ist die Viehzucht, womit ein Handel getrieben wird; auch werden die Feldfrüchte und Obstmost nach Waidhofen an der Ips verführt. Die Unterthanen haben den Vortheil, daß sie nach Verhältniß ihrer Häuser eine bestimmte Menge Brennholz aus dem herrschaftlichen Forste unentgeldlich beziehen. — Besondere Freiheiten existiren keine.

Die Besitzer dieser Herrschaft anbelangend, so waren die ersten Eigenthümer, und wahrscheinlich auch die Gründer von Alhardtsberg das adelige Geschlecht der Her-

ren von Alhardtsberg. Von diesem uralten österreichischen Stamme finden wir Ortolf von Alhartisberch
im Jahre 1198 in einer Urkunde Bischofs Otto von Freisingen, die Stiftung einer Capelle zu Reinsberg betreffend.
Dietericus von Alharzberch wird im Jahre 1214
in den Urkunden des Stifts Seitenstetten gefunden. Marquart von Alhartesberge erscheint in einem vom böhmi-
schen Könige Ottokar, damaligen Herrscher von Oesterreich, dem Kloster St. Peter in Erla ertheilten Freiheits-
brief, wegen Mauthbefreiung ihrer Victualien, im Jahre
1259 unter den Zeugen. Dieser hatte auch einen Bruder
Namens Berchtold, welcher in einer Urkunde vom Jahre
1271 mit den erwähnten Marquart enthalten ist. Marquart wird auch unter den Herrenstands-Geschlechtern verzeichnet gefunden. Letzterer schrieb sich gewöhnlich nebst seinem
Namen, Marquart von Alhartesberge der Preuha-
ven, weßhalb vermuthet wird, daß dieser zu der alten Familie von Alhardtsberg nicht gehört, was wir jedoch be-
zweifeln. Derselbe hatte einen Sohn, Heinrich, welcher
mit seinem Vater in Schriften gelesen wird. Späterhin, nämlich im Jahre 1397 haben sie von Herzog Leopold zu Oesterreich die Veste und Herrschaft Klingenberg ob der Ens
überkommen, den Namen Preuhaven weggelassen und sich
von Klingenberg geschrieben, welches dieselbe Familie
Klingenberg ist, die in Baron von Hohenegg's Genea-
logie erscheint. Wir vermuthen daß Herzog Leopold mit Alhardtsberg einen Tausch getroffen habe, und daß diese
kleine Herrschaft von dieser Zeit an bis in das XVII. Jahrhundert landesfürstlich blieb, denn wir finden nicht nur während diesem Zeitraum keinen Besitzer, sondern im Jahre 1666
eine Verkaufs-Urkunde, nach welcher Johann Maximilian Graf von Lamberg nebst vielen andern Besitzungen
auch Alhardtsberg vom Kaiser Leopold I. erkaufte. Im

Jahre 1670 erhielt diese Herrschaft sein Sohn Franz Joseph; im Jahre 1716 dessen Sohn Franz Anton Fürst von Lamberg; und im Jahre 1773 Johann Friedrich Fürst von Lamberg; im Jahre 1803 Carl Eugen Fürst von Lamberg; und im Jahre 1834 Gustaph Fürst von Lamberg, welcher Alhardtsberg noch gegenwärtig besitzt.

Nachfolgende zwei Ortschaften gehören zu dieser Herrschaft.

Angerholz.

Eine Rotte von 39 Häusern, mit der nächsten Poststation Amstetten.

Zur Kirche und Schule ist dieselbe nach Alhardtsberg gewiesen. Das Landgericht übt die Herrschaft Steier in Ober-Oesterreich aus; die Orts- und Conscriptionsherrschaft ist Alhardtsberg. An Grunddominien, welche hierorts behauste Unterthanen besitzen, sind verzeichnet: Alhardtsberg, Kröllendorf, Haagberg, Dorf an der Ens und die Pfarre Neuhofen. Der Werbkreis gehört zum Linien-Infanterie-Regiment Nr. 49.

Hier befinden sich 47 Familien, 110 männliche, 110 weibliche Personen nebst 30 schulfähigen Kindern. Der Viehstand zählt: 57 Ochsen, 56 Kühe, 135 Schafe und 235 Schweine.

Die Einwohner sind Bauern, welche den Feldbau aller Körnergattungen treiben, wozu sie auch ziemlich gute Gründe haben. Nebst einer guten Obstpflege besitzen sie eine bedeutende Viehzucht, wobei Stallfutterung und Herbstaustrieb besteht.

Die zerstreuten Häuser dieser Rotte liegen am Fuße des Sonntagsberges drei Viertelstunden von Alhardtsberg entfernt, in einer hügeligen, aber schönen, gesunden und mit gutem Wasser bereicherten Gegend.

Der Ipsfluß, Zauch- und Dopplbach berühren die Ortsfreiheit, an welchen die Grab- und Dorfmühle stehen; so wie auch hier der Schönbühelwald und der Steirerforst zu erwähnen kommen. — Merkwürdigkeiten gibt es keine.

Mayrhofen.

Eine aus 28 Häusern bestehende Rotte, mit der nächsten Poststation Amstetten.

Diese ist nach Alhardtsberg eingepfarrt und eingeschult. Das Landgericht wird durch die an der Grenze nahe gelegene Herrschaft Steier in Oberösterreich ausgeübt. Ortsobrigkeit und Conscriptionsherrschaft ist Alhardtsberg, welche auch mit Haagsberg und Kröllendorf die hier behausten Unterthanen und Grundholden besitzt. Der hiesige Bezirk gehört zum Werbkreise des 49. Linien-Infanterie-Regiments.

In 32 Familien leben 74 männliche, 76 weibliche Personen und 29 schulfähige Kinder. Der Viehstand umfaßt 52 Ochsen, 50 Kühe, 108 Schafe und 160 Schweine.

Die Bewohner beschäftigen sich mit dem Ackerbau, der ihnen alle Fruchtkörnergattungen liefert, und wozu auch die Gründe ziemlich ertragsfähig sind. Sie haben auch Obst und eine bedeutende Viehzucht mit Anwendung der Stallfutterung.

Mayrhofen enthält blos zerstreute Häuser, die drei Viertelstunden vom Pfarrorte Alhardtsberg entfernt, am Fuße des Sonntagsberges in einer hügeligen Gegend gelegen sind, welche von der Ips, dem Zauch- und Dopplbache durchflossen wird. Unter den Wäldern verdient der Schönbühelwald und Steirerforst eine Erwähnung. Gemäßigtes Klima, gutes Wasser, viele Hügel und kleine Gehölze zeichnen die hiesige Gegend aus, und gestalten sie zu einer lieblichen Landschaft.

Das Amt Planken.

Wie wir schon bei der Herrschaft vorstehend berichtet haben, führen wir das Amt Planken deshalb hier auf, weil es in Niederösterreich in diesem Viertel sich befindet, obschon es zur Herrschaft Steier in Oberösterreich gehört und sogar eine derlei Einlage besitzt. Diese Parzelle liegt zwischen Strengberg und Oed, in der Pfarre Wolfsbach in einer sehr hügeligen Gegend, und enthält 47 zerstreute Häuser. Ackerbau auf besonders ertragsfähigem Boden, von allen Körnergattungen, Obst und gute Viehzucht mit Stallfutterung sind die wirthschaftlichen Zweige der Einwohner, — Landgericht, Grund- und Ortsobrigkeit ist die Herrschaft Steier; Conscriptionsherrschaft aber das Stift Seitenstätten.

Ulmerfeld.

Ein Markt von 51 Häusern mit der eine und eine halbe Stunde entfernten Poststation Amstetten, und zugleich eine eigene, mit Hagberg vereinte Herrschaft.

Kirche und Schule befinden sich im Markte; diese gehören in das Decanat Waidhofen an der Ips, das Patronat davon dem Pfarrer zu Neuhofen. Das Landgericht, die Orts-, Grund- und Conscriptionsobrigkeit besitzt die Herrschaft Ulmerfeld. Der hiesige Bezirk gehört zum Werbkreise des 49. Linien-Infanterie-Regiments.

Hier befinden sich 71 Familien, 138 männliche, 180 weibliche Personen und 39 schulfähige Kinder; diese besitzen an Viehstand: 24 Pferde, 3 Ochsen, 102 Kühe, 61 Schafe und 100 Schweine.

Die hiesigen Marktbewohner theilen sich in Gewerbs=
leute und Bauern, ihre Beschäftigung ist demnach zweifach,
und so sind es auch die Erwerbszweige, da jene, welche bür=
gerliche Gewerbe besitzen, diese sehr thätig nebst etwas Feld=
arbeit betreiben, dagegen sich der Bauersmann, außer den
Inwohnern und Kleinhäuslern, die vom Taglohne leben, blos.
mit der Feldwirthschaft beschäftiget. Die Gründe dazu sind
zum Theil gut, größtentheils aber mittelmäßig, und in der
Regel sehr wenig den Elementarbeschädigungen ausgesetzt. Es
werden etwas Weizen, Korn, Hafer, Wicken, Knollenge=
wächse, Futterkräuter und an Gemüsearten Kohl, Sallat und
Sellerie gebaut. Obst gibt es in bedeutender Menge, welches
meist zur Erzeugung des Mostes verwendet wird. Die Vieh=
zucht beschränkt sich blos auf den eigenen Hausbedarf, es wird
jedoch dabei die Stallfutterung angewendet.

An Gewerbsleuten leben hier: 1 Chirurg, 1 Bäcker,
1 Fleischhauer, 3 Wirthe, 1 Müller, Schuhmacher, Schnei=
der, Weber, Hafner, Tischler, Maurer, Zimmerleute, Bin=
der, Sattler, Seiler, Weißgärber, Schmiede und Wagner.

Von der Linzer=Poststraße aus, bei Amstetten links,
führt die Straße in anderthalb Stunden nach dem Markte
Ulmerfeld, woselbst sich der Amtssitz der Herrschaft befindet.
Der Markt hat, von der Ost=, Süd= und Westseite betrach=
tet, eine schöne ebene und freie Lage, in einer beinahe zwei
Stunden langen, und eine Stunde breiten Fläche; wenn
man sich aber demselben von der nördlichen oder Thalseite nä=
hert, so ist er auf einer malerischen Anhöhe situirt, welche das
Thal (nämlich der dürren Zauch, und das Steinfeld an der
Ips) begrenzt, in welchem der Ipsfluß, ungefähr 1000
Schritte von hier, durchströmmt, und welcher Fluß sich von
der Alhardtsberger=Mühle, und von Kröllendorf aus, hier
vorüber gegen Winkling hinzieht, und der majestätischen Do=
nau zueilt. Bei solch' einer glücklichen Lage ist der Ort gar

keiner Ueberschwemmung ausgeseßt, weil er von dem Rinnsel des erwähnten Ipsfluffes über zwölf Klafter erhöht ist, wobei noch der Vortheil vorherrscht, daß ungeachtet dieser Erhöhung, überflüssiges und sehr reines, gutes Wasser an allen Stellen getroffen wird. Durch das trockene Terrain der großen Umgebung erfreut sich Ulmerfeld einer ausgezeichnet reinen Luft und überhaupt sehr gutem Klima.

Der Markt bildet ein regelmäßiges Viereck mit Einschluß der Kirche und dem Schlosse, er ist zunächst mit einer, stellenweise schon verfallenen Mauer, und auf drei Seiten mit einem sehr tiefen Walle umgeben. Auf der nördlichen oder Thalseite ist der Ort ohnehin schon vermög seiner hohen Lage geschützt, da die Anhöhe einen starken Abhang bildet. Vom Markte aus führen drei Thore (das Blind=, Pfarrhof= und Baderthor) mit eben so vielen Straßen; nämlich auf der Südseite, wovon das eine durch das eine kleine Viertelstunde vom Markte entfernte Oertchen Hausmening nach Kröllendorf, das andere nach Neuhofen und mit einer zweiten, von diesem Thore ausgehenden Straße nach Steinakirchen, das dritte oder nördliche Thor, aber in das Thal, auf die über die Ips bestehende Brücke zur Waidhofnerstraße führt. Außerhalb diesem letzteren wird jedoch der Weg zu steil, weßhalb man für gewöhnlich die Straße durch das erstere, nach Hausmening führende Thor einschlägt, wo man dann die sogenannte Fabiusleithen (so wird nämlich der Weg genannt, der vom Markte aus, die Anhöhe in's Thal hinabführt) passirt.

Der Markt Ulmerfeld besteht nur aus zwei Gassen, die neben einander liegen, und sich von Osten nach Westen hin erstrecken, und wovon die eine gleichsam blos eine Nebengasse ist, da sie durch die Rückwand der mittleren Reihe Häuser gebildet wird. Die erste vom Schlosse ausgehende Gasse ist groß, und schließt den Marktplatz ein, zu dessen

beiden Seiten hier und da Bäume, in der Mitte die Ueberreste vom Pranger und eine Schwemme sich befinden. Im
Rücken der beiden Häuserreihen liegen kleine Obstgärten, die
sich einerseits auch die Anhöhe hinab bis ins Thal erstrecken.
Die Häuser gewähren übrigens ein freundliches Ansehen, sie
sind alle in gutem Bauſtande mit Schindeldachung verſehen
und enthalten größtentheils ein Stockwerk; einige darunter
sind groß, geräumig, und haben grüne Jalousien. Gaſthäu-
ser befinden sich drei im Markte, wovon jenes zum Adler,
bei der Kirche, als das Beſte, bekannt ist.

Unbeſtreitbar iſt die Gewißheit, daß in dem Umfange
des Marktes Ulmerfeld ſeit den erſten Zeiten des Biſthu-
mes Lorch eine Pfarre beſtanden, und der mündlichen Tra-
dition zufolge, der Pfarrhof (Pfaffenhof) sich auf dem
Platze des gegenwärtigen Bürgerhauſes Nr. 8 befunden habe,
weil heut zu Tage die dazu gehörigen Grundſtücke noch mitten unter den, den hiesigen Bürgern gehörigen Feldern liegen,
und als Pfaffenlehen gegen gewiſſe Lehenspflichten an Geld
einigen Bürgern hier lehensweiſe überlaſſen werden. Durch
die Religionsirrungen der lutheriſchen Lehre soll die Pfarre ein-
gegangen sein, wonach Ulmerfeld an die benachbarte Pfarre
Neuhofen gewieſen, und die erwähnten pfarrlichen Grundſtücke eben dahin mit der Bedingung übergeben wurden, dafür
einen Capellan an beſtimmten Tagen nach Ulmerfeld zur
Celebrirung des Meßopfers und zu andern pfarrlichen Ver-
richtungen zu überſenden. Nach der Zeit aber wurde diese Einrichtung, da der Markt öfters durch Anſchwellung und Ueber-
ſchwemmung der Zauch, von der Mutterpfarre abgeſchnitten
ward, abgeändert, und zu Anfang des vorigen Jahrhunderts
für den Markt Ulmerfeld ein eigener Pfarrvicar beſtimmt,
deſſen Unterhalt größtentheils aus den eingehenden Geldbe-
trägen von den ſchon bemerkten Pfaffenlehen, nebſt einer Na-
turalſammlung in Korn und Hafer, von den hieſigen Bürgern

besteht, wovon der Stiftsbrief noch vorhanden ist. — Das Universal-Patronatsrecht über die Mutterpfarre cum accessoriis steht der Herrschaft Ulmerfeld zu, die Einsetzung aber eines Pfarrvicar allhier, pflegt der Pfarrer zu Neuhofen auszuüben.

Die Kirche, der Verkündigung Mariens geweiht, liegt am südwestlichen Ende des Marktes, zur Linken des nach Kröllendorf führenden Thores, und ist ein mit Mauern umfangenes, in gothischem Style aufgeführtes Gebäude mit Thurm und Schindeldach. Noch aus dem grauen Alterthume stammend, ist sie für die Pfarrgemeinde zu klein, und wurde, nachdem sie baufällig war, von dem, im hiesigen Schlosse einsam lebenden Fürstbischof von Freising, Nicodem de la Scala erneuert, das Presbyterium aber in der noch gegenwärtigen Gestalt neu erbaut, dessen Wappen an den obersten Schluß des Gewölbes angebracht ist. Das des Schiffes, nebst der dabei befindlichen Capelle wurde um das Jahr 1757 erbaut. Im Innern enthält sie außer dem Hochaltar noch drei Seitenaltäre, wovon der eine von Schmid aus Krems gemalt ist. — Zu beiden Seiten des Presbyteriums befinden sich Oratorien. Besondere Merkwürdigkeiten sind keine vorhanden. — Der Gottesdienst und die Seelsorge versieht ein Pfarrvicar aus dem Weltpriesterstande. — Hierher sind eingepfarrt: der Markt Ulmerfeld, Hausmening und die Rotte Stein eine Viertelstunde entfernt.

An der Seite der Kirche befindet sich der Pfarrhof, als ein schmales längliches Gebäude mit einem Stockwerke; unter diesem ist der gewölbte Thorbogen mit dem Thore angebracht, welches nach Hausmening führt. Außerhalb demselben liegt zur Rechten am Wege dahin, der mit einer Mauer umgebene Friedhof. — Auch einige Häuser stehen außer diesem Thore, worunter eine vermischte Waarenhandlung sich befindet.

Der oben erwähnte Fürstbischof stiftete und erbaute auch für acht verarmte hiesige Bürger ein Spital, und dotirte solches mit verschiedenen Dominical-Einkünften und solchen Grundstücken; ferners wurde von demselben eifrigen Stifter zu einer jährlichen Abspeisung hundert armer Personen für Honoratioren der hiesigen Gegend, eine Vereinigung und Bruderschaft mit wahrhaft fürstlicher Freigebigkeit eingeführt, welche zur zweiten Absicht eine immerwährende gute Freundschaft unter den benachbarten Herrschaftsbesitzern, Pfarrern und Beamten zu erhalten, zum Grunde hatte. Diese Bruderschaft aber wurde wie alle übrigen vom Kaiser Joseph II. aufgehoben, und ihre beträchtlichen Capitalien und Realitäten zum Religionsfonde eingezogen.

Der uralte Markt Ulmerfeld besitzt das Recht zur Abhaltung von zwei Jahrmärkten, einer am Georgi- und der andere am Michaelstage.

Der Kirche gegenüber, das nordwestliche Eck des Marktes bildend, auf einer bedeutenden, gegen den Ipsfluß zu abdachenden Anhöhe der sogenannten Fabiusleithen, steht mit diesem durch eine auf hohen Mauerpfeilern ruhende hölzerne Brücke verbunden, das ob seines hohen Alters und aus der Römerperiode stammend, sehr merkwürdige herrschaftliche Schloß, welches insbesondere mit doppeltem Walle, Gräben und einer Mauer mit zwei Eckthürmen versehen ist. Das Schloßgebäude ist in einem seltsamen, ganz eigenem Style erbaut, dergleichen wir noch nicht getroffen haben, und da solches von überaus fester Bauart erscheint, so gewinnt es das Ansehen, als ob die Veste als Schlupfwinkel oder Zufluchtsstätte gedient habe, welches aber durchaus nicht der Fall ist, wie der geehrte Leser nachfolgend ersehen wird. Es bildet ein regelmäßiges Viereck, mit nach Innen gekehrtem Dache und hat einen Wartthurm an der rechten Seite des Haupteinganges; es stellt übrigens auf allen Seiten, besonders aber

auf der nördlichen, gleichsam nichts als eine hohe Wand, an
der hier und da blos kleine Oeffnungen angebracht sind, und
aus deren Mitte ein größeres und kleineres Thürmchen hervor-
ragen. Zur rechten ist an der Ringmauer noch die Grundfeste eines nicht unbeträchtlichen runden Eckthurmes zu sehen,
und links auf dem Walle ein kleines, nur als Lusthäuschen
dienendes Eckthürmchen. ——

Jener vom Thale sowohl, als von der übrigen Seite
sichtbare, und oben schon bemerkte Wartthurm, ist 16 Klafter
hoch, viereckig, sehr massiv, dergestalt, daß die Mauer im
dritten Stockwerk noch fünf Schuh ist. Es ist dieß noch eine
Arbeit der Römer, und trägt unverkennbar das Gepräge jener
Zeit. In der Tiefe hat er ein Verließ, zu dem man nur durch
eine runde Oeffnung, die oben angebracht ist, mittels eines
Strickes oder Leiter gelangen kann. Das Innere des Schlosses
hat ein Stockwerk, welches nur auf einer Seite des Vierecks
regelmäßig, an den übrigen aber, rücksichtlich der darin befindlichen Wohnungen bald höher, bald niedriger ist. Es bildet
im Ganzen einen Hofraum, gegen den sowohl die Fronte der
Fenster, als auch die Ziegeldachung gekehrt sind. Zu ebener
Erde rechts befindet sich die Amtskanzlei und das erste Stockwerk enthält die Wohnungen der Beamten. Uebrigens ist nur
der geringere Theil des Schlosses bewohnt, da das meiste zu
Vorrathskammern und als Schüttkasten benützt wird, welches
traurige Los auch der rechts zu ebener Erde neben der Thor-
halle ehemals bestandenen Capelle zu Theil wurde, welche
schon unter Kaiser Josephs II. Regierung entweiht, und
jetzt in ein Magazin für Heu und Stroh umgestaltet worden ist.

Ueberhaupt glauben wir bemerken zu müssen, daß sowohl
das einfache Gebäude der Kirche, als auch das ebenfalls zierde-
lose und nur mit ungeheuern Steinmauern prangende Schloß
sammt seinen festen Thurm, weder durch die vielen Jahrhun-

derte, noch durch ein Erdbeben oder andere gewaltige Ereig=
nisse besondere Beschädigungen erhalten haben, daher auch
noch größtentheils in ihrer ursprünglichen Gestalt sich zeigen,
so wie wir auch vermuthen, daß unter den Römern anstatt
der Capelle ein Zeughaus bestanden haben dürfte, welches
mit der noch vorhandenen eisernen Thüre verwahrt war, und
welche Capelle einer Kirche gar nicht ähnlich ist.

Das Alte, Merkwürdige paart sich hier mit dem Schönen,
denn die Aussicht vom Schloßwalle über das am Fuße der
Anhöhe gelegene Thal ist nicht nur höchst angenehm, sondern
auch in der That überraschend. Man hat eine lange Strecke
dieses herrlichen Thales vor sich, in welchem die Ips wild-
rauschend dahinfluthet, und hierselbst eine unweit der Brücke
stehende Mühle mit einer Bretersäge betreibt. Diese
Mühle gehört jedoch nicht zum Markte, sondern ist zur Rotte
Stein numerirt, die in wenigen Häusern bestehend, ober=
halb dieser Mühle, im Thale am südlichen Ufer des Flusses
liegt. — Bei der Brücke befindet sich auch eine Mauth.
Jenseits der Ips, breitet sich nun der bei vier Stunden lange
und über eine Stunde breite Heidewald aus, an dessen
östlichem Ende der Thurm von Amstetten, und gegenüber von
Ulmerfeld, am nördlichen Rande des Waldes der Thurm
und die Kirche von Oelling emportauchen. Auf der nördlichen
Seite des Waldes erblickt man die auf dem Berge gelegene
Wallfahrtskirche Sontagberg, und gegenüber vom Schlosse,
liegt in der freundlichen Ebene das Kirchdorf Neuhofen.

Die Fahrstraße von Ulmerfeld nach Amstetten oder
Waidhofen, führt immer durch den Heidewald, und ist gut
zwei Stunden lang; für den Fußgänger sind aber Wege vor-
handen, die in viel kürzerer Zeit dahin führen, besonders nach
Amstetten, wohin man, sich stets an den südlichen oder rechten
Ufer haltend, binnen fünf Viertelstunden bequem gehen kann.

Sehr merkwürdig ist Ulmerfeld, denn es liegt nicht

8 *

nur auf dem classischen römischen Boden, sondern es enthält
auch selbst römische Ueberreste, in dessen Nähe sich schätzbare
Denkmale befinden. Am Pontes Isis, am Brückenkopf der
Isis, Ibsa, Ips, beginnen die felsigen Schlunde der Donau, welche die Römer zwangen, von hier hinweg mehr südlich einen Weg durchs Binnenland zu brechen, wo sie bald von
der Ips an die Url kamen. Hier an derselben, nahe bei
Ulmerfeld war das Castell ad muros, noch jetzt auf
der Mauer genannt, welches bis auf den Grund durch die
Hunnen zerstört worden ist. Unfern ist noch die Römerstraße,
Heidenstraße genannt, bei Hametsberg, Edlach,
Hochbruck, Abelsberg, Neubrunn, Ober-Aspach,
bis an die kleine Erlaf hin sichtbar. Der Platz des römischen Standlagers liegt dermalen als ein Steinfeld und eine
Heide, zwischen den Flüssen Url und Ips, wahrscheinlich
durch eine außerordentliche Ueberschwemmung ganz unkennbar;
indessen bestätigen viele Denkmale und Münzen, die aus den
Ruinen und Gräbern in der Nähe der hiesigen Heide ausgegraben und gefunden worden sind, die Richtigkeit dieses
Standlagers, wovon einige der Münzen noch der Republik
angehören, weit mehrere aber dem Zeitalter der Kaiser, bis
über Constantin herab. An der alten Heeresstraße von Are-
lape (Pöchlarn) hierher, sollen sich, unverbürgten Nach-
richten zufolge, die römischen Castelle Elegium und Ovilabes
(Schönegg nicht Schönbühel und Schaffenpfähl)
befunden haben, wovon ersteres vier Stunden, und letzteres
zwei Stunden entlegen sind, welche beide aber nur als Ruinen mehr gesehen werden, und auch selbst die alte Heeresstraße von dem reißenden Gebirgsstrome Ips zwischen
Schönegg und Schaffenpfähl abgerissen, und solcherart aus den Augen und dem Gedächtnisse der Menschen gebracht worden ist.

Gleichsam im Angesichte des durch Carl dem Großen

nach Paſſau geſchenkten, und ſchon unter den Babenber-
gern mit Stapelrechten verſehenen uralten Aſpach, einem
römiſchen Orte, erhebt ſich das Schloß Ulmerfeld mit
ſeinem hohen Thurme als der Reſt der bekannten Fossa Fla-
viana, oder das Castellum Mauricum.

Von der römiſchen Colonie-Stadt Mauricum iſt nichts
mehr zu ſehen, weil auf dem Platze nur der Heidewald
ſteht, und nur die Ueberreſte der Stadtwälle ſind noch ſicht-
bar. Die Zerſtörung der Stadt, oder das Ende der römiſchen
Herrſchaft in hieſiger Gegend ſcheint in die Zeiten des Kaiſers Domitians zu fallen, weil die Münzen dieſes Kaiſers
die letztern ſind, welche man bei dem römiſchen Leichenhof
noch jetzt von Zeit zu Zeit ausgräbt.

In Folge der Tauſchurkunde dt. Magdeburg den 17.
September 995 wurde das Schloß und die Herrſchaft Ulmerfeld, damals Zudamersfeld genannt, vom Kaiſer
Otto III. an das Hochſtift Freiſing dem Biſchofe Gott-
ſchalk gegen ſechs königliche Huben bei Krems vertauſcht.
Zu Zeiten der Kreuzzüge wurde zur Beſtreitung der Kriegs-
koſten dieſes Schloß ſammt Zugehör von dem Biſchof Johann
Grienenwald verpfändet, von ſeinem Nachfolger dem
Biſchof Johann Tudweckh von Weydeck aber wieder
eingelöſt. In dem Jahre 1337 zu Zeiten des Freiſinger Bi-
ſchofes Conrad IV. hat das Schloß Ulmerfeld den Namen Conradsheim geführt. — In der Zeitperiode des
Fauſtrechtes wurde das Schloß zu einer ſehr ſtarken Veſte
umgeſtaltet, mit zwei tiefen Waſſergräben, Aufzugbrücken
und Wartthürmen verſehen, wovon noch die Ueberreſte vorhanden ſind. Im Jahre 1683 haben zwar die türkiſchen und
tartariſchen Raubſchaaren in der hierortigen Gegend viele
ſchreckliche Verheerungen und Mordthaten verübt, und wie
die alten Berichte lauten, über dreißig Perſonen als Sclaven
hinweg geſchleppt, allein die hieſige, damals noch mit einer

feſten Mauer und mit ordentlichen Thoren gut verwahrte
Pfarrkirche und reſp. der Markt, ſammt dem vertheidigungs-
mäßigen Schloſſe blieben verſchont, weil die Türken wegen
der des Tages über im Markte öfters gerührten Trommel,
Ulmerfeld für eine mit Beſatzung verſehene Feſtung an-
ſahen, mit der ſie ſich, als bloße Streifpartie, nicht in Be-
rennung einlaſſen konnten.

Die Biſchöfe von Freiſingen haben alſo vom Jahre 995
bis 1802 die Herrſchaft Ulmerfeld beſeſſen, bis endlich in
Folge des zu Campo formio geſchloſſenen Friedens auch das
Hochſtift Freiſing ſecularisirt, und in weiterer Folge des
Friedens vom Jahre 1805 zu Preßburg, die Herrſchaft Ulmerfeld an die k. k. Staatsgüter=Adminiſtration eigenthümlich überwieſen wurde, von welcher ſolche im Jahre 1829
Seine Excellenz der Herr Mathias Conſtantin Graf
von Wickenburg, genannt Stechinelly, Gouverneur
in Steiermark, Sr. kaiſ. königl. Majeſtät wirklicher geheimer Rath und Kämmerer, Großkreuz
des königlich baieriſchen Hausordens St. Michael,
und Mitglied der k. k. Landwirthſchaftsgeſellſchaft
in Wien ꝛc. ꝛc. erkaufte, und in welchem Beſitze ſich dieſe
Herrſchaft auch noch jetzt befindet.

Es iſt übrigens intereſſant zu vernehmen, daß ſowohl
öſterreichiſche, als auch franzöſiſche Staabsofficiere, ſachver-
ſtändige Männer der Kriegskunſt, öfters ſich äußerten, daß
kein beſſerer Platz zu einer haltbaren Feſtung könnte ge-
wählt werden, als Ulmerfeld iſt, da dieſer Ort von keiner
benachbarten Anhöhe dominirt wird, und überhaupt in Rück-
ſicht der vortrefflichen Lage zur Vertheidigung ſehr viele Vor-
theile gewährt.

Auch können wir bei Gelegenheit nicht außer Acht laſ-
ſen, unſern beſondern Dank dem hochw. Herrn Pfarrvicar, ſo wie dem Herrn Verwalter Adalbert Klepáczka

in Ulmerfeld für die mit edler Bereitwilligkeit gelieferten schäßbaren Auskünfte hiermit darzulegen.

Die Allodialherrschaft Ulmerfeld.

Die bedeutende Herrschaft liegt ziemlich westlich in diesem Viertel, ungefähr eine bis zwei und eine halbe Stunde süd= lich von der Poststation Amstetten, in einer sehr angenehmen, theils ebenen, theils gebirgigen Gegend, und wird gegen Osten von den Herrschaften Erla, Säusenegg und Auhof, gegen We= sten von Allhartsberg und Seitenstätten, gegen Norden von Aschbach und Amstätten, und gegen Süden von Gresten und Wolfpassing begrenzt. Sie enthält als Bestandtheile in ihrer Ortsherrlichkeit folgende Ortschaften und Rotten: Allers= dorf, Amesleiten, Berg, Berging, Brandstetten, Diepersdorf, Elzbach, Fachwinkel, Fischhueb, Franzenreith, Frieberstetten, Furth, Galtberg, Gobotsmühle, Graben, Grainsfurth, Grub, Gstadt, Gunersdorf, Haag, Haagberg, (ein adeliges Gut), Harreuth, Hausmenning, Hiesbach, Hinterleiten= Hochkoglberg, Höff, Hömbach, Hömbach (Unter=), Hörlesberg, Hörtling, Kornberg, Krailling, La= hen, St. Leonhard am Wald (Pfarrdorf), Lie= xing, Mauer, Mayerhofen, Mayrhofen, Mitter= berg, Neuhofen (Markt mit Pfarre), Neuhofen (Un= ter=), Perbersdorf, Pfosendorf, Puchberg, Ram= persdorf, Randegg (Markt mit Pfarre), Reichers= dorf, Scherbling, Schindau, Schliefau, Schön= bühel, Spiegelsberg, Stein, Steinholz, Steinkel= ler, Thal, Toberstetten, Trautmannsberg, Ulmer= feld, (Markt mit Pfarre und herrschaftlichem Schlosse), und Zauch.

Zusammen zählt sie 873 Häuser, 1064 Familien, 2464

männliche, 2692 weibliche Perſonen, und 706 ſchulfähige Kinder; ferner 276 Pferde, 1323 Ochſen, 1811 Kühe, 3520 Schafe, 5 Ziegen und 2870 Schweine. An Grundſtand ſind verzeichnet: 2000 Joch herrſchaftliche, 100 Joch Privatwälder, 1500 Joch Wiesengründe und 3000 Joch Ackerland.

Das Klima in der ganzen Herrſchaft iſt bis an den Fuß der Gebirge rein, mild und im Ganzen der Geſundheit der Bewohner ſowohl, als auch dem Geſammtwachsthume der Felder und Fluren und dem Obſte ſehr gedeihlich; das Waſſer vortrefflich.

Die landwirthſchaftlichen Zweige anbelangend, ſo iſt in der Fläche vorherrſchend der Korn= und Haferbau, die Obſtpflege, dann im gebirgigen Theile die Hornviehzucht, wobei faſt im ganzen dießherrſchaftlichen Bezirke die Stallfutterung auf die lobwürdigſte Weiſe in Anwendung ſteht. — Uebrigens werden im Allgemeinen gebaut: Weizen, Korn, Gerſte, Hafer, etwas Flachs und Hanf und auch Heidekorn, nebſt andern Knollengewächſen. — Die Obſtpflege, vorzüglich zur Erzeugung des Moſtes, wird beſonders cultivirt, jedoch kein Weinbau getrieben. — Von den Feldgründen dürfen drei Fünftheile gut, ein Fünftheil mittelmäßig, und blos ein Theil ſchlecht genannt werden. — Gleichwie im ganzen hieſigen Viertel, iſt auch hier die Dreifelderwirthſchaft eingeführt.

An Straßen und Wegen bemerken wir, daß ein Theil der Commerzialſtraße nach Waidhofen an der Ips durch das herrſchaftliche Gebiet führt; ferners die aus der vorſtehenden ausmündende, über Ulmerfeld nach Steinakirchen führende Commerzialſtraße; — dann die Militär=Verbindungsſtraße über Ulmerfeld, Neuhofen und Schindau; endlich die Landwege über Reichersdorf und Hausmening nach Walmersdorf. — An Mauthen beſteht eine ärariſche bei Grainsfurth, und die Brückenmauth bei Ulmerfeld, welche der Marktgemeinde gehört. — Gewäſſer ſind vorhanden: die Ips und

Url und die Bäche: der Brunnaber=, der Liexinger=, der Zauch= und der Schliefauerbach. Es bestehen zwei Brücken über den Ipsfluß bei Ulmerfeld und Allersdorf, dann eine über die Url bei Grainsfurth. — Mühlen gibt es mehrere, nämlich: die Stiefel= und Heidemühle in der Ortschaft Hausmening; die Hofmühle in der Rotte Stein; die Zauchmühle im Dorfe Zauch; die Heidenbach= und die Ständemühle in der Ortschaft Schindau; die Thalmühle in der Rotte Thal; die Kothmühle in der Rotte Liexing; die Urbesmühle in der Rotte Nieder-Neuhofen; die Steinmühle in der Rotte Hörtling; die Pug=, die innere und äußere Aumühle in der Pfarre St. Leonhard am Wald. — Die Fischerei im Ips= und Urlfluß, dann im Brunn=, Zauch= und Randeggerbache ist ein Eigenthum der Herrschaft Ulmerfeld, und besteht in Huchen, schmackhaften Forellen und Weißfischen.

Es sind auch in der Herrschaft Ulmerfeld Berge und Wälder vorhanden, wovon gegen Süden sich eine geschlossene Gebirgskette erhebt, vorzüglich mit dem Zauch= und Puchberge, in den Ortschaften gleiches Namens. An Wäldern kommen vor: die sogenannte Heidwaldang, das Steinholz und der Pyra bei Ulmerfeld, der Schönbühel, Kuchelforst, Hochforst, Kogel, Miterberg und die Wirb bei Neuhofen, endlich der Diestelmaiß= und Breterwald bei St. Leonhard am Wald. Die Jagdbarkeit gehört im ganzen landgerichtlichen Bezirke ausschließend der Herrschaft Ulmerfeld; sie ist sehr ergiebig, und liefert Rehwild, Hasen, Füchse und Rebhühner.

Fabriks= oder Handelszweige sind keine vorhanden, so wie auch keine besondern Freiheiten. In Ulmerfeld werden jährlich am Georgi= und Michaelitage, zu Neuhofen am Blasius=, am Pfingstdienstage, am Ste=

phani= und **Andreastage Jahrmärkte** gehalten, die
aus der Umgebung besucht sind.

Die bemerkenswerthen Gegenstände haben wir bei Ul=
merfeld bereits erwähnt, und die übrigen werden bei den
nachstehenden beschriebenen Ortschaften vorkommen, über welche
die Herrschaft Ulmerfeld die Ortsherrlichkeit besitzt.

Allersdorf.

Ein Dörfchen von 7 Häusern, wovon Amstetten, eine
Viertelstunde entfernt, die nächste Poststation ist.

Dieses gehört zur Pfarre und Schule nach Amstetten.
Das Landgericht übt die Herrschaft Seisenegg aus. Grund= und
Ortsherrschaft ist Ulmerfeld; Conscriptionsobrigkeit der Ma=
gistrat in Amstetten. Der Werbkreis gehört zum Linien=In=
fanterie=Regiment Nr. 49.

Hier befinden sich 8 Familien, 18 männliche, 16 weib=
liche Personen und 6 schulfähige Kinder; der Viehstand zählt:
6 Pferde, 4 Ochsen, 16 Kühe, 19 Schafe und 12 Schweine.

Die hiesigen Einwohner sind Landbauern, welche den
Feldbau und die Viehzucht treiben, welche mittelmäßig ist,
und mit Stallfutterung unterhalten wird. Der Anbau besteht
in Korn, Hafer, Wicken und Heidekorn, wozu jedoch die
Gründe schlecht und steinig sind. Obst gibt es gar keines, auch
keine Wälder, sondern nur einige Auen.

Allersdorf liegt in der Ebene, nahe dem Markte
Amstetten, südlich an die Rotte Haag, nördlich an den Ips=
fluß und östlich an die Rotte Schönbühel angrenzend, über=
haupt aber hart am Ufer des vorerwähnten Flusses. — Klima
und Wasser sind sehr gut, letzteres aber ist in trockenen Jah=
ren wenig.

Amesleiten.

Eine Rotte aus 11 Häusern bestehend, wovon Amstetten, in einer Entfernung von zwei Stunden, die nächste Poststation ist.

Zur Kirche und Schule ist dieselbe nach Neuhofen angewiesen. Das Landgericht, die Orts= und Conscriptionsobrigkeit ist die Herrschaft Ulmerfeld, welche auch mit Haagberg die hierorts behausten Unterthanen und Grundholden besitzt. Der Werbkreis gehört zum 49. Linien=Infanterie=Regiment.

Die Einwohnerzahl beträgt 13 Familien, 30 männliche, 33 weibliche Personen nebst 7 Schulkindern; der Viehstand: 18 Ochsen, 18 Kühe, 35 Schafe und 55 Schweine.

Als Waldbauern beschäftigen sich die Bewohner meist mit der Viehzucht und den Feldbau der gewöhnlichen Frucht=körnergattungen, wovon der Vorrath nach Waidhofen an der Ips zu Markte gebracht wird.

Die Häuser von Amesleiten, welche Benennung von der örtlichen Lage genommen wurde, sind mit Stroh gedeckt, und liegen zerstreut im Gebirge, nächst Elzbach und Koraberg, eine Viertelstunde vom Pfarrorte Neuhofen. — Die Gegend ist mit Wälder besetzt, enthält aber gesundes Klima und gutes Wasser. — Die Jagd, ein Eigenthum der Herrschaft Ulmerfeld, liefert Rehe, Füchse, Hasen, Rebhühner und Schnepfen.

Berg.

Eine Rotte von 12 Häusern, mit der nächsten, drei Viertelstunden entfernten Poststation Amstetten.

Diese gehört zum Markte Amstetten zur Pfarre und Schule. Das Landgericht übt die Herrschaft Seisenegg aus; die Ortsherrlichkeit besitzt Ulmerfeld, die Conscriptionsobrigkeit ist Amstetten. Als Grundbominien sind verzeichnet: Kröllendorf, Albrechtsberg, Wolfpaffing, Ulmerfeld und die Pfarre Amstetten. Der Werbkreis ist zum 49. Linien=Infanterie=Regiment einbezogen.

Hier befinden sich 16 Familien, 35 männliche, 33 weibliche Personen und 7 Schulkinder; der Viehstand zählt: 8 Pferde, 8 Ochsen, 31 Kühe, 41 Schafe und 15 Schweine.

Die hiesigen Bewohner nähern sich schon den Waldbauern, treiben jedoch den Ackerbau mit etwas Weizen, Korn, Gerste und Hafer, dann Wicken, wozu auch die Gründe ziemlich gut sind. Sie besitzen viele Obstgärten, und bereiten aus dem Obste gewöhnlich Most. Auch die Viehzucht darf gut genannt werden, bei welcher die Stallfutterung allgemein in Anwendung steht; zudem besitzen sie auch kleine Waldantheile.

Die Rotte Berg, von dem einfachen Worte Berg und der örtlichen Lage abgeleitet, liegt ziemlich gebirgig in zerstreuten Häusern größtentheils auf den Bergen, und gränzt östlich an Höff, westlich an Oelling, südlich an Pilsing, nördlich an Vorhofen und die Landstraße. Wenn gleich das Klima etwas rauh ist, so ist solches doch sehr gesund und das Wasser vortrefflich. — Im hiesigen Jagdrevier gibt es Rehe, Hasen, Füchse und Rebhühner.

Berging.

Ein Dörfchen von 11 Häusern, mit der nächsten Poststation Melk.

Dasselbe gehört zur Pfarre und Schule nach Mazleinsdorf. Orts= und Grundobrigkeit ist die Herrschaft Ulmerfeld. Landgericht und Conscriptionsherrschaft ist Zelking. Der Werbkreis gehört zum 49. Linien=Infanterie=Regiment.

Die Seelenzahl besteht in 13 Familien, 35 männlihen, 39 weiblichen Personen und 11 schulfähigen Kindern; diese besitzen 20 Ochsen, 26 Kühe, 44 Schafe und 49 Schweine.

Die Einwohner beschäftigen sich mit dem Feldbau der gewöhnlichen Fruchtkörner, wozu ziemlich ertragsfähige Gründe vorhanden sind, mit der Obstpflege und der Viehzucht, welche Stallfutterung genießt.

Bérging auch Bergern genannt, dessen Häuser blos Erdgeschoße mit Strohdächer enthalten, liegt in einer gesunden und angenehmen Gegend, seitwärts der Linzer=Post=straße, eine halbe Stunde vom Pfarrorte Maßleinsdorf. — Die Verbindung zu den umliegenden Dorfschaften ist durch Landwege hergestellt. — Die Jagbarkeit gehört der Herr=schaft Ulmerfeld.

Brandstetten.

Ein Dörfchen von 5 Häusern, mit der zwei und eine halbe Stunde entfernten Poststation Amstetten.

Dieses ist nach Neuhofen eingepfarrt und eingeschult. Das Landgericht, die Orts= und Conscriptionsobrigkeit ist die Herr=schaft Ulmerfeld, welche auch mit Kröllendorf die einigen behausten Unterthanen besitzt. Der Werbkreis gehört zum 49. Li=nien=Infanterie=Regiment.

Hier leben 6 Familien, 20 männliche, 24 weibliche Per=sonen und 8 schulfähige Kinder; der Viehstand zählt: 6 Och=sen, 8 Kühe, 17 Schafe und 24 Schweine.

Die hiesigen Bewohner beschäftigen sich mit der Feld=wirthschaft; auf den mittelmäßigen ertragsfähigen Grün=den werden Weizen, Korn, Gerste, Hafer und Wicken ge=baut, aus den Hausgärten erhalten sie Obst, und die Vieh=zucht mit Anwendung der Stallfutterung sichert ihren Haus=bedarf. — Klima und Wasser sind gut.

Das Oertchen **Brandstetten,** wovon der Name wohl von einer abgebrannten Waldstätte entnommen seyn dürfte, liegt im Gebirge zunächst Toberstätten und Hörlesberg, drei Viertelstunden entfern vom Pfarrorte Neuhofen.

Diepersdorf.

Ein kleines Dorf aus 11 Häusern bestehend, mit der nächsten, zwei und eine halbe Stunde entfernten Poststation Amstetten.

Dasselbe ist zur Pfarre und Schule nach Neuhofen angewiesen. Landgericht, Orts = und Conscriptionsobrigkeit ist die Herrschaft Ulmerfeld, welche auch mit Kröllendorf die hierorts behausten Unterthanen besitzt. Der Werbkreis gehört zum 49. Linien = Infanterie = Regiment.

In 16 Familien leben hier 38 männliche, 44 weibliche Personen und 16 Schulkinder; diese besitzen an Viehstand 1 Pferd, 14 Ochsen, 28 Kühe, 69 Schafe und 48 Schweine.

Die Bewohner treiben Ackerbau, etwas Obstpflege und die für den Hausbedarf nöthige Viehzucht mit Anwendung der Stallfutterung. Gebaut werden die gewöhnlichen Fruchtkörner, wozu die Grundstücke mittelmäßig sind; aus dem gewonnenen Obste wird Most bereitet.

Diepersdorf liegt mit seinen mit Stroh gedeckten Bauernhäusern ganz flach, zunächst Ulmerfeld, Ober = Hömbach und Rampersdorf, eine halbe Stunde vom Markte Neuhofen entfernt, in einer ländlichen Gegend, die gutes Wasser und Klima enthält. — Die Jagdbarkeit im hiesigen Bezirke in Hasen und Rebhühnern bestehend, ist ein Regale der Herrschaft Ulmerfeld.

Elzbach.

Ein Dorf aus 13 Hausnummern bestehend, wovon Amstetten zwei Stunden entfernt, die nächste Poststation bildet.

Zur Kirche und Schule gehört der Ort nach dem sehr nahen Markte Neuhofen. Das Landgericht, die Orts = und Conscriptionsobrigkeit besitzt die Herrschaft Ulmerfeld, und mit dem Dominium Haagberg und der Pfarre Waidhofen auch die hierselbst behausten Unterthanen und Grundholden. Der Werbkreis gehört zum 49. Linien = Infanterie = Regiment.

Die Seelenzahl besteht in 15 Familien, 35 männlichen, 36 weiblichen Personen und 16 schulfähigen Kindern; an Viehstand werden gezählt: 6 Ochsen, 7 Kühe 20 Schafe und 40 Schweine.

Die landwirthschaftlichen Zweige der hiesigen Einwohner bestehen in Feldbau, der Obstpflege und Viehzucht mit Anwendung der Stallfutterung. Es wird zwar nur wenig Weizen, dagegen aber werden als gewöhnliche Körnerfrüchte Gerste und Hafer gebaut; von dem Obste wird Most bereitet, und auch einiges Vieh zum nöthigsten Hausbedarf gehalten. Indessen sind alle diese Zweige nicht vom Belange, weil unter den hiesigen Bauern mehrere Kleinhäusler sich befinden.

Der Ort Elzbach liegt sehr nahe beim Dorfe und Schlosse Haagberg und nur fünf Minuten vom Markte Neuhofen entfernt. Die Gegend ist angenehm, Luft und Wasser sind gut, die Jagd ergiebig.

Fachwinkel.

Ein Dorf von 13 Häusern, davon Amstetten, zwei und eine halbe Stunde entfernt, die nächste Poststation ist.

Dieser Ort ist zur Kirche und Schule nach Neuhofen

angewiesen. Das Landgericht, die Orts-, Grund- und Conscriptionsobrigkeit besitzt die Herrschaft Ulmerfeld. Der Werbkreis gehört zum 49. Linien-Infanterie-Regiment.

Hier leben 17 Familien, 35 männliche, 39 weibliche
Personen und 12 schulfähige Kinder; der Viehstand enthält 26
Ochsen, 25 Kühe, 57 Schafe und 56 Schweine.

Die Bewohner gehören in die Classe der mittelmäßig
bestifteten Landbauern, welche sich mit Feldbau und Viehzucht beschäftigen. Ersterer Zweig liefert Weizen, Korn,
Gerste und Hafer, letztere wird blos zum Wirthschaftsbedarf
mit Stallfutterung betrieben.

Der Ort Fachwinkel, von der örtlichen Benennung
so benannt, liegt im Gebirge zunächst Trautmannsberg und
Hörtling, eine Stunde von Neuhofen, in einer Gegend, die gesundes Klima und gutes Wasser enthält. — Das hiesige Jagdrevier besitzt die Herrschaft Ulmerfeld eigenthümlich.

Fischhueb.

Ein einzelnes Haus mit der nächsten Poststation Amstetten.

Dieses ist zur Pfarre und Schule nach Aschbach gewiesen.
Landgericht und die Ortsherrlichkeit besitzt die Herrschaft Ulmerfeld; Grundobrigkeit ist Kröllendorf; Conscriptionsherrschaft Aschbach. Der Werbkreis gehört zum 49. Linien-Infanterie-Regiment.

Die Seelenzahl besteht in 2 Familien, 3 männlichen, 3 weiblichen Personen und 1 Schulkind; der Viehstand zählt 2 Pferde, 2 Ochsen, 5 Kühe, 12 Schafe und 8
Schweine.

Der hiesige Besitzer treibt den Feldbau, die Obstpflege
und Viehzucht. — Dies Bauerngehöft liegt drei Viertelstunden vom Pfarrorte Aschbach am Ipsflusse in einer

angenehmen Gegend, und gehört eigentlich zur Rotte Spiegelsberg.

Franzenreith.

Ein Dorf von 24 Häusern mit der nächsten Poststation Amstetten, in einer Entfernung von zwei Stunden.

Zur Pfarre und Schule gehört dasselbe nach dem Markte Randegg. Das Landgericht, die Orts = und Grundobrigkeit besitzt die Herrschaft Ulmerfeld; die Conscriptionsherrschaft ist Wolfpassing. Der hiesige Bezirk ist zum Werbkreise des Linien=Infanterie=Regiments Nr. 49 einbezogen.

Die Bevölkerung besteht in 31 Familien, 87 männlichen, 95 weiblichen Personen und 20 schulfähigen Kindern; diese besitzen einen Viehstand von 80 Ochsen, 63 Kühen, 185 Schafen und 65 Schweinen.

Die hiesigen Einwohner befassen sich mit Ackerbau, der geringen Obstpflege und Viehzucht. Der beste Boden an Grundstücken für Getreide ist die südliche Abdachung des Franzenreithberges, auf welchem etwas Weizen, gewöhnlich aber Korn und Hafer gebaut werden. Das Obst ist wenig und gedeiht selten, dagegen ist die Viehzucht eine Haupterwerbsquelle seiner Bewohner.

Der Ort liegt auf den Rücken des erwähnten Franzenreithberges, welcher ein Theil des bei Hinterleithen bezeichneten Gebirgstheiles ist, und gegen Gresten, Gaming und Lunz fortlaufend mit den steierischen Gebirgen zusammenhängt, zwischen dem Randegger und Ulmerfelder = Thale. — Die nächsten Ortschaften sind Gresten, Randegg und Ipsitz. Den größten Theil der Grundfläche in hiesiger Ortsfreiheit bilden Wälder und Weiden. — Das Klima ist ziemlich rauh, jedoch gesund, das Wasser gut. Die Jagdbarkeit liefert Rehe, Füchse, Hasen und Rebhühner.

9

Frieberstetten.

Ein kleines Dörfchen von 5 Hausnummern, mit der nächsten zwei Stunden entfernten Poststation Amstetten.

Dasselbe ist nach Neuhofen zur Kirche und Schule angewiesen. Landgericht, Orts-, Grund- und Conscriptionsobrigkeit ist die Herrschaft Ulmerfeld. Der Werbbezirk gehört zum 49. Linien-Infanterie-Regiment.

Hier befinden sich 5 Familien, 12 männliche, 11 weibliche Personen und 1 schulfähiges Kind; an Viehstand besitzen sie 4 Pferde, 10 Ochsen, 14 Kühe, 43 Schafe und 25 Schweine.

Die Beschäftigung der hiesigen Einwohner besteht in Acker-, Futterbau und in der Viehzucht, welche letztere gut ist, und mit Stallfutterung betrieben wird.

Frieberstetten ist ein zerstreutes Dorf, wovon die Häuser von guten Baumaterial aufgeführt, mit Stroh gedeckt sind, und welches links an der von Ulmerfeld nach Kröllendorf führenden Verbindungsstraße, ziemlich hart am Fuße eines Berges, in einer fruchtbaren Gegend, drei Viertelstunden von Neuhofen und eine halbe Stunde von Kröllendorf entfernt gelegen ist. Bei jedem Hause befindet sich eine große Scheune, von Holz gezimmert und mit Stroh gedeckt. Die Gärten liegen meist um das Haus herum, und sind eingeplankt; überdieß ist bei jedem Bauerngehöfte noch ein eigener abgesperrter Platz, der im Sommer für das Vieh zum Aufenthalte dient. Klima und Wasser sind gut; die Jagd, ein Eigenthum der Herrschaft Ulmerfeld, liefert in der Fläche blos Hasen und Rebhühner.

Furth.

Zwei einzelne Häuser, wovon Amstetten die nächste Poststation ist.

Diese gehören zur Pfarre und Schule nach Aschbach. Das Landgericht, die Grund = und Ortsobrigkeit ist die Herrschaft Ulmerfeld; Conscriptionsherrschaft aber der Magistrat in Aschbach. Der hiesige Bezirk gehört zum 49. Linien-Infanterie-Regiment.

Hier leben 2 Familien, 3 männliche, 3 weibliche Personen und 1 schulfähiges Kind; der Viehstand zählt: 2 Ochsen, 2 Kühe, 4 Schafe und 3 Schweine.

Die Einwohner sind Landbauern, welche bei dem Umstande, daß ihre Gründe meist steinig und von den Waldungen überschattet sind, nur Korn und Hafer bauen. Obst haben sie gar keines; und die Viehzucht ist äußerst unbedeutend.

Diese zwei Häuser liegen zunächst Ulmerfeld, neben dem Ipsflusse und Heidewald in einer Fläche. Das hiesige Klima ist kalt und das Wasser schlecht. Die Jagdbarkeit, ein Eigenthum der Herrschaft Ulmerfeld, liefert Rehe, Hasen und Rebhühner.

Galtberg.

Ein Dörfchen von 6 Häusern, wovon als nächste Poststation Amstetten bezeichnet wird.

Dasselbe ist zur Kirche nach Aschbach, mit der Schule aber nach Oehling angewiesen. Das Landgericht und die Orts-herrlichkeit besitzt die Herrschaft Ulmerfeld; Conscriptions-obrigkeit ist der Magistrat Aschbach, und Grunddominien sind Allhardtsberg, Walsee und Ulmerfeld. Der Werbkreis gehört zum 49. Linien-Infanterie-Regiment.

9 *

In 6 Familien befinden sich 19 männliche, 19 weibliche Personen und 7 schulfähige Kinder; der Viehstand zählt: 4 Pferde, 4 Ochsen, 12 Kühe, 21 Schafe und 14 Schweine.

Die hiesigen Bewohner als Landbauern, fechsen etwas Weizen, größtentheils Korn und Hafer, dann Heiden. Auf den Anhöhen sind die Gründe gut und ertragsfähig, in den Niederungen aber schotterig. Obstpflege wird keine unterhalten; die Viehzucht aber erstreckt sich blos auf den eigenen Wirthschaftsbedarf.

Galtberg hat eine flache Lage, die aber mit sanften Anhöhen wechselt, wovon Mayerhofen, Mauer und Gunersdorf die nächstgelegenen Ortschaften sind. Das Klima ist wegen den angrenzenden Gebirgen etwas kalt, das Wasser gut. — Der Jagdnuzen, welcher der Herrschaft Ulmerfeld zugehört, liefert Rehe, Hasen und Federwild. — Hier bestehen die nöthigen Verbindungswege.

Gobotsmühle.

Ein einzelnes Mühlwerk am Urlfluß, wovon Amstetten die nächste Poststation ist.

Dieses gehört zur Kirche und Schule nach Aschbach. Das Landgericht, die Grund= und Ortsherrlichkeit besizt die Herrschaft Ulmerfeld; Conscriptionsobrigkeit ist der Markt Aschbach. Der Werbkreis ist zum 49. Linien=Infanterie=Regiment einbezogen.

Hier befinden sich 1 Familie, 3 männliche und 2 weibliche Personen; der Viehstand besteht in 4 Pferden, 7 Kühen und 5 Schweinen.

Die Einwohner sind Müllerleute, die jedoch auch Feldbau treiben, wozu die Gründe mittelmäßig sind, und eine gute Viehzucht besizen.

Die **G o b o t s m ü h l e** steht an der **U r l** zunächst **Spie-**
gelsberg, in einer angenehmen Gegend, in der jedoch das
Klima etwas rauh, das Waſſer aber gut iſt.

G r a b e n.

Eine Rotte von **11** Häuſern, mit der nächſten Poſtſta=
tion **Amſtetten.**

Dieſe iſt zur Pfarre und Schule nach **St. Leonhard am**
Walde angewieſen. Das Landgericht, die Orts = und Con=
ſcriptionsobrigkeit iſt **Ulmerfeld,** welche auch mit **Wolfpaſſing**
und **Waldhauſen** die behauſten Unterthanen und Grundholden
beſitzt. Der Werbkreis gehört zum **49.** Linien = Infanterie =
Regiment.

Hier befinden ſich **13** Familien, **30** männliche, **35** weib=
liche Perſonen und **16** Schulkinder. Dieſe beſitzen an Viehſtand: **26** Ochſen, **23** Kühe, **60** Schafe und **44** Schweine.

Die Einwohner beſchäftigen ſich mit der Feldwirthſchaft
und Hornviehzucht. Es werden nur wenig Weizen, meiſt
Gerſte und Hafer gebaut; auch haben ſie Obſt und wenden
bei der Viehzucht die Stallfutterung an. Die Gründe gehören zur mittleren Claſſe.

Dieſe Rotte beſteht aus lauter zerſtreuten Bauernhäuſern
im Gebirge, wovon die nächſten Ortſchaften die Märkte
Randegg, Ipsſitz und **Neuhofen** ſind. Von **St. Leonhard am**
Walde, als dem Pfarrorte, liegt die Rotte eine und eine
halbe Stunde entfernt. — Die Luft iſt etwas rauh aber
geſund, das Waſſer gut und die Gegend ſchön.

G r a i n s f u r t h,

ſammt **Gſtatt,** ein Dorf von **33** Häuſern, mit der
nächſten Poſtſtation **Amſtetten.**

Dieses ist nach Winklern eingepfarrt und eingeschult. Das Landgericht und die Ortsherrlichkeit besitzt die Herrschaft Ulmerfeld; Conscriptionsobrigkeit ist der Markt Aschbach; Grunddominien sind: Ulmerfeld, Seisenegg und Haagberg. Der hiesige Bezirk gehört zum Werbkreise des 49. Linien-Infanterie-Regimentes.

In 43 Familien leben 79 männliche, 84 weibliche Personen und 21 schulfähige Kinder; diese besitzen an Viehstand: 13 Pferde, 14 Ochsen, 65 Kühe, 80 Schafe und 45 Schweine.

Die Einwohner beschäftigen sich mit dem Feldbau, wovon sie Korn, Hafer und Heiden fechsen, sie haben etwas Obstpflege, aber eine gute, den Hausbedarf überschreitende Viehzucht. Die Feldgründe, meist schotterig, sind wenig ertragsfähig. Die Gegend enthält übrigens bedeutende Strecken von Nadelholzwaldungen. — Klima und Wasser sind gut; die Jagd ist ein Eigenthum der Herrschaft Ulmerfeld.

Grainsfurth, auch Grenzfurth genannt, liegt an der Commerzialstraße, drei Viertelstunden außerhalb Amstetten, und drei Stunden von Waidhofen entfernt, unfern dem Anfange des Heidewaldes, ganz flach am linken Ufer der Ips, und zu beiden Seiten erstgenannter Straße, in zerstreut gebauten, mit Stroh und Schindeln gedeckten Häusern, worunter ein Stockwerk hohes wohleingerichtetes Gasthaus und vorne an der Straße eine Weg- und Brückenmauth sich befinden. Die hiesige Gegend ist schön und voll abwechselnder Partien, wie überhaupt das ganze Ipserthal romantisch genannt werden darf. Ueber Grainsfurth führt auch der Fußweg von Amstetten nach Ulmerfeld; man läßt sich hier über die Ips setzen, wozu überall Gelegenheit sich darbietet, und wandelt dann immer längs des rechten Ufers an diesem Flusse hin, wo die anmuthigsten Thäler und blüthenreichsten Wiesen mit weidenden Heerden von Hornvieh und Schafen, einzelne Gehöfte mit ihren umzäunten Obstgärten, und stellenweise hellgrünende Auen, die sich am schroffen Ufer der Ips hinziehen, getroffen werden, und sich zu einer lieblichen Landschaft gestalten. Auch die Einwohner vom Markte Amstetten machen meist an Sonntagen Ausflüge hierher zu dem benachbarten, freundlich gelegenen **Grains-furth.**

Grub.

Eine aus 19 Häusern bestehende Rotte, mit der nächsten Poststation Amstetten.

Diese gehört zur Pfarre und Schule nach Neuhofen. Das Landgericht, die Orts- und Conscriptionsobrigkeit ist die Herrschaft Ulmerfeld, welche auch mit Freidegg und dem Spital Ulmerfeld die behausten Unterthanen besitzt. Der hiesige Bezirk gehört zum Werbkreise des Linien-Infanterie-Regiments Nr. 49.

Die Bevölkerung besteht in 26 Familien, 53 männlichen und 59 weiblichen Seelen nebst 10 schulfähigen Kindern. Diese besitzen 38 Ochsen, 37 Kühe, 43 Schafe und 72 Schweine.

Als Gebirgsbauern beschäftigen sich die hiesigen Einwohner mit dem Feldbau, der Obstpflege und einer guten Viehzucht mit Anwendung der Stallfutterung. — Die Gründe sind ziemlich ertragsfähig und werden meist mit Gerste und Hafer, wenig mit Weizen gebaut.

Grub besteht als eine Rotte in zerstreuten Häusern, die im Gebirge liegen, und wovon Hörtling und Koraberg die nächsten Ortschaften sind. Vom Pfarrorte Neuhofen beträgt die Entfernung eine Stunde. — Die Gegend ist angenehm, enthält auch ein gesundes Klima und gutes Wasser. — Die Jagdbarkeit in Rehen, Hasen und Hühner bestehend, gehört der Herrschaft Ulmerfeld.

Gstatt,

am obern Gstatt genannt, ein einzelnes Haus mit der nächsten Poststation Amstetten.

Dieses gehört zur Pfarre Amstetten und zur Schule nach Oehling. Das Landgericht, die Grund- und Ortsherrlichkeit besitzt die Herrschaft Ulmerfeld; Conscriptionsobrigkeit ist der Markt Aschbach. Der Werbkreis gehört zum Linien-Infanterie-Regiment Nr. 49.

Hier befindet sich 1 Familie, 1 männliche und 1 weibliche Person; dann 2 Ochsen, 2 Kühe, 5 Schafe und 4 Schweine.

Die Einwohner treiben den Feldbau, wozu aber die Gründe steinig sind, und vom Walde überschattet werden, daher sie auch wenig Korn und Hafer fechsen. Obst gibt es keines, und die Viehzucht deckt blos den Hausbedarf.

Dieses Gehöft liegt ganz flach neben dem Ipsfluß und dem Heidenwald zunächst Ulmerfelfeld. Das Klima ist etwas rauh, das Wasser schlecht.

Gunersdorf.

Ein Dörfchen von 10 Häusern, mit der nächsten Poststation Amstetten.

Dieses gehört zur Pfarre und Schule nach Aschbach. Das Landgericht und die Ortsherrlichkeit besitzt die Herrschaft Ulmerfeld; Conscriptionsobrigkeit ist der Markt Aschbach; Grunddominien aber sind: Kröllendorf, Ulmerfeld, Seisenegg und Sooß. Der hiesige Bezirk ist zum Werbkreise des 49. Linien-Infanterie-Regiments einbezogen.

Es befinden sich hier 11 Familien, 26 männliche, 17 weibliche Personen und 4 schulfähige Kinder; der Viehstand zählt: 2 Pferde, 10 Ochsen, 22 Kühe, 21 Schafe und 21 Schweine.

Die Bewohner beschäftigen sich mit der Feldwirthschaft; an Körnern werden etwas Weizen, größtentheils jedoch Korn und Hafer, dann in den Schottergründen Heiden gebaut. Die Feldgründe dazu sind auf den Anhöhen gut, in den Niederungen meist schotterig, weßhalb auch viele dieser Stellen mit Nadelholz bewachsen, angetroffen werden. Obst gibt es wenig, und die Viehzucht anbelangend, so ist solche ziemlich gut und dem Wirthschaftsstande ganz angemessen. — Das hiesige Klima ist etwas kalt wegen den angrenzenden Gebirgen, das Wasser aber sehr gut. — Die Jagdbarkeit besteht in Hasen, Rehe und Federwild.

Die Lage von Ganersdorf ist flach, von kleinen Anhöhen durchschnitten, welche Ortschaft vom Urlflusse begrenzt wird. Als nächstgelegene Orte werden Lahen, Galtberg, Gobotsmühle und Spiegelberg bezeichnet, zu welchen allen die nöthigen Verbindungswege bestehen.

H a a g.

Eine Rotte von 45 Häusern, wovon Amstetten, in einer Entfernung von ein und einer Viertelstunde, die nächste Poststation bildet.

Zur Kirche und Schule ist dieselbe nach Amstetten angewiesen. Das Landgericht wird durch die Herrschaft Seisenegg ausgeübt; Orts- und Conscriptionsobrigkeit ist Ulmerfeld, welche auch mit der Pfarre Amstetten die hierorts behausten Unterthanen und Grundholden besitzt. Der Werbkreis ist dem Linien-Infanterie-Regiment Nr. 49 untergeordnet.

In 53 Familien befinden sich 113 männliche, 139 weibliche Personen und 16 schulfähige Kinder; der Viehstand zählt: 19 Pferde, 57 Ochsen, 101 Kühe, 214 Schafe und 65 Schweine.

Die Bewohner beschäftigen sich mit der Feldwirthschaft; sie bauen Weizen, Korn, Gerste, Hafer und auch Wicken, haben ziemlich viel Obst, welches größtentheils zu Most verwendet wird, und eine gute Viehzucht.

Die Rotte Haag, aus zerstreuten Häusern bestehend, liegt eine und eine Viertelstunde von Amstetten, in einer etwas hügeligen Gegend, und gränzt südlich an Euratsfeld, nördlich an Allersdorf und den Ipsfluß, östlich an die Rotte Schönbühel und westlich an Winklarn. — Klima und Wasser sind gut, und es gibt hie und da auch einige kleine Wälder.

Haagberg.

Ein Dorf von 10 Häusern und zugleich ein Gut mit ständischer Einlage, wovon Amstetten zwei Stunden entfernt, die nächste Poststation ist.

Zur Pfarre und Schule gehört dasselbe nach Neuhofen. Landgericht ist Ulmerfeld, so wie auch Grundherrschaft; Ortsobrigkeit ist Haagberg; Conscriptionsherrschaft Ulmerfeld. Der Werbkreis gehört dem Linien = Infanterie = Regiment Nr. 49.

Hier leben in 14 Familien, 30 männliche, 32 weibliche Personen und 17 schulfähige Kinder; sie halten einen Viehstand von 6 Pferden, 28 Ochsen, 17 Kühen und 22 Schweinen.

Die hiesigen Einwohner bestehen blos aus Taglöhnern und den nothwendigsten Handwerkern, welche nur Kleinhäusler und mit keinen Feldgründen bestiftet sind, daher auch keine Körnerfrüchte, sondern auf den unbedeutenden Hausgründen nur Zugemüse für den Hausbedarf gebaut werden; Obst gibt es ebenfalls nur wenig, die Viehzucht erstreckt sich blos

auf den nöthigsten Hausbedarf, doch wird Stallfutternng getrieben. Das Klima ist gesund, das Wasser gut.

Außer einer unbedeutenden Waldung, welche eine Höhe,
den Haagberg bedeckt, befinden sich keine Wälder in der
Nähe, welche zum Orte gehören, wobei die Jabbarkeit, welche
Rehe, Hasen, Füchse, Rebhühner und Schnepfen liefert, der
Herrschaft Ulmerfeld gehört. Zunächst dem Orte fließt der
Elzbach vorüber.

Das Dörfchen Haagberg, aus sehr zerstreuten, mit
Schindeln und Stroh gedeckten Häusern bestehend, liegt hart
am Fuße des mit Wald bedeckten Berges gleiches Namens,
welcher als ein Ausläufer des Sonntagsberges zu betrachten
ist, wobei auf der andern Seite der genannte Elzbach diesen Ort von dem kaum eine Viertelstunde entfernten Pfarrdorfe Neuhofen trennt. Uebrigens ist die Umgebung angenehm,
und jedes der Häuser mit einem eingefriedeten Obstgarten umgeben, was einen sehr ansprechenden Anblick gewährt. Außer
einem sehr beschwerlichen gewöhnlichen Landwege sind keine
anderen vorhanden.

Ebenfalls am Fuße des Berges liegt das herrschaftliche Schloß, Haagberg zu Rosenthal genannt, von
dem ehemaligen theilweis mit einer Mauer eingefaßten Garten umgeben. Dasselbe wurde vor ungefähr siebzig Jahren
erbaut, und bildet ein längliches Viereck, einstöckig mit Schindeldachung, ganz einfacher Bauart; mehrere anständig einge-
richtete Zimmer enthaltend, jedoch schon seit langer Zeit un-
bewohnt. Der dasselbe umgebende Garten, der sich am Fuße
des Berges hinanzieht, sehr groß und viele Obstbäume enthaltend, ist in einzelnen Abtheilungen verpachtet.

Früher stand auf diesem mehr erwähnten Berge die Veste Haagberg, wovon jetzt nur noch ein kleines Stück Grund-
mauer mit einem ehemaligen Walle umgeben, sichtbar ist. Dieses Schloß war auch ursprünglich nicht von besonderer Bedeu-

tung, es hatte nur ein Stockwerk und einen runden niedern Thurm. Da alle Urkunden über dasselbe in Verlust gerathen sind, so läßt sich nur vermuthen, daß dieses uralte Schloß wahrscheinlich im XVII. Jahrhundert verfallen seyn möchte, worauf dann später der heutige Ort Haagberg, durch Ansiedelungen von Taglöhnern entstand, welche sich hier Kleinhäuser erbauten.

Haagberg ist schon seit langer Zeit zur Herrschaft Ulmerfeld gehörig, und wird auch von dort aus verwaltet, und besitzt blos die Ortsobrigkeit über das Dorf Haagberg, indem ihre übrigen Unterthanen in andern Herrschaftsbezirken zerstreut sind.

Den herrschaftlichen Gründestand bilden: 19 Joch Waldungen, 23 Joch Wiesen und 18 Joch Aecker.

Umgeben wird die Herrschaft Haagberg von den Herrschaften Ulmerfeld, Perwart, Randeck und Allhartsberg; dabei liegt dieselbe in einer sehr angenehmen Gegend, zwei Stunden vom Markte Amstetten, am Fuße einer mäßigen vom Sonntagsberge auslaufenden Gebirgskette.

Die zerstreuten Unterthanen dieser Herrschaft bestehen aus gut und mittelmäßig bestifteten Landbauern, und wie erwähnt, aus Kleinhäuslern. Gebaut werden Weizen, Korn, Hafer und Wicken; Obstbau wird größtentheils zur Erzeugung des Mostes betrieben, und im gebirgigen Theil der Herrschaft Hornviehzucht, wobei fast durchgehends Stallfutterung Statt findet. Die Gründe sind in den bei Ips und St. Pölten liegenden Aemtern Reitring und Etzersdorf gut, in den übrigen mittelmäßig, welche nach der Dreifelderwirthschaft bebaut werden. Berge sind keine und an Waldungen nur der kleine Wald bei dem Orte Haagberg befindlich, die Jagdbarkeit liefert Hasen und Rebhühner. An Gewässern ist nur der Elzbach vorhanden. Hierher gehörige Mühlen sind:

die sogenannte **Mittermühle** in Ips und die **Gaismühle** in Purgstall. Straßen, Brücken und Mauthen sind nicht vorhanden. Das Klima ist gesund, das Wasser gut.

An bemerkenswerthen Gebäuden ist nur das neuere Schloß **Haagberg** vorhanden. Als Besitzer der Herrschaft **Haagberg** erscheinen im n. ö. ständ. Gültenbuche folgende: im Jahre 1553 **Jodocus von Gera**; im Jahre 1556 **Georg von Hohenegg**; im Jahre 1587 **Ehrenreich von Hohenegg**, von seinem Vater Georg; im Jahre 1588 **Adam Geyer von Osterburg**, von seinem Bruder **Niklasius**; im Jahre 1594 **Hanns Kaspar Geyer von Osterburg** durch Erbschaft; im Jahre 1650 **Wolf Christoph Freiherr Geyer von Osterburg** durch Kauf; im Jahre 1652 **Maximilian Adam Graf Geyer von Osterburg**, von seinem Vater dem Vorigen; im Jahre 1677 **Ferdinand Graf von Zinzendorf**, durch Kauf vom Vorigen; im Jahre 1680 **Maximilian Ignaz Praun**, durch Kauf vom Vorigen; im Jahre 1714 **Johann Anton Praun**, von seinem Vater **Maximilian Ignaz**; im Jahre 1734 die fünf Töchter des **Johann Anton: Maria Anna, Josepha, Aloisia, Antonia** und **Francisca**; im Jahre 1738 **Johann Kaspar Pauer von Ebersfeld**, durch Kauf von den Vorigen; im Jahre 1763 **Joseph Caspar Nepomuck Pauer von Ebersfeld**, von seinem Vater den Vorigen; im Jahre 1793 **Johann Joseph Freiherr von Stiebar**; im Jahre 1795 derselbe als Graf; im Jahre 1811 **Christoph Freiherr von Stiebar**, durch Kauf; im Jahre 1812 **Adolph Ludwig Graf Barth von Barthenheim**, durch Kauf vom Vorigen; im Jahre 1815 **Joseph von Dalstein**, durch Kauf vom Vorigen; im Jahre 1829 **Mathias Constantin Graf von Wickenburg**.

Harreuth.

Zwei Häuser, mit der nächsten Poststation Amstetten. Diese gehören zur Pfarre und Schule nach Winklern. Das Landgericht und die Ortsobrigkeit besitzt die Herrschaft Ulmerfeld, die beiden behausten Unterthanen das Dominium Ensegg; und als Conscriptionsobrigkeit ist der Magistrat in Amstetten bezeichnet. Der Werbkreis ist zum 49. Linien-Infanterie-Regiment einbezogen.

Hier befinden sich 2 Familien, 6 männliche, 12 weibliche Personen und 2 schulfähige Kinder; diese besitzen 3 Kühe, 3 Schafe und 7 Schweine.

Die Einwohner treiben den Ackerbau, der ihnen Weizen, Gerste, Korn, Hafer und Wicken liefert, und wozu die Gründe gut sind. Obst haben sie sehr viel, dagegen ist die Viehzucht nicht besonders bedeutend, die jedoch die Stallfutterung genießt.

Die zwei Häuser sind westlich von Schönbühel zerstreut gelegen, in einer waldigen Gegend, die mit Hügeln und Thälern wechselt, zunächst Euratsfeld und der Rotte Haag, am Ipsfluß und der Zaucha. — Klima und Wasser sind gut.

Hausmening.

Ein Dorf von 18 Häusern, mit der nächsten, anderthalb Stunden entfernten Poststation Amstetten.

Zur Kirche und Schule gehört der Ort nach dem sehr nahe gelegenen Markte Ulmerfeld. Das Landgericht, die Orts-, Grund- und Conscriptionsobrigkeit ist die Herrschaft Ulmerfeld. Der Werbkreis gehört zum 49. Linien-Infanterie-Regiment.

In 22 Familien befinden sich 50 männliche, 56 weibliche Personen und 16 schulfähige Kinder. Der Viehstand zählt: 30 Pferde, 5 Ochsen, 51 Kühe, 142 Schafe und 94 Schweine.

Als Feldbauern beschäftigen sich die hiesigen Einwohner mit dem Ackerbau der gewöhnlichen Körnerfrüchte, in Weizen, Korn, Gerste und Hafer nebst Wicken bestehend, erzeugen von dem Obste Most, und unterhalten eine gute Viehzucht mit Anwendung der Stallfütterung. Die vorräthigen Feldfrüchte führen sie zum Wochenmarkt nach Waidhofen an der Ips.

Das Dorf Hausmening liegt in der Ebene, und besteht in den gewöhnlichen Bauernhöfen ohne Stockwerke mit Stroh gedeckt, wovon Pfosendorf und Walmersdorf die nachbarlichen Orte, von dem Markte Ulmerfeld aber nur eine kleine Viertelstunde entfernt ist. Der Ipsfluß, ungefähr zehn Minuten vom Dorfe entfernt, berührt die Ortsfreiheit, an welchem die hierher gehörige sogenannte Stiefelmühle nebst Bretersäge, die Heidmühle nebst Bretersäge und das Wasenmeisterhaus liegt. — Die Gegend ist freundlich und gesund, das Wasser vortrefflich. — Die Jagd, Rehe, Hasen, Rebhühner und Schnepfen liefernd, ist ein Regale der Herrschaft Ulmerfeld.

Hiesbach.

Ein Dörfchen von 5 Häusern, mit der zwei Stunden entfernten Poststation Amstetten.

Zur Kirche und Schule gehört dasselbe nach Neuhofen. Landgericht, Orts- und Conscriptionsobrigkeit ist die Herrschaft Ulmerfeld, welche mit Hainstetten und Freidegg die hierorts behausten Unterthanen besitzt. Der Werbkreis gehört zum 49. Linien-Infanterie-Regiment.

Es befinden sich hier 8 Familien, 15 männliche, 18 weibliche Personen nebst 3 schulfähigen Kindern; der Viehstand zählt: 6 Ochsen, 8 Kühe, 20 Schafe und 24 Schweine.

Die hiesigen Einwohner beschäftigen sich als Feldbauern

mit dem Ackerbau der gewöhnlichen Fruchtkörnergattungen, wozu die Gründe ziemlich ertragsfähig sind; auch erhalten sie Obst von ihren Hausgärten, und treiben nur in so fern die Viehzucht, als es der Hausbedarf erheischt.

Das Oertchen liegt zunächst am sogenannten Zauchbache in einem Thale, nebst Toberstetten und Gießing, eine Stunde vom Pfarrorte Neuhofen, und besteht aus den gewöhnlichen Bauernhäusern, welche mit Stroh gedeckt sind. — Klima und Wasser sind sehr gut.

Hinterleiten.

Ein Dorf von 23 Häusern, mit der nächsten Poststation Kemmelbach.

Dasselbe ist nach Randegg eingepfarrt und eingeschult. Landgericht und die Ortsherrlichkeit besitzt die Herrschaft Ulmerfeld und nebst Purgstall auch die hierorts behausten Unterthanen und Grundholden. Die Conscriptionsobrigkeit ist Wolfpassing. Der Werbkreis gehört zum 49. Linien-Infanterie-Regiment.

Die Seelenzahl besteht in 26 Familien, 73 männlichen, 68 weiblichen Personen nebst 11 schulfähigen Kindern; diese besitzen einen Viehstand von 2 Pferden, 40 Ochsen, 33 Kühen, 102 Schafen und 70 Schweinen.

Die Einwohner treiben den Ackerbau, wovon sie Weizen und Korn, vorzüglich aber Hafer fechsen. Die Gründe sind ziemlich gut, nur theilweise den Ueberschwemmungen ausgesetzt. Obst gibt es wenig, eben so auch Weideplätze, dagegen mehr Wälder. — Die Viehzucht darf mittelmäßig genannt werden.

Das Dorf Hinterleiten, welches von der örtlichen Lage so benannt wird, liegt im Randegger-Thale an der kleinen Erlaf, nahe an dem Markte Randegg, dann drei Viertelstunden vom Markte Gresten. Dieses erwähnte Thal ist von Bergen umschlossen, welche bei Steinakirchen beginnen, und einwärts gegen Gresten, Gaming und Lunz fortlaufend, mit den steierischen Gebirgen zusammenhängen. Das Klima ist sehr gut, ebenfalls auch das Wasser. Die Jagd, ein Eigenthum der Herrschaft Ulmerfeld, liefert Hasen, Rebhühner und auch Rehe.

Hochkogelberg.

Ein Dorf von 41 Häusern, wovon Amstetten, als die nächste Poststation, drei Stunden entfernt ist.

Zur Pfarre und Schule gehört der Ort nach Randegg. Landgericht und Ortsobrigkeit ist die Herrschaft Ulmerfeld, Conscriptionsherrschaft Wolfpassing. Als Grunddominien sind verzeichnet: Ulmerfeld, Perwarth, Auhof, Reinsberg, dann die Pfarren Waidhofen und Neuhofen. Der Werbkreis gehört zum 49. Linien-Infanterie-Regiment.

In 48 Familien leben 122 männliche, 121 weibliche Personen, nebst 22 Schulkindern. Der Viehstand zählt 99 Ochsen, 72 Kühe, 188 Schafe und 85 Schweine.

Die hiesigen Bewohner bauen blos Korn und Hafer, weil die Gründe aus dem sogenannten Waldflinzboden bestehen, und daher sehr wenig ergiebig sind. Uebrigens nehmen die Wälder und Weiden den größten Theil der Grundfläche ein. Obst gibt es wenig, denn es gedeiht selten, dagegen ist die Viehzucht ziemlich gut.

Diese Ortschaft liegt auf den Abdachungen des gleichnamigen Hochkogelberges, zwischen Euratsfeld und Perwarth; zunächst dem vorbemerkten Gebirge erhebt sich der Reidlingerberg, weßhalb auch das Klima, zwar sehr gesund, doch ziemlich rauh ist. Wasser ist gutes vorhanden. Der Jagdnutzen besteht in Rehen, Hasen und Rebhühnern.

Höff.

Eine Rotte aus 6 Häusern bestehend, wovon Amstetten, eine Viertelstunde entfernt, die nächste Poststation ist.

Zur Kirche und Schule gehört dieselbe nach Amstetten. Das Landgericht wird von der Herrschaft Seisenegg ausgeübt; die Ortsherrlichkeit besitzt die Herrschaft Ulmerfelt, und mit Kröllendorf auch die behausten Unterthanen; Conscriptionsobrigkeit ist Wolfpassing. Der Werbbezirk von hier ist dem Linien-Infanterie-Regiment Nr. 49. zugewiesen.

Hier leben 7 Familien, 18 männliche, 18 weibliche Personen und 3 Schulkinder; der Viehstand enthält 1 Pferd, 8 Ochsen, 15 Kühe, 2 Schafe und 10 Schweine.

Die Einwohner sind Landbauern, welche auf ihren ziemlich guten Gründen Korn, Gerste, Hafer und Heidekorn bauen. Obst gibt es wenig, dagegen ist die Viehzucht mittelmäßig, wobei Stallfutterung angewendet wird.

Die Rotte Höff, von dem ersten Bauernhof so genannt, liegt ganz eben an einem Hügel, östlich an Amstetten, westlich an Berg, nördlich an Haberg, und südlich an die Commerzialstraße nach Waidhofen, dem Urlfluß, Grainsfurth und an die Ips grenzend. Klima und Wasser sind gut. Die Jagdbarkeit liefert Hasen und Rebhühner.

a) Hömbach (Ober-).

Ein Dorf von 8 Häusern mit der nächsten, zwei und eine halbe Stunde entfernten Poststation Amstetten.

Zur Kirche und Schule gehört der Ort nach Neuhofen. Das Landgericht, die Grund-, Orts- und Conscriptionsobrigkeit ist die Herrschaft Ulmerfeld. Der Werbkreis gehört zum 49. Linien-Infanterie-Regiment.

In 11 Familien leben 23 männliche, 26 weibliche Personen und 10 schulfähige Kinder; diese besitzen 8 Pferde, 8 Ochsen, 25 Kühe, 78 Schafe und 40 Schweine.

Die Einwohner sind Landbauern, welche die Feldwirthschaft betreiben. Es werden etwas Weizen, Korn, Hafer und Wicken gebaut, wozu mittelmäßige Gründe vorhanden sind. Die Viehzucht ist gut, und es besteht dabei die Stallfutterung.

Das Dörfchen liegt ganz in der Ebene zunächst Unter-Hömbach und Diepersdorf, eine halbe Stunde vom Pfarrorte Neuhofen. Die hiesige Gegend ist angenehm, enthält gesundes Klima und gutes Wasser. Der Jagdnutzen gehört der Herrschaft Ulmerfeld.

b) Hömbach (Unter=).

Ein aus 11 Häusern bestehendes Dorf, wovon Amstetten die nächste Poststation, zwei und eine halbe Stunde entfernt ist.

Dieser Ort ist nach Neuhofen eingepfarrt und eingeschult. Das Landgericht, die Grund=, Orts= und Conscriptionsobrigkeit besitzt die Herrschaft Ulmerfeld. Der Werbkreis gehört zum 49. Linien=Infanterie=Regiment.

Die Seelenzahl besteht in 7 Familien, 12 männlichen, 15 weiblichen Personen, nebst 3 schulfähigen Kindern. Der Viehstand enthält: 10 Ochsen, 11 Kühe, 43 Schafe und 44 Schweine.

Als Landbauern beschäftigen sich die Einwohner mit dem Ackerbau, etwas Obstpflege und der Viehzucht, die jedoch nur gering ist, und kaum den eigenen Bedarf decket. Die Gründe sind mittelmäßig und werden blos mit Gerste und Hafer bebaut.

Unter=Hömbach blos aus Bauernhäusern bestehend, liegt flach unfern Ober=Hömbach und Schindau, eine halbe Stunde vom Markte Neuhofen. — Klima und Wasser sind sehr gut.

10 *

Hörlesberg.

Eine Rotte von 9 Häusern mit der nächsten Poststation Amstetten, welche zwei und eine halbe Stunde entfernt ist.

Diese gehört zur Kirche und Schule nach Neuhofen. Das Landgericht, die Orts = und Conscriptionsobrigkeit ist die Herrschaft Ulmerfeld, welche auch mit Kröllendorf die hierorts behausten Unterthanen besitzt. Der Werbkreis gehört zum 49. Linien=Infanterie=Regiment.

Hier leben 13 Familien, 25 männliche, 27 weibliche Personen und 6 Schulkinder. Der Viehstand besteht in 20 Ochsen, 17 Kühen, 58 Schafen und 38 Schweinen.

Ackerbau, Viehzucht und etwas Obstpflege sind die landwirthschaftlichen Zweige der hierorts befindlichen Einwohner. An Feldfrüchten werden nur Gerste und Hafer gebaut; die Viehzucht ist ziemlich gut, wobei die Stallfutterung in Anwendung steht.

Hörlesberg ist an einer Anhöhe gelegen, und besteht blos aus Bauerngehöften. Die nächsten Ortschaften sind: Branstetten, Reichersdorf und der Markt Neuhofen, letzterer nur eine Viertelstunde entfernt. — Die hiesige Gegend ist angenehm; sie enthält gesundes Klima und gutes Wasser. Die Jagd ist ein Eigenthum der Herrschaft Ulmerfeld.

Hörtling.

Ein aus 16 Häusern bestehendes Dorf, mit der nächsten Poststation Amstetten, welche zwei und eine halbe Stunde entfernt ist.

Dieses ist nach Neuhofen eingepfarrt und eingeschult. Das Landgericht, die Orts= und Conscriptionsobrigkeit ist Ulmerfeld, die auch mit Seisenegg, Urbagger und Pfarre Neu-

hofen, die hierorts behausten Unterthanen besitzt. Der Werb=
kreis gehört zum 49. Linien=Infanterie=Regiment.

Hier leben 22 Familien, 45 männliche, 47 weibliche Per=
sonen und 9 Schulkinder; diese halten einen Viehstand von
32 Ochsen, 29 Kühen, 78 Schafen und 64 Schweinen.

Die hiesigen Einwohner sind Landbauern mit einer mit=
telmäßigen Grundbestiftung. Ihre Erwerbszweige bestehen in
Ackerbau, etwas Obst und der blos für den Hausbedarf nö=
thigen Viehzucht, wobei die Stallfutterung in Anwendung
steht. Es wird nur etwas Weizen, meist aber Korn, Hafer
und Wicken gebaut, wozu die Gründe ziemlich ertragsfä=
hig sind.

Hörtling liegt an einer Anhöhe, und besteht blos aus
Bauernhäusern. Die nächsten Ortschaften sind Fachwinkel und
Grub; der Pfarrort Neuhofen aber liegt ein und eine Vier=
telstunde entfernt. — Die Gegend ist hier angenehm, sie ent=
hält gesundes Klima und gutes Wasser. — Der Jagdnutzen
besteht blos in Hasen und Rebhühnern.

Kornberg.

Ein kleines Dörfchen aus 10 Häusern bestehend, wovon
Amstetten zwei Stunden entfernt, als die nächste Poststation
bezeichnet ist.

Zur Pfarre und Schule gehört dasselbe nach dem nahe
gelegenen Neuhofen; Landgericht, Orts=, Grund= und Con=
scriptionsobrigkeit ist die Herrschaft Ulmerfeld. Der hiesige Be=
zirk gehört zum Werbkreise des 49. Linien=Infanterie=Re=
giments.

In 10 Familien befinden sich 21 männliche, 23 weib=
liche Personen nebst 5 schulfähigen Kindern; der Viehstand
zählt: 10 Ochsen, 12 Kühe, 23 Schafe und 32 Schweine.

Die Bewohner beschäftigen sich als Landbauern mit dem

Feldbau, der nicht bedeutend ist, etwas Obst- und einer geringen Viehzucht, kaum für den eigenen Bedarf hinreichend. Ihre Gründe sind nur mittelmäßig, und werden mit Weizen, Gerste und Hafer bebaut.

Das Dörfchen Kornberg, von der Anhöhe so benannt, auf welcher es gelegen ist, hat als den nächsten nur eine Viertelstunde entfernten Nachbarort den Markt Neuhofen, dann die Dörfer Grub und Amesleiten.—Luft und Wasser sind gut. — Die Jagdbarkeit ein Eigenthum der Herrschaft Ulmerfeld, liefert blos Hasen und Rebhühner.

Kreilling.

Ein Oertchen von 6 Häusern, mit der nächsten, über zwei Stunden entfernten Poststation Amstetten.

Dieses ist zur Pfarre und Schule nach Neuhofen gewiesen. Das Landgericht, die Orts-, Grund- und Conscriptionsobrigkeit besitzt die Herrschaft Ulmerfeld Der Werbkreis gehört zum 49. Linien-Infanterie-Regiment.

Hier leben 7 Familien, 12 männliche, 13 weibliche Personen, und 3 Schulkinder; diese besitzen einen Viehstand von 12 Ochsen, 13 Kühen, 40 Schafen und 30 Schweinen.

Die Einwohner sind Landbauern, welche im Besitze einer mittelmäßigen Grundbestiftung sind. Ackerbau mit Weizen, Gerste, Hafer und Wicken, etwas Obst und eine ziemliche Viehzucht, wobei die Stallfutterung eingeführt ist, sind hier bestehende landwirthschaftliche Zweige.

Das Oertchen mit seinen wenigen Bauernhäusern, die mit Stroh gedeckt sind, liegt in der Ebene nächst Ober-Thall und Trautmannsberg, eine halbe Stunde vom Markte Neuhofen, in einer hübschen und gesunden Gegend, die auch gutes Trinkwasser enthält. — Der Jagdnutzen liefert Hasen und Rebhühner, und gehört der Herrschaft Ulmerfeld.

Lahen,

auch Laha genannt, ein Dörfchen von 8 Häusern, mit der nächsten Poststation Amstetten.

Zur Kirche und Schule gehört solches nach Aschbach. Das Landgericht und die Ortsherrlichkeit besitzt die Herrschaft Ulmerfeld; Conscriptionsobrigkeit ist Aschbach; und als Grunddominien werden Erla, Walsee und die Pfarre Aschbach bezeichnet. Der Werbkreis gehört zum Linien-Infanterie-Regiment Nr. 49.

Die Seelenzahl besteht in 9 Familien, 21 männlichen, 21 weiblichen Personen und 5 schulfähigen Kindern; der Viehstand zählt: 7 Pferde, 10 Ochsen, 27 Kühe, 30 Schafe und 29 Schweine.

Als Landbauern beschäftigen sich die hiesigen Einwohner mit dem Feldbau, wovon sie an Hauptkörnergattungen Weizen, Korn, Gerste und Hafer wechslungsweise fechsen. Die Gründe dazu sind gut, die Obstbaumzucht wird mit Sorgfalt betrieben, gleichwie die Viehzucht recht gut genannt werden darf. — Wälder gibt es keine. — Das Klima, obschon etwas rauh, ist dennoch gesund und das Wasser sehr gut. — Der Jagdnutzen gehört der Herrschaft Ulmerfeld.

Der Ort Lahen liegt auf einer sanften Anhöhe, zunächst dem Markte Aschbach, Gunersdorf und Reising, in einer angenehmen Gegend.

St. Leonhard am Wald.

Ein Pfarrdorf von 8 Häusern, mit der nächsten, vier Stunden entfernten Poststation Amstetten.

Kirche und Schule befinden sich im Orte. Diese gehören in das Decanat Waidhofen an der Ips, das Patronat davon aber der Herrschaft Ulmerfeld. Das Landgericht, die Orts-,

Grund = und Conscriptionsobrigkeit besitzt die Herrschaft Ul=
merfeld. Der Werbkreis gehört zum 49. Linien = Infanterie=
Regiment.

Es leben hier 8 Familien, 16 männliche, 23 weibliche
Personen und 3 schulfähige Kinder. Der Viehstand besteht
in 20 Ochsen, 31 Kühen, 22 Schafen und 25 Schweinen.

Die Einwohner sind Bauern, welche etwas Weizen, im
Allgemeinen aber Korn und Hafer bauen, wozu die Gründe
mittelmäßig, häufig aber den Frösten ausgesetzt sind. Sie ha=
ben auch Obst, welches zur Erzeugung des Mostes und Brannt=
weins verwendet wird. Die Hornviehzucht wird besonders
cultivirt, jedoch wird dabei meist die Weide angewendet.

Der Ort besteht aus zerstreuten Häusern, welche auf dem
Rücken einer Gebirgskette liegen, worüber die beschwerlich
zu befahrende Straße nach Sonntagsberg und Randegg führt.
Das Klima, obgleich etwas rauh, ist sehr gesund, das Wasser
gut und die Gegend sehr schön. — In der hiesigen Umgebung
befinden sich beträchtliche Waldungen, nämlich der Distl=
maiß, der Breterwald und der steile Zauchberg. Die
Jagd liefert Rehe, Füchse, Hasen und Schnepfen. Es wer=
den hier zwei Jahr= oder sogenannte Kirchweihtäge ab=
gehalten; der erste am 26. Juni und der zweite am 6.
November.

Die Pfarrkirche liegt auf dem sogenannten St.
Leonhardsberge, von welchem aus sich eine prachtvolle
Fernsicht öffnet, die nicht bald ihres Gleichen hat. Das Ge=
bäude ist von mittlerer Größe im gothischen Style aufgeführt
und zu Ehren dem heiligen Leonhard geweiht. Es enthält
im Innern einen Hochaltar und drei Seitenaltäre, wo=
von einer der unbefleckten Empfängniß Maria, einer zum
heiligen Joseph und der dritte dem heiligen Johann von
Nepomuck geweiht ist, die zwar alle von Holz, jedoch ver=
goldet und verziert sind. Auf der hintern Seite über den

Haupt = Eingang in die Kirche erhebt sich der Thurm. — Sonstige Merkwürdigkeiten, Denk = oder Grabsteine sind keine vorhanden. — Filialen sind keine im Bezirke dieser Pfarre, blos eine niedliche Capelle befindet sich eine halbe Stunde von hier auf einem Berge, im Ober = Harreith genannt, die im Jahre 1829 von dem Besitzer des gedachten Bauerngutes, Mathias Wagner und seiner Gattin Barbara, aus eigenen Mitteln zu Ehren der Mutter Gottes Maria erbaut wurde, und worin alle Samstage sich die Einwohner zum gemeinschaftlichen Gebete versammeln.

Hierher sind eingepfarrt: die 8 Häuser von St. Leonhard am Wald, Steingraben ½, Graben 1½, Zauch 1¼, Buchberg 2, Steinholz 1½, Hinterkogl 1¼, Aigen 1½, Steinkeller 1¼, Walchenberg 1 und Stritzlöb ¾ Stunden entfernt. — Der Leichenhof liegt um die Kirche herum.

Die hiesige Kirche ist eine der ältesten, und soll auch schon sehr früh eine Pfarre gewesen seyn, während der Reformationszeit ging sie aber ein, und sank zu einer Filiale von Neuhofen herab, erst im Jahre 1777 wurde sie wieder zur Pfarre erhoben, worüber das Präsentations = Recht dem jeweiligen Pfarrer von Neuhofen zusteht. — Von erlittenen Schicksalen ist bekannt, daß die Türken im Jahre 1683 dieses Gotteshaus in Brand steckten.

Liezing (Ober=).

Eine Rotte von 10 Häusern, wovon Amstetten die nächste Poststation bildet.

Zur Kirche und Schule gehört dieselbe nach Neuhofen. Das Landgericht, die Orts = und Conscriptionsobrigkeit ist die Herrschaft Ulmerfeld. An Grunddominien sind verzeichnet:

Ulmerfeld, Haagberg, Auhof und die Pfarre Amstetten. Der Werbkreis gehört dem Linien-Infanterie-Regiment Nr. 49.

In 11 Familien befinden sich 32 männliche, 37 weibliche Personen und 4 schulfähige Kinder. Der Viehstand zählt 2 Pferde, 10 Ochsen, 20 Kühe, 33 Schafe und 40 Schweine.

Die Einwohner beschäftigen sich mit Feldbau, der Obst- und Viehzucht. Gebaut werden etwas Weizen, mehr Korn und Hafer. Die Hornviehzucht ist bedeutend.

O b e r - L i e z i n g liegt mit seinen zerstreuten Häusern in der Ebene nächst Perbersdorf und Trautmannsberg, eine Stunde vom Pfarrorte Neuhofen. Die hiesige Gegend enthält gesundes Klima und gutes Wasser. — Die Jagdbarkeit gehört der Herrschaft Ulmerfeld.

M a u e r.

Ein Dorf von 13 Häusern, mit der nächsten Poststation Amstetten.

Der Ort ist nach Aschbach eingepfarrt und nach Oehling eingeschult. Das Landgericht und die Ortsherrlichkeit besitzt die Herrschaft Ulmerfeld. Conscriptionsobrigkeit ist Aschbach, und als Grunddominien sind verzeichnet: Seisenegg, Wallsee, Wolfpassing und Allhardtsberg. Der Werbkreis gehört zum 49. Linien-Infanterie-Regiment.

Hier befinden sich 16 Familien, 44 männliche, 48 weibliche Personen und 23 Schulkinder. Der Viehstand beträgt 15 Pferde, 33 Kühe und 28 Schweine.

Die hiesigen Einwohner treiben den Feldbau der gewöhnlichen Fruchtkörner und eine ziemlich gute Viehzucht. Obst wächst keines, dagegen gibt es bedeutende Nadelholzwaldungen. Die Gründe sind meist schotterig und daher wenig ertragsfähig, weßhalb sie auch nur mit Korn, Hafer und Heiden bebaut werden. — Klima und Wasser sind vortrefflich.

Die Jagd, ein Eigenthum der Herrschaft Ulmerfeld, liefert Rehe, Hasen und Rebhühner.

Das Oertchen Mauer besteht blos in zerstreut liegenden, mit Stroh gedeckten Häusern, die ganz eben zwischen dem Ufer der Url, dem Ipsflusse und dem Heidwalde, im Ipsthale, eine halbe Stunde rechts seitwärts von der Waidhofnerstraße situirt sind. Nördlich von der Url begrenzt, führt eine hölzerne Brücke zu dem jenseits derselben auf der Anhöhe gelegenen Pfarrort Oehling. Gegen Ost, Süd und West zieht sich das herrliche Ipserthal hin. Die südliche Seite des Ortes wird von dem Heidewald begrenzt, die westliche und östliche dagegen bilden eine freie Landschaft, links mit Amstetten und Grainsfurth in anderhalb- und halbstündiger, und rechts mit Aschbach in ganzstündiger Entfernung.

Der Ort ist ob seines hohen Alters, und überhaupt seiner classischen Stelle von den Römern her, sehr merkwürdig, denn hier beginnen zum dritten Male felsige Schlünde der Donau, welche Engen die Römer zwangen, von der Donau hinweg einen Weg durchs Binnenland zu brechen, gegen das heutige Amstetten und Strengberg, wo sie bald von der Ips an die Url kamen, und von dort ihren Weg längs der Ens weiter ins Mittel-Norikum verfolgten. An der Url stand das römische Castell ad muros, jetzt noch auf der Mauer genannt; nach Carnuntum vielleicht, ist dieser Ort der reichste an Denkmalen in Oesterreich. Unfern noch ist die Römerstraße (Heidenstraße), bei Hametsberg, Edlach, Hochbruck, Abelsberg, Neubrunn und Ober-Aschbach, bis an die kleine Erlaf sichtbar. Noch heißt das bedeutendste Bauernhaus »die Burg« und der Eigenthümer »der Burgner« oder »der Burgbauer.« Ein alter, großer halbmondförmiger Wall findet sich »das Lager« und ein beinahe unzerstörbares Viereck; unterirdische

156

Gänge, sehr feste Keller, Särge und Aschenkrüge ohne Inschrift, aber mit Menschengebeinen, bei ihnen Waffen und
Zierrathen; in einem auch die Gebeine des Lieblingspferdes;
in der Nähe Meilensteine und Cippi, Beile, Brechstangen
und Röhren zu den römischen Schwitzbädern ohne Wasser.
Ueberaus viele Münzen wurden rings ausgeackert, und noch
von Zeit zu Zeit aufgefunden. Sehr viele davon besitzt das nahe Benedictinerstift Seitenstetten; einige derselben gehören noch der Republik an, weit mehrere aber dem Zeitalter
der Kaiser, bis über Constantin hinab. Die merkwürdigste
darunter ist eine herrliche, äußerst seltene Goldmünze des
Clodius Albinus, von einem Bauer auf seinem Acker gefunden. — Auch durchs ganze Mittelalter behielt der unscheinbare, aber höchst merkwürdige Ort Mauer, den Namen Murus und war ein königlicher Freihof. Kaiser Conrad II., der Salier, schenkte im Jahre 1033 die Grundstücke zu Mauer (ad Muros), womit Markgraf Adalbert
von Oesterreich und Aribo von Ensburg vorher belehnt waren, dem freisingischen Bischof Egilbert.

a) Mayerhofen.

Ein Dörfchen von 5 Häusern, wovon Amstetten als die
nächste Poststation bezeichnet wird.

Dieses gehört zur Kirche nach Aschbach, zur Schule aber
nach Oehling. Das Landgericht und die Ortsherrlichkeit besitzt die Herrschaft Ulmerfeld; Conscriptionsobrigkeit ist der
Magistrat Aschbach. Grundbominien sind: Seisenegg, Walsee und Weinzierl. Der Werkreis gehört zum 49. Linien-Infanterie-Regiment.

In 7 Familien befinden sich 10 männliche, 19 weibliche Personen nebst 5 Schulkindern; der Viehstand zählt 2
Pferde, 12 Ochsen, 23 Kühe, 16 Schafe und 20 Schweine.

Die hiesigen Bewohner treiben den Feldbau, welcher aber nur in etwas Weizen, meist in Korn und Hafer besteht, weil die Gründe auf den Anhöhen mittelmäßig, in der Ebene neben dem Urlfluß jedoch sehr schotterig und schlecht sind. Obst gibt es wenig, dagegen liefern die Wälder ziemlich viel Nadelholz. Die Viehzucht darf sehr gut genannt werden und wird mit Stallfutterung betrieben. — Klima und Wasser sind vortrefflich, obschon ersteres wegen den angrenzenden Wäldern etwas rauh ist.

Das Oertchen **M a y e r h o f e n** liegt mit seinen mit Stroh gedeckten Gehöften in der Ebene am **Urlfluß,** zunächst **Galtberg, Mauer** und **Oehling,** in einer schönen Gegend, die von sanften Anhöhen hie und da besetzt ist.

b) **M a y e r h o f e n.**

Ein Dörfchen von 4 Häusern, mit der nächsten Poststation **Melk.**

Zur Pfarre und Schule gehört dasselbe nach **Maßleinsdorf;** das Landgericht wird durch die Herrschaft **Zelking** ausgeübt, welche auch Conscriptionsobrigkeit ist; die Grund- und Ortsherrlichkeit besitzt die Herrschaft **Ulmerfeld.** Der Werbkreis gehört zum Linien-Infanterie-Regiment Nr. 49.

Hier leben 5 Familien, 13 männliche, 14 weibliche Personen und 4 schulfähige Kinder; diese besitzen an Viehstand: 4 Pferde, 6 Ochsen, 12 Kühe, 12 Schafe und 20 Schweine.

Die Einwohner sind Landbauern, mit einer ziemlichen Grundbestiftung, welche die gewöhnlichen vier Körnergattungen bauen und wozu sie auch ertragsfähige Feldgründe besitzen.

Nebst diesen erhalten sie auch Obst von ihren Hausgärten, und eine gute Viehzucht mit Anwendung der Stallfutterung.

Mayerhofen, von den ersten Gehöften also benannt, liegt mit seinen vier, mit Stroh gedeckten Häusern, eine halbe Stunde von dem Pfarrorte Maßleinsdorf entfernt, in einer schönen und gesunden Gegend, die auch gutes Wasser enthält. Die Jagdbarkeit ist ein Eigenthum der Herrschaft Zelking.

Mitterberg.

Ein Dorf von 29 Häusern, wovon Amstetten als die nächste Poststation bezeichnet wird.

Zur Kirche und Schule gehört der Ort nach Randegg. Das Landgericht und die Ortsobrigkeit besitzt die Herrschaft Ulmerfeld. Conscriptionsobrigkeit ist Wolfpassing. Grunddominien sind: Perwarth, Reinsperg, Stiebar, Pezenkirchen, Haaberg und Purgstall. Der Werbkreis gehört zum 49. Linien-Infanterie-Regiment.

Hier leben 33 Familien, 79 männliche, 110 weibliche Personen und 15 schulfähige Kinder; der Viehstand besteht in 72 Ochsen, 57 Kühen, 140 Schafen und 42 Schweinen.

Die hiesigen Einwohner bauen nur zum nöthigsten Hausbedarf Korn, größtentheils Hafer, dazu sind die Gründe weniger fruchtbar, als die der umliegenden Gegend. Sie haben auch Obst, doch nur wenig; dagegen ist die Viehzucht gut.

Der Ort liegt zerstreut an der nördlichen Abdachung des gleichnamigen, zwischen dem Reinsperger- und Randegger-Thale sich erhebenden Berges. Die nächsten Ortschaften sind Wang, Perwarth, Randegg und Reinsperg. Die kleine Erlaf berührt den hiesigen Bezirk. Das Klima ist zwar etwas rauh aber gesund, das Wasser gut.

Neuhofen.

Ein Markt von 29 Häusern, mit der nächsten zwei Stunden entfernten Poststation Amstetten.

Kirche und Schule befinden sich hierselbst und gehören in das Decanat Waidhofen an der Ips, das Patronat über erstere besitzt die Herrschaft Ulmerfeld. Grundbominien, welche hierorts behauste Unterthanen und Grundholden haben, sind: Matzleinsdorf, Ulmerfeld und die Pfarrherrschaft Neuhofen. Der Werbkreis gehört zum Linien-Infanterie-Regiment Nr. 49.

Hier leben in 33 Familien, 70 männliche, 72 weibliche Personen und 27 schulfähige Kinder; diese besitzen einen Viehstand von 18 Pferden, 10 Ochsen, 46 Kühen, 30 Schafen, 3 Ziegen und 87 Schweinen.

Die Einwohner sind minder bestiftete Bauern, unter denen, nebst einem Chirurg, alle nöthigen Handwerker sich befinden. Außer dem Betriebe der Gewerbe, beschäftigen sie sich mit Feldbau und der für den Hausbedarf nöthigen Viehzucht, wobei die Stallfutterung angewendet wird. Die Gründe sind zum Theile gut, größtentheils aber mittelmäßig, und in der Regel sehr wenig den Elementarbeschädigungen ausgesetzt. Gebaut werden etwas Weizen, gewöhnlich aber Korn, Hafer und Wicken. — Das Obst, welches in Menge vorhanden ist, wird zur Bereitung des Mostes meist verwendet.

Der Markt Neuhofen liegt eine halbe Stunde südlich von Ulmerfeld etwas tief, unweit dem Schlosse Haagberg, in einer überaus fruchtbaren und angenehmen Gegend, am Fuße des vom Sonntagsberg östlich auslaufenden Berges, zwischen den Ortschaften Elsbach, Haagberg, Frieberstetten, Walmersdorf, Hausmening und Ulmerfeld, mit welch' letzterem Orte Neuhofen durch eine gewöhnliche aber gut erhaltene Straße in Verbindung steht. Uebrigens führt durch den Markt die Militär-Verbindungsstraße nach Schindau und Walmersdorf.

Neuhofen erscheint durch seine regelmäßige Anlage als ein großer Ort, und hat eine Haupt= und einige kleinere um die Kirche herumliegende Gässen, mit theilweise hübschen, ein Stockwerk hohen Häusern, die durchgehends mit Schindeln gedeckt sind, und die Kirche, den Pfarrhof und die Schule einschließen. Besonders lieblich gestaltet sich der Ort, da er dicht mit Obstbäumen umgeben ist, und südlich oder gegen das Gebirge durch den Ort Elsbach mit dem Dorfe Haagberg gleichsam zusammenhängt. Von Elsbach ist der Markt nur durch den gleichnamigen Bach getrennt, der auch die südliche Seite von Neuhofen bespühlt. — Das Klima ist gemäßigt, sehr gesund und das Wasser vortrefflich. — Die Jagdbarkeit ist ein Eigenthum der Herrschaft Ulmerfeld, und liefert in bedeutender Menge Rehwild, Füchse, Hasen, Reb= hühner und Schnepfen. Dazu ist auch die Lage vorzüglich ge= eignet, denn in der Nähe erhebt sich der Puchberg, darin sich die herrschaftlichen Waldungen der Kuchelforst, Hoch= forst, Kogel, Mitterberg und die Wirb befinden.

Das uralte Marktrecht besteht in vier Jahrmärkten, wovon einer am Blasius= am Pfingstdienstage, am Stephani= und Andreastage abgehalten werden.

Die Pfarrkirche, der seligsten Jungfrau Maria geweiht, liegt ganz flach mitten im Markte, und ist von einer Mauer mit eisernen Gitterthoren und dem Leichenhof um= geben. Sie ist im altgothischen Style aufgeführt, und ist von außen und innen mit Strebepfeilern versehen. Die Aus= schmückung besteht in einem Hoch= und vier Seitenaltä= ren, wovon ersterer wegen seiner hohen und guten Structur, dann der schönen Verzierung mit der künstlich geschnitzten Ma= rienstatue besonders bemerkt zu werden verdient. Von den Seitenaltären ist einer mit dem Bildnisse Christus am Kreuze, der andere mit jenem der Mutter Anna, der dritte mit dem des heiligen Florians und der vierte mit dem des heiligen Sebastians geziert. Sowohl der reine altgothische Baustil der Kirche, als auch der schöne Thurm mit Kuppel und Kupfer gedeckt, mit stark vergoldetem Kreuze und einem herrlichen Geläute, gestalten dieselbe zu einen erbaulichen Tempel des Herrn. — Die Paramente sind zwar nur mittelmäßig, bis auf eine sehr schöne Monstranze, ein Ciborium und einen Kelch, welche ganz von Silber und vergoldet, nicht überall gefunden werden.

Es befinden sich in der Kirche uralte Grabmäler aus Marmor, wovon einige hohen Alters wegen, ganz unleserlich sind; die lesbaren betreffen den hiesigen Pleban Sigmund Harfner † 1503; Wolfgang Wagner † 1513, Pleban in Winklarn (wie dieser Grabstein hierher kam, ist unbekannt); Johann Jakob Menzinger, Pfarrer allhier, † 1576; die Maria Sibilla von Berwang, † 1619, Gattin des bischöflich freisingerschen Wirthschaftsrathes der Herrschaft Ulmerfeld; der hiesige Vicar Bernard Dominik von Linden, † 1715; und der hiesige Pfarrer Adam Dietrich, † 1747.

Gegenwärtig wird die Pfarre administrirt, daher der Gottesdienst und die Seelsorge von einem Pfarrabministrator und einem Cooperator versehen wird.

Zur hiesigen Kirche sind eingepfarrt: der Markt Neuhofen und die Rotten: Pfossendorf ½, Rampersdorf ¼, Diepersdorf ½, Ober-Hömbach ½, Unter-Hömbach ½, Schindau ¾, Liexing 1, Kreiling ½, Trautmannsberg ½, Ober- und Unter-Thall ½, Perbersdorf ½, Nieder-Neuhofen ¼ bis 1, Wachwinkel 1, Hördling 1¼, Kornberg ¼, Amesleiten ½, Grub 1, Haagberg ¼, Elßbach ⅛, Reichersdorf ½, Frieberstetten ¾, Scherbling 1, Hiesbach 1, Hörlesberg ½, Brandstetten ¾ und Doberstetten mit der Filiale St. Veit ½ bis 1¼ Stunde entfernt.

Der Pfarrhof befindet sich rückwärts der Schule, die noch innerhalb der Kirchenmauer steht, und welche beide ein Stockwerk enthaltende Gebäude sind, wovon letzteres sehr groß und geräumig, und mit einer bedeutenden Vieh= und Feldwirthschaft verbunden ist.

Neuhofen, von zu dem erst erbauten Bauernhof also benannt, ist ein alter Markt und hieß in der celtischen Sprache Niuwenhofen, im Jahre 1315 aber Ainhofen. Im Jahre 996 wurde solcher, wie Meichelbeck berichtet, vom Kaiser Otto III. dem Bischof Gottschalk von Freisingen, welcher schon ein Jahr zuvor Ulmerfeld durch Tausch bekam, nebst dreißig königlichen Huben gegeben. Zu vermuthen ist es, daß zu der Zeit im Orte schon eine Kirche vorhanden war, gewiß aber dagegen, daß die Pfarre im Jahre 1000 bestanden habe, weil sie von dem damaligen Bischof Conrad von Freisingen mit verschiedenen Regalien, als Zehenten, Lehen u. dgl. beschenkt wurde, welche in der Folgezeit von verschiedenen Wohlthätern beträchtlich vermehrt wurden. Der Kirchenbau blieb im wesentlichen derselbe, wie sich solcher noch gegenwärtig in seiner ehrwürdigen Gestalt zeiget, bis auf kleine Zubauten.

In früheren Zeiten war diese Kirche ein sehr besuchter Wallfahrtsort; auch bestand hier eine weit ausgebreitete Muttergottesbruderschaft, die es eigentlich war, welche dem Markte Neuhofen zum Wohlstande erhob, der aber durch die Aufhebung der Wallfahrt und der ansehnlichen Bruderschaft bedeutend herabsank.

Wenn wir von den besonderen Schicksalen der hiesigen Kirche und dem Markte Neuhofen sprechen wollen, so sind bloß die Einfälle der Türken im Jahre 1683 zu erwähnen, während welchen die Kirche der hiesigen Einwohner als Zu=

fluchtsort diente. Es geschahen von den Barbaren die heftig-
sten Angriffe auf das Gotteshaus, wovon die Spuren noch zu
sehen sind, doch mit Gotteshilfe blieb der Tempel des Herrn
sammt den dahin geflüchteten Einwohnern von allem Unglücke
verschont. Viel gräßlicher dagegen, wüthete der mordsüchtige
Feind im Markte selbst, und in der Umgebung, so, daß fünf-
zig Menschen unter der peinlichsten Todesart verloren gingen.
   Am Schluße erstatten wir unsern Dank dem hochw. Herrn
Pfarrer von Neuhofen für die uns gütigst mitgetheilten
Auskünfte.

Neuhofen (Nieder-).

   Ein Dorf von 22 Häusern, mit der nächsten Poststation
Amstetten, welche zwei Stunden entfernt ist.
   Zur Kirche und Schule gehört der Ort nach dem nahe
gelegenen Markt Neuhofen. Das Landgericht, die Orts- und
Conscriptionsobrigkeit ist die Herrschaft Ulmerfeld. Als Grund-
herrschaften werden bezeichnet: Ulmerfeld, Kröllendorf, Hein-
stetten und die Pfarre Neuhofen. Der Werbkreis gehört zum
Linien-Infanterie-Regimente Nr. 49.
   Hier befinden sich 22 Familien, 60 männliche, 61 weib-
liche Personen nebst 21 schulfähigen Kindern; diese besitzen
an Viehstand: 42 Ochsen, 45 Kühe, 94 Schafe und 110
Schweine.
   Die Einwohner sind Landbauern, welche sich meist mit
der Feldwirthschaft beschäftigen, wozu sie auch ziemlich gute
Gründe besitzen, die mit etwas Weizen, meist aber mit Korn
und Hafer bebaut werden. Obst gibt es viel, wovon sie Obst-
most bereiten; und die Viehzucht sichert den häuslichen Bedarf.
   Der Ort liegt, wie gesagt, über zwei Stunden südlich von
Amstetten ganz flach, zunächst Perbersdorf und dem Markte
Neuhofen, vom letzteren nur 150 Schritte entfernt, in einer

11 *

ländlich schönen Gegend, die auch gesundes Klima und gutes Wasser enthält. In hiesiger Gegend, bei der Nähe der Gebirge, liefert die Jagd Rehe, Füchse, Hasen, Rebhühner und auch Schnepfen, die ein Regale der Herrschaft Ulmerfeld ist.

Dieser Ort ist nicht so alt, wie der Markt gleiches Namens, erhielt aber die Benennung von letzteren, und ob seiner tiefern Lage den Namen: »Nieder-Neuhofen.«

Perbersdorf.

Ein kleines Dörfchen von 6 Häusern, mit der nächsten zwei Stunden entfernten Poststation Amstetten.

Der Ort ist zur Pfarre und Schule nach Neuhofen gewiesen. Als Landgericht, Orts- und Conscriptionsobrigkeit wird die Herrschaft Ulmerfeld bezeichnet. Grundbdominien sind: Ulmerfeld, Haagberg und die Sindelburg. Der Werbkreis gehört zum 49. Linien-Infanterie-Regiment.

Die Einwohnerzahl enthält 7 Familien, 14 männliche, 15 weibliche Personen, nebst 4 schulfähigen Kindern; der Viehstand: 2 Pferde, 12 Ochsen, 13 Kühe, 34 Schafe und 30 Schweine.

Mit einer mittelmäßigen Bestiftung versehen, haben die hiesigen Bewohner Feldbau der gewöhnlichen Körnerfrüchte, eine Obstpflege, und eine ziemlich gute Viehzucht mit Anwendung der Stallfutterung.

Perbersdorf besteht aus Bauernhäuser und ist flach gelegen nächst Schindau und Nieder-Neuhofen, eine halbe Stunde vom Markte Neuhofen. Die hiesige Gegend ist schön; das Klima mild und das Wasser gut. Die Jagdbarkeit gehört zur Herrschaft Ulmerfeld.

Pfossendorf.

Ein aus 7 Häusern bestehendes Oertchen, dessen nächste, zwei Stunden entfernte Poststation, Amstetten ist.

Dasselbe ist nach Neuhofen eingepfarrt und eingeschult. Landgericht, Orts=, Grund= und Conscriptionsobrigkeit ist die Herrschaft Ulmerfeld. Der Werbkreis gehört zum 49. Linien= Infanterie=Regiment.

Hier leben in 8 Familien 16 männliche, 20 weibliche Personen und 5 schulfähige Kinder. Diese besitzen an Vieh= stand: 10 Pferde, 5 Ochsen, 19 Kühe 50 Schafe, 2 Ziegen und 35 Schweine.

Die Einwohner sind Landbauern, welche sich vom Acker= bau, der Obstpflege und Viehzucht ernähren, bei welch' letz= terer die Stallfutterung in Anwenduug steht. Die Gründe gehören nur zur mittleren Gattung, auf welchen meist Korn und Hafer, ganz wenig Weizen gebaut werden. — Klima und Wasser sind vortrefflich; die Jagd ist gut.

Das kleine Oertchen Pfossendorf hat eine flache Lage nächst Rampersdorf, Reichersdorf, Hausmening und Ulmer= feld, und liegt nur eine Viertelstunde vom Pfarrorte Neu= hofen entfernt. Die Gegend ist nicht unangenehm, auch be= stehen die nöthigsten Verbindungswege.

Puchberg.

Eine Rotte von 34 zerstreuten Häusern, mit der näch= sten, über zwei Stunden entfernten Poststation Amstetten.

Zur Kirche gehören solche nach St. Leonhard am Wald, mit der Schule zum Theil nach dem Markte Randegg, und die näher gelegenen Häuser nach St. Leonhard am Wald. Das Landgericht, die Orts=, Grund= und Conscriptionsobrig=

keit ist die Herrschaft Ulmerfeld. Der Werbkreis gehört zum 49. Linien-Infanterie-Regiment.

Die Seelenzahl beläuft sich auf 40 Familien, 100 männliche, 105 weibliche Personen und 34 schulfähige Kinder; der Viehstand zählt 90 Ochsen, 68 Kühe, 139 Schafe und 160 Schweine.

Die Einwohner sind Bauern, welche die Feldwirthschaft und Hornviehzucht treiben, bei welch' letzterer die Stallfutterung in Anwendung steht. Die Gründe sind nur mittelmäßig in Bezug auf Ertragsfähigkeit zu zählen, die meist mit Korn und Hafer bebaut werden. Sowohl Klima als Wasser sind gut und von der besten Beschaffenheit; die Jagd ist herrschaftlich.

Diese Rotte besteht aus lauter zerstreuten Bauernhäusern im Gebirge, wovon die nächsten Ortschaften die Märkte Randegg, Ipsitz und Neuhofen sind. Die Entfernung dieser Bauernhäuser vom Pfarrorte beträgt größten Theils mehr als eine Stunde.

Rampersdorf.

Ein kleines Oertchen von 4 Häusern, mit der nächsten Poststation Amstetten.

Dasselbe gehört zur Pfarre und Schule nach Neuhofen. Das Landgericht, die Orts- und Conscriptionsobrigkeit ist die Herrschaft Ulmerfeld, welche auch mit Freidegg die einigen behausten Unterthanen besitzt. Der Werbkreis gehört zum Linien-Infanterie-Regiment Nr. 49.

Hier leben in 4 Familien, 15 männliche, 17 weibliche Personen nebst 6 schulfähigen Kindern. Diese besitzen 8 Pferde, 8 Ochsen, 17 Kühe, 34 Schafe und 20 Schweine.

Die Bewohner beschäftigen sich mit dem Ackerbau, etwas Obstpflege und der Viehzucht, die gut ist, und wobei die Stallfutterung Statt findet. Es werden an Fruchtkörnergattungen blos Korn und Hafer gebaut. — Die hiesige Gegend ist angenehm und enthält nebst einem gemäßigten Klima auch gutes Wasser. — Das Jagdrevier gehört zur Herrschaft Ulmerfeld.

Rampersdorf mit seinen vier Häusern liegt flach nahe bei Diepersdorf und Pfossendorf, eine Viertelstunde vom Pfarrorte Neuhofen, wozu die nöthigen Verbindungswege bestehen.

Randegg.

Ein Markt von 30 Häusern, mit der nächsten Poststation Kemelbach, die drei Stunden entfernt ist.

Kirche und Schule befinden sich hierselbst. Diese gehören in das Decanat Scheibs, das Patronat von ersterer ist landesfürstlich. Das Landgericht, die Orts= und Grundherrschaft ist Ulmerfeld; die Conscriptionsobrigkeit Wolfpassing. Der hiesige Bezirk gehört zum Werbkreise des Linien=Infanterie-Regiments Nr. 49.

Die Seelenzahl beträgt 33 Familien, 82 männliche, 85 weibliche Personen, nebst 15 schulfähigen Kindern; diese besitzen einen Viehstand von 8 Pferden, 8 Ochsen, 4 Kühen, 35 Schafen und 54 Schweinen.

Die meisten der hiesigen Einwohner sind Gewerbs= und Handelsleute, woraus der sehr geringe Viehstand sich erklären läßt. Die wenigen vorhandenen Bauern treiben den Feldbau, der aber nur Korn und Hafer liefert, und deren fruchtbarsten Gründe im Thale, von der kleinen Erlaf durchflossen, oft plötzlich durch Ueberschwemmungen schadenvolle Einwirkungen erleiden. Die Bewohner unterhalten zwar eine Obstbaumzucht, allein die Frühjahrsfröste zerstören nicht selten ihre Hoffnungen; gleichsam zur Entschädigung dagegen, besitzen sie einen gut erhaltenen Gemeindewald. — Hier werden 2 Krä-

mer, 2 Bäcker, 1 Fleischhauer, 1 Zimmermeister, 1 Maurer-
meister, 1 Lederer, 1 Hufschmied, 2 Schneider, 2 Schuhmacher, 2 Leinweber 2c. getroffen.

Das kleine Märktchen Randegg ist in einem beschränk-
ten Thale, welches von dem Hochkogel-, Mitter- und
Franzensreitherberge umschlossen wird, an der kleinen Erlaf, welche hier den Schliefaubach aufnimmt,
gelegen, durch welches Thal auch die Grestener-Commerzial-
straße hinzieht. Eine Stunde nördlich liegt Perwarth, und
eben so weit südlich der belebte Markt Gresten. — Sonderbar
ist es, daß hier nur kalkhältiges Wasser getroffen wird. —
Das Klima ist in diesem Thale ziemlich gemäßigt, allein,
wegen der Nähe der Gebirge sehr veränderlich, daher denn
auch die Früchte oft nachtheiligen Frösten im Frühjahre ausgesetzt sind. — Es werden hierselbst zwar vier Jahrmärkte abgehalten, an sogenannten Kirchtagen, jedoch ohne Privilegium.

Die Pfarrkirche liegt gleich außerhalb des Marktes,
an der oben erwähnten Commerzial-Straße, und besteht zu
Ehren der heiligen Jungfrau Maria am Moos. Die
Bauart derselben ist uralt und gothischen Styles mit einem
Gewölbe ohne Säulen von Innen, und mehreren Strebepfei-
lern von Außen. Hanthaler berichtet, daß Adelhaid von
Reinsperg die hiesige Kirche ungefähr 1296 gestiftet habe,
welches Alter ganz der altgothischen, sehr ehrwürdigen Form
entspricht. An der Außenseite des Thurmes befindet sich die
Jahreszahl 1498 angebracht, woraus erhellet, daß der Thurm
erst nach hundert Jahren hinzu gebaut wurde. Die innere
Ausschmückung enthält einen Hochaltar von Holz mit mar-
morirten Säulen und vergoldeten Verzierungen; ober dem
Hauptaltarblatte ist das Bildniß der allerheiligsten Dreieinigkeit angebracht, und zu beiden Seiten am Altare stehen große von Holz geschnitzte Statuen, den heiligen Jo-

hann von Nepomuck und Anton darstellend. Von den beiden vorhandenen Seitenaltären besteht einer zur Mutter Anna, der andere zum heiligen Anton von Padua. Ersterer soll im Jahre 1716 von einer Gräfin von Salaburg hierher verehrt worden seyn, wie aus einer alten Handschrift eines Pfarrers hervorgeht; letzterer wurde aus der nebenstehenden Capelle übersetzt.

Merkwürdigkeiten sind keine vorhanden, als eine schöne Monstranze, welche von der verwitweten Kaiserin Wilhelmine Amalie, Gemahlin Kaiser Josephs I. der Kirche geschenkt wurde.

Unweit der Kirche an der einen Ecke des Kirchhofes, steht eine uralte entweihte Capelle, welche vor etwa 50 Jahren an einen Privatmann verkauft, nach einigen Jahren aber von diesem wieder der Kirche geschenkt wurde. — In früheren Zeiten war Randegg ein Gnaden= und Wallfahrtsort, wie dies die vorhanden gewesenen Votivtafeln und vielen Votivopfer bewiesen haben.

Zur hiesigen Pfarre sind einbezogen: Randegg, das Dorf Perwarth ½, dann die Rotten: Franzenreith von 1 bis 2½, Hinterleiten von ¼ bis 1, Hochkoglberg von ¼ bis 1¼, Mitterberg von ¼ bis 1½, Puchberg von ½ bis 1¼, Schliefau von ¼ bis 1 und Steinholz ¾ Stunden entfernt.

Der Gottesdienst wird gegenwärtig von einem Pfarrer, dem hochwürdigen Herrn Georg Arocker mit einem Cooperator versehen.

Der Markt Randegg ist ein sehr alter Ort, und erhielt den Namen von einer Veste, die am Rande des Berges stand, und daher Randegg benannt wurde, aber seit Jahrhunderten schon dergestalt verfallen ist, daß man keine Spur mehr sieht. Ein adeliges österreichisches Geschlecht, welches sich von dieser Burg den Namen beilegte, gründete diese Veste als

ihre Stammburg, die aber sammt dem Markte und aller Zu=
behör im Jahre 1263 dem Erz = Stifte Freising durch En=
gelschalk von Reinsperg geschenkt wurde. Seit dieser
Zeit, also durch beinahe 600 Jahre gehört Randegg zur
Herrschaft Ulmerfeld. Von diesem obberühmten Geschlechte,
dessen Sprossen sich freie Männer von Randegg nann=
ten, werden Otto, im Jahre 1229; Jörg und sein Sohn
Andrä, im Jahre 1366; Marquart, im Jahre 1383;
Veit und Benedict von Randegg, noch im Jahre
1459 in Urkunden gefunden.

Wie wir gesehen haben, so kam ihr Stammsitz zeitlich in
andere Hände, nämlich in die der Reinsperg, dagegen aber
besaßen die Herren von Randegg den Perzlhof, der je=
tzigen Herrschaft Auhof gehörig, bis in das XV. Jahr=
hundert.

Von welch' hohem Alter Randegg ist, beweist eine Ur=
kunde Kaiser Conrads II. vom Jahre 1033, in welcher der
heutige Schliefaubach, der sich hier beim Markte mit
der kleinen Erlaf vereinigt, Rudniosa, das Gebirg aber,
welches das Randegger=Thal bildet, Ruznic genannt
wurde.

Reichersdorf.

Ein Dörfchen von 7 Hausnummern, mit der nächsten
über zwei Stunden entfernten Poststation Amstetten.

Der Ort gehört zur Pfarre und Schule nach Neuhofen.
Das Landgericht, die Orts = und Conscriptionsobrigkeit be=
sitzt die Herrschaft Ulmerfeld, welche auch mit Haagberg und
der Pfarre Waidhofen, die wenigen behausten Unterthanen be=
sitzt. Der Werbkreis gehört zum 49. Linien=Infanterie=Re=
giment.

Hier befinden sich 8 Familien, 22 männliche, 22 weib=
liche Personen und 5 schulfähige Kinder; der Viehstand ent=

hält 8 Pferde, 10 Ochsen, 21 Kühe, 58 Schafe und 35 Schweine.

Die Einwohner sind Landbauern, welche sich mit der Feldwirthschaft beschäftigen; sie bauen Weizen, Korn und Hafer, und treiben eine gute Viehzucht mit Anwendung der Stallfutterung, die über den Hausbedarf reicht.

Reichersdorf, aus lauter Bauernhäusern mit Stroh gedeckt, bestehend, liegt unfern Frieberstetten und Pfossendorf, eine Viertelstunde vom Markte Neuhofen entfernt, in einer angenehmen und gesunden Gegend, die auch gutes Wasser enthält. — Die Feldjagd im hiesigen Revier liefert blos Hasen und Rebhühner.

Scherbling.

Eine aus 15 Häusern bestehende Rotte, wovon Amstetten die nächste Poststation, jedoch zwei und eine halbe Stunde davon entfernt liegt.

Diese ist nach Neuhofen eingepfarrt und eingeschult; das Landgericht, die Orts= und Conscriptionsobrigkeit ist Ulmerfeld. An Grunddominien sind verzeichnet: Ulmerfeld, Kröllendorf, Freibegg, Spital in Ullmerfeld und die Pfarre Waidhofen. Der Werbkreis gehört zum 49. Linien=Infanterie=Regiment.

In 13 Familien leben 35 männliche, 40 weibliche Personen und 17 schulfähige Kinder. Der Viehstand zählt 26 Ochsen, 30 Kühe, 59 Schafe und 70 Schweine.

Die landwirthschaftlichen Zweige der hiesigen Einwohner bestehen im Feldbau der gewöhnlichen Körnerfrüchte, einer guten Viehzucht und Obstpflege.

Die Rotte Scherbling besteht aus zerstreuten Bauerngehöften und liegt auf einer Anhöhe bei Frieberstetten und Walmersdorf, eine Stunde von Neuhofen. — Gesundes Klima und gutes Waſſer ſind vorherrſchende Züge dieſer Gegend; in der die Jagdbarkeit Haſen und Rebhühner liefert.

Schindau.

Ein Dorf von 11 Häuſern, wovon Amſtetten die nächſte Poſtſtation, jedoch zwei und eine halbe Stunde entfernt iſt.

Zur Kirche und Schule gehört daſſelbe nach Neuhofen. Das Landgericht, die Orts- und Conſcriptionsobrigkeit iſt Ulmerfeld, die auch mit Haagberg und Pfarre Neuhofen die behauſten Unterthanen beſitzt. Der Werbkreis gehört zum 49. Linien-Infanterie-Regiment.

Die Bevölkerung beſteht in 13 Familien, 35 männlichen, 37 weiblichen Perſonen und 8 ſchulfähigen Kindern. Dieſe beſitzen 7 Pferde, 28 Ochſen, 36 Kühe, 100 Schafe und 65 Schweine.

Als Landbbauern treiben die Einwohner die Feldwirth-ſchaft, wobei ſie an Körnerfrüchten Weizen, Korn, Gerſte, Hafer und Wicken fechſen, eine ſehr gute Viehzucht, wovon Hornvieh verkauft wird, und etwas Obſtpflege.

Schindau liegt in der Fläche, gleichwie Reichersdorf, zunächſt Unter-Hömbach und Perbersdorf, drei Viertelſtun-den von Neuhofen, in einer freundlichen Gegend, die geſun-des Klima und gutes Waſſer enthält. Die Jagd iſt ein Ei-genthum der Herrſchaft Ulmerfeld, und liefert Haſen und Rebhühner.

Schliefau.

Ein Dorf von 19 Häuſern, wovon Amſtetten die nächſte Poſtſtation, jedoch zwei und eine halbe Stunde entfernt iſt.

Der Ort iſt zur Pfarre und Schule nach Randegg an-gewieſen. Das Landgericht und die Ortsobrigkeit iſt die Herrschaft Ulmerfeld, welche mit Reinsperg die hierorts behausten Unterthanen besitzt. Der Werbkreis gehört zum 49. Linien-Infanterie-Regiment.

In 27 Familien befinden sich 82 männliche, 85 weibliche Personen und 15 schulfähige Kinder; der Viehstand enthält 32 Ochsen, 37 Kühe, 72 Schafe und 61 Schweine.

Die hiesigen Einwohner befassen sich mit dem Ackerbau, der blos Korn und Hafer liefert, wozu auch an den Ufern des Schliefaubaches fruchtbare Gründe liegen, weit besser als jene an den Bergen, die jedoch den Verwüstungen durch Ueberschwemmung dieses Waldbaches ausgesetzt sind. Die Viehzucht ist ziemlich erträglich, dagegen gibt es sehr wenig Obst, denn der größte Theil der Grundfläche enthält Weide und Wald.

Der Ort liegt am Fuße des Hochkoglberges, und zwar an seiner westlichen Abdachung, eine halbe Stunde vom Markte Randegg in einem Thale am Schliefaubache.— Das hiesige Klima ist gemäßigt, das Wasser gut. — Der Jagdnutzen besteht in Rehen Hasen und Rebhühnern.

Schönbühel.

Eine aus 39 zerstreuten Häusern bestehende Rotte, wovon Amstetten als die nächste Poststation, ein und eine halbe Stunde entfernt ist.

Diese Rotte gehört zur Pfarre und Schule nach Amstetten. Das Landgericht wird durch die Herrschaft Seisenegg ausgeübt, die Ortsherrlichkeit besitzt Ulmerfeld; Conscriptionsobrigkeit ist der Magistrat in Amstetten. Grunddominien sind: Ulmerfeld, Auhof, Haagberg, Sooß, Heinstetten und Kröllendorf. Der hiesige Bezirk gehört zum Werbkreise des 49. Linien-Infanterie-Regiments.

Die Bevölkerung besteht in 53 Familien, 108 männlichen, 120 weiblichen Personen und 25 schulfähigen Kindern;

diese besitzen an Viehstand: 15 Pferde, 70 Ochsen, 97 Kühe, 201 Schafe und 73 Schweine.

Die landwirthschaftlichen Zweige der hiesigen Einwohner sind der Feldbau, die Obstpflege und Viehzucht; ersterer liefert Weizen, Korn, Gerste, Hafer und Wicken, wozu gute Gründe vorhanden sind. Obst gibt es sehr viel, und so auch Wälder; die Viehzucht ist vortrefflich mit Anwendung der Stallfutterung.

Schönbühel, von den malerischen Anhöhen so benannt, liegt ganz zerstreut auf Hügeln und in Thälern, östlich und südlich an Euratsfeld, westlich an die Rotte Haag und nördlich an den Ipsfluß grenzend, der hier nebst der Zauch die Ortsfreiheit durchfließt. Es wird sehr gutes Klima und Wasser getroffen. — Das Ergebniß der Jagdbarkeit ist ein Regale der Herrschaft Ulmerfeld.

Spiegelsberg.

Ein aus 11 Häusern bestehendes Dorf, wovon Amstetten die nächste Poststation ist.

Dieser Ort gehört zur Pfarre und Schule nach Aschbach. Das Landgericht, die Grund- und Ortsherrlichkeit besitzt die Herrschaft Ulmerfeld, Conscriptionsobrigkeit ist der Markt Aschbach. Der Werbkreis gehört zum 49. Linien-Infanterie-Regiment.

In 13 Familien leben 30 männliche, 19 weibliche Personen und 9 schulfähige Kinder; der Viehstand zählt 10 Pferde, 12 Ochsen, 43 Kühe, 44 Schafe und 45 Schweine.

Die Bewohner beschäftigen sich mit der Feldwirthschaft und bauen an Körnerfrüchten etwas Weizen, größtentheils aber Korn und Hafer und in den Schottergründen Heiden. Die Feldgründe hierzu sind an den Anhöhen gut, in den Niederungen aber, eben der Schotterlage wegen, wenig ertragsfähig. Obst trifft man wenig, jedoch desto mehr Waldungen mit Nadelholz besetzt. Die Viehzucht betreffend, so ist solche vortrefflich und der Produktionskraft des Bodens angemessen.

Spiegelsberg liegt in einer Ebene, die von kleinen Anhöhen durchschnitten wird, und wobei der Urlfluß den Ort begrenzt. Die nächsten Dörfer sind Mayerhofen, Gunersdorf, Galtberg, Gobotsmühle und Oehling. — Die Gegend ist wunderschön und das Klima gesund, jedoch wegen dem angrenzenden Gebirge in der Produktion gegen die Gegend des flachen Landes um vierzehn Tage zurück. Das Wasser ist sehr gut. — Die Jagd, ein Eigenthum der Herrschaft Ulmerfeld, liefert Rehe, Hasen und Federwild.

Stein.

Ein Dorf aus 19 zerstreuten Häusern bestehend, wovon Amstetten als die nächste Poststation, ein und eine halbe Stunde entfernt ist.

Zur Kirche und Schule ist der Ort nach dem nahen Ulmerfeld angewiesen. Das Landgericht, die Orts=, Grund= und Conscriptionsobrigkeit ist die Herrschaft Ulmerfeld. Der Werbgehört zum 49. Linien = Infanterie - Regiment.

In 25 Familien befinden sich 60 männliche und 65 weibliche Personen nebst 17 schulfähigen Kindern; der Viehstand zählt 10 Pferde, 19 Kühe, 42 Schafe und 95 Schweine.

Die Einwohner sind Bauern, die Mehrzahl derselben beschäftigen sich aber mit Taglöhnerarbeiten. Indessen wird doch etwas Feldbau, und in so ferne Viehzucht getrieben, als es ihr Hausbedarf erfordert.

Die Rotte Stein liegt vom Markte Ulmerfeld ungefähr 200 Schritte abwärts zunächst dem Ipsflusse, so, daß sie gleichsam an den Markt gränzet, und besteht blos aus schlech=

ten Taglöhnerhäuschen. An der Ips hier steht die sogenannte Hofmühle, und das zum Markte Ulmerfeld gehörige
Mauthhaus, bei welcher die vom Markte nach Waidhofen
führende Straße sich über die Brücke hinzieht. — Luft und
Waffer sind sehr gut; die Jagd liefert Hasen und Rebhühner.

Steinholz.

Eine Rotte von 16 Häusern, wovon Amstetten zwei und
eine halbe Stunde entfernt liegt, als die betreffende nächste
Poststation.

Diese ist nach St. Leonhard am Wald eingepfarrt und
eingeschult. Das Landgericht, die Orts = und Conscriptionsobrigkeit ist die Herrschaft Ulmerfeld, welche auch mit Kröllendorf und der Pfarre Neuhofen die behausten Unterthanen
und Grundholden besitzt. Der Werbkreis gehört zum 49. Linien = Infanterie = Regiment.

Hier leben 22 Familien, 60 männliche, 58 weibliche Personen nebst 25 Schulkindern. Der Viehstand zählt 46 Ochsen,
36 Kühe, 80 Schafe und 76 Schweine.

Die Einwohner nähern sich in Gebrauch und Sitten den
Waldbauern, beschäftigen sich auch mit dem Feldbau, der ihnen etwas Weizen, meist aber Korn, Gerste, Hafer und Wicken liefert, und unterhalten eine mittelmäßige Viehzucht, wobei Stallfutterung in Anwendung steht.

Diese Rotte besteht aus lauter zerstreuten Bauernhäusern
im Gebirge, wovon die nächsten Ortschaften die Märkte Ipsitz, Randegg und Neuhofen sind, während der Pfarrort St.
Leonhard am Wald ein und eine halbe Stunde davon entfernt liegt. — Das Klima ist zwar etwas rauh, aber die Luft
rein und gesund; das Waffer gut. — Die Jagd, ein Eigenthum der Herrschaft Ulmerfeld, liefert Rehe, Hasen, Rebhühner und auch Füchse.

Steinkeller.

Eine aus 19 Häusern bestehende Rotte, mit der nächsten zwei und eine halbe Stunde entfernten Poststation Amstetten.

Zur Pfarre und Schule gehört dieselbe nach St. Leonhard am Wald. Das Landgericht, die Grund-, Orts- und Conscriptionsobrigkeit ist die Herrschaft Ulmerfeld. Der Werbkreis gehört zum 49. Linien-Infanterie-Regiment.

Es befinden sich hier 26 Familien, 60 männliche, 62 weibliche Personen und 22 Schulkinder. Diese besitzen einen Viehstand von 78 Ochsen, 58 Kühen, 149 Schafen und 76 Schweinen.

Die hiesigen Bewohner ernähren sich vom Ackerbau und der Viehzucht, welche letztere gut genannt werden darf. Nicht besonders ertragsfähig sind ihre Gründe, welche wenig mit Weizen, meist mit Korn und Hafer bebaut werden.

Die Rotte Steinkeller besteht in zerstreuten, mit Stroh gedeckten Bauernhäusern, welche im Gebirge liegen, wobei die nachbarlichen Ortschaften die Märkte Randegg, Ipsitz und Neuhofen sind. — Das Klima ist gesund, das Wasser gut. Der Jagdnutzen besteht in Rehen, Füchsen, Hasen und Rebhühnern.

Thall,

auch Ober-Thall genannt, eine Rotte von 10 Häusern, mit der nächsten, zwei Stunden entfernten Poststation Amstetten.

Zur Pfarre und Schule gehört der Ort nach Neuhofen. Das Landgericht, Orts-, Grund- und Conscriptionsobrigkeit ist die Herrschaft Ulmerfeld. Der Werbkreis gehört zum Linien-Infanterie-Regiment Nr. 49.

12

In 11 Familien leben 33 männliche, 37 weibliche Personen und 12 schulfähige Kinder. Der Viehstand besteht in 14 Ochsen, 19 Kühen, 38 Schafen und 50 Schweinen.

Die Bewohner ernähren sich von der Feldwirthschaft und der Viehzucht. Erstere liefert bei den vorhandenen ziemlich guten Gründen etwas Weizen, dann Korn, Hafer und Wicken; letztere wird mit Stallfutterung besorgt und umfaßt blos den Bedarf des Landmanns.

Die Rotte liegt in einer fruchtbaren freundlichen Ebene, zunächst Kreilling und Trautmannsberg, drei Viertelstunden vom Pfarrdorfe Neuhofen entfernt. — Klima und Wasser sind gut; auch der Jagdnutzen ist ergiebig und ein Eigenthumsrecht der Herrschaft Ulmerfeld.

Toberstetten.

Eine aus 16 zerstreuten Häusern bestehende Rotte, wovon Amstetten, als die nächste Poststation, zwei Stunden entfernt ist.

Zur Pfarre und Schule gehört dieselbe nach Neuhofen, obschon eine Filialkirche hierorts sich befindet. Das Landgericht, die Orts- und Conscriptionsherrschaft ist Ulmerfeld, welche auch nebst Freidegg, der Pfarre Neuhofen und dem Spitale im Markte Ulmerfeld, die behausten Unterthanen und Grundholden besitzt. Der Werbkreis gehört zum 49. Linien-Infanterie-Regiment.

In 18 Familien befinden sich 48 männliche, 52 weibliche Personen und 14 schulfähige Kinder; der Viehstand zählt 30 Ochsen, 31 Kühe, 59 Schafe und 80 Schweine.

Die hiesigen Bewohner beschäftigen sich mit dem Ackerbau, der Obstpflege und der Viehzucht. Bei ersteren bauen sie Weizen, mehr Korn, Hafer und Wicken, wozu die Gründe mittelmäßig sind; das Obst wird zum Most verwendet, und

bei letzterem Zweige wir durchaus die Stallfutterung angewendet. Die vorräthigen Körnerfrüchte und das junge Vieh
werden nach Waidhofen an der Ips zum Verkaufe gebracht.

Der Ort Toberstetten besteht aus zerstreuten, mit
Stroh gedeckten Bauernhäusern, und liegt im Gebirge nächst
Brandstetten, Hiesbach und Hörlesberg, eine halbe Stunde
vom Pfarrorte Neuhofen. Das Klima ist sehr gut, das Was-
ser vortrefflich. — Die Jagd liefert Rehe, Hasen, Füchse und
Rebhühner, und ist ein Egenthum der Herrschaft Ulmerfeld.

Die hiesige Filialkirche, dem heiligen Vitus zu Ehren
geweiht, ist, nach Angabe des hochwürdigen Herrn Pfarrers zu
Neuhofen, älter als die Mutterpfarre Neuhofen, und reicht
gewiß bis in die Zeiten Kaiser Carls des Großen. Sie
liegt höchst anmuthig auf einem kleinen Berge, weßhalb sie
in beträchtlicher Entfernung sichtbar ist, und befindet sich, ungeachtet ihres außerordentlichen hohen Alters, im guten Bau-
stande. Sie ist regelmäßig im altgothischen Style erbaut, und
mit einem Thurme versehen, worin sich zwei Glocken befinden.
Nebst dem Hochaltar enthält das Innere noch zwei Seitenaltäre, einer zur heiligsten Dreifaltigkeit, der
andere Maria Hilf benannt.

Wie alle derlei Filialen und Capellen, wurde auch das
hiesige Kirchlein zu Kaiser Josephs II. Zeiten im Jahre
1783 öffentlich verkauft, und von einem Pfarrholden, Namens Joseph Aigner, Müller in Zauch, um den Betrag
von hundert Gulden wieder eingelöst, und zum Gottesdienst
verwendet, der auch des Jahres fünf Mal von Neuhofen aus
ordentlich abgehalten wird.

Trautmannsberg.

Ein kleines Dörfchen von 4 Häusern, wovon Amstetten,
als die nächste Poststation, zwei und eine halbe Stunde entfernt ist.

12 *

Dasselbe ist nach Neuhofen eingepfarrt und eingeschult. Das Landgericht, die Orts=, Grund= und Conscriptionsobrigkeit ist die Herrschaft Ulmerfeld. Der hiesige Bezirk gehört zum Werbkreise des 49. Linien=Infanterie=Regiments.

Hier befinden sich 6 Familien, 12 männliche und 11 weibliche Personen nebst 5 schulfähigen Kindern; der Viehstand zählt 8 Ochsen, 8 Kühe, 13 Schafe und 20 Schweine.

Die Einwohner sind Bauern mit einer mittelmäßigen Grundbestiftung, welche den Feldbau der gewöhnlichen Körnergattungen, etwas Obstpflege, und die zu ihrem Hausbedarf nöthige Viehzucht mit Anwendung der Stallfutterung betreiben. Die Gründe gehören in die mittelmäßige Classe, welche mit Weizen, Korn, Gerste, Hafer und Wicken bebaut werden.

Das Oertchen Trautmannsberg, von der örtlichen Lage so benannt, liegt auf einer Anhöhe zunächst Ober=Thall, Kreilling und Perbersdorf, eine halbe Stunde von Neuhofen, zu welchen Ortschaften die nöthigen Verbindungswege bestehen. — Die Gegend ist anmuthig, das Klima gesund, das Wasser sehr gut. — Der Jagdnutzen in Rehen, Hasen und Rebhühnern bestehend, ist ein Regale der Herrschaft Ulmerfeld.

Zauch.

Eine Rotte von 20 zerstreuten Häusern, wovon Amstetten, in einer Entfernung von drei Stunden, die nächste Poststation ist.

Diese ist zur Kirche und Schule nach St. Leonhard am Wald angewiesen. Das Landgericht, die Orts= und Conscriptionsobrigkeit ist Ulmerfeld, Grunddominien sind Ulmerfeld, Perwarth, Freidegg, die Pfarren Waidhofen und Neuhofen. Der Werbkreis gehört zum 49. Linien=Infanterie=Regiment.

In 25 Familien leben 50 männliche, 58 weibliche Personen und 22 schulfähige Kinder; der Viehstand zählt 54 Ochsen, 41 Kühe, 98 Schafe und 94 Schweine.

Als mittelmäßig bestiftete Bauern bestehen die landwirthschaftlichen Zweige der hiesigen Einwohner in Feldbau, etwas Obstpflege, und der zum eigenen Bedarf nöthigen Viehzucht, bei welcher Stallfutterung in Anwendung steht. Gebaut werden nur etwas Weizen, gewöhnlich aber Korn, Hafer und Wicken. Aus dem Obste wird Most bereitet.

Die Rotte Zauch, uralt und von dem Bache gleiches Namen also benannt, besteht in sehr zerstreuten mit Stroh gedeckten Häusern, und liegt im Gebirge in der Nähe der Märkte Ipsitz, Randegg, Neuhofen und St. Leonhard am Wald, welch' letzterer Pfarrort jedoch ein und eine Viertelstunde entfernt ist. — Gesundes Klima und vortreffliches Wasser sind vorherrschende Züge der hierortigen Gegend. — Die Jagd, Rehe, Füchse, Hasen und Rebhühner liefernd, gehört zur Herrschaft Ulmerfeld.

Schallaburg.

Ein Dorf von 17 Häusern, mit einem herrschaftlichen Schlosse und die Herrschaft gleiches Namens, wovon Melk, anderthalb Stunden entfernt, und Loosdorf die nächsten Poststationen sind.

Ort und Schloß gehören in die Pfarre und Schule nach Loosdorf. Das Landgericht, die Orts- und Conscriptionsobrigkeit ist die Herrschaft Schallaburg, welche mit dem Dominium Maßleinsdorf die hierorts behausten Unterthanen und Grundholden besitzt. Der Werbkreis gehört zum 49. Linien-Infanterie-Regiment.

Hier befinden sich 35 Familien, 84 männliche, 94 weibliche Personen und 21 schulfähige Kinder; der Viehstand zählt: 6 Pferde, 10 Ochsen, 29 Kühe, 37 Schafe, 2 Ziegen und 30 Schweine.

Die Einwohner sind Bauern, welche sich mit dem Ackerbau und der Viehzucht beschäftigen; zu ersteren Zweig sind nur höchst mittelmäßige Gründe vorhanden, daher auch blos Kern, Hafer und Linsfutter gebaut wird; bei letzterer steht die Stallfutterung in Anwendung.

Schallaburg liegt mit seinen mit Stroh gedeckten Häusern zerstreut, ziemlich gebirgig und hoch in einer schönen Gegend, zwischen Anzendorf und Sooß, in der Nähe von Merkersdorf und Schollach, ungefähr eine Stunde südwestlich vom Markte Loosdorf. — Klima und Wasser sind sehr gut, und da auch in der nahen Umgebung beträchtliche Wälder sich befinden, so ist der Jagdnutzen, ein Regale der Herrschaft Schallaburg, ergiebig, und liefert Rehe, Hasen, Rebhühner, Schnepfen und anderes Wildgeflügel.

Eine vorzügliche Beachtung verdient das Schloß von Schallaburg, welches sich dem Wanderer auf seinem Wege von St. Pölten über Loosdorf einladend darstellt, und zu den vielen Herrlichen und Schönen gehört, welches man in der mit Recht gerühmten Gegend hier von Melk reichlich findet. Wir haben unsern verehrten Lesern bereits getreulich mitgetheilt, was in dem engen Umkreis von drei Stunden für interessante Gegenstände enthalten sind, nämlich die herrliche Prälatur Melk, die Ruinen von den einst wichtigen Burgen Hohenegg und Osterburg, dann ein reicher Kranz von malerisch gelegenen herrschaftlichen Schlössern, in neuerer Zeit durch neuere Formen aus dem grauen Alterthume jugendlich erfrischt, wozu nun das große Schloß Schallaburg in die Reihe gestellt wird, welches ebenfalls kaum eine Stunde von Melk, über den Hirschberg und dessen Vorhügeln, in einer der freundlichsten und angenehmsten Gegend sich erhebt. — Auf der Reichspoststraße, außer der

Kreisstadt St. Pölten, kömmt man nach dem ansehnlichen Markte Loosdorf, und erblickt schon von hier aus Schallaburg sammt seinen Haupt= und weitschichtigen Nebengebäuden, auf einem Berge von mittlerer Höhe, frei und die ganze Gegend beherrschend. Außer dem genannten Markte führt ein ziemlich gebahnter Weg zwischen Feldern, Wiesen und Weingärten bis an den Schloßberg, wo er sich in einen halben Zirkel bis zu dem Eingange des Schlosses wendet. Das Schloß selbst ist von einem sehr weiten Umfange, und besteht aus mehreren Theilen oder Gebäuden, vorzüglich aus der alten und neuen Burg.

Die alte Burg ist sehr unregelmäßig gebaut, mit allen Spuren des hohen Alterthumes und der Ritterzeiten an den Gängen, Gemächern und deren Verzierungen; auch ist ihr Umfang sehr klein, und verschiedene Veränderungen und Ausbesserungen sind hier zu erkennen. Noch sind zwar einige Gemächer bewohnbar, doch scheint der Untergang des ganzen Gebäudes nicht gar ferne zu sein. Neben dieser alten Weste ist das neue Schloß aufgeführt, dessen Erbauung beiläufig gegen das das Ende des XV. Jahrhunderts fallen dürfte. Es ist ein Stockwerk hoch, und hat in selben sieben und zwanzig regelmäßige Zimmer, welche nach dem neuesten Geschmacke eingerichtet sind, und von dem Besitzer bewohnt werden, dann zu ebener Erde siebzehn Stücke, theils Wohnungen der Dienerschaft, theils Gewölbe. Da dieses Gebäude auf den Felsen erbaut ist, so bilden diese Gemächer schon ein Stockwerk, so, daß das Ganze ein hohes imposantes Ansehen erhält. Noch in dem innern Raum, ungefähr hundert Schritte von dem Hauptgebäude, steht ein zweites, einen Stock hohes Gebäude, welches zur Aufschüttung der Körner benützt wird. Der bestehenden Sage zufolge sollen zwei Brüder, Herren von Losenstein sich zertragen und jeder einen Trakt für sich bewohnt haben. Es kann allerdings wahr sein, den wir finden

wirklich im Jahre 1560 Achaz und Wilhelm von Losen=
stein als Besitzer der Schallaburg. Eine andere Sage
hat sich aus der grauen Vorzeit von diesem Schlosse erhal=
ten: Dieß Schloß soll nämlich einer menschlichen Mißgestalt
mit einem Hundskopfe angehört haben, welche an einer silbernen
Kette in einem der Gemächer angehängt war, und dessen Abbil=
dung sich noch an einer Reihe von Säulen in dem Schloßhofe be=
findet. Diese Sage hat jedoch ihren Ursprung wahrscheinlich von
dem Wappen des längst erloschenen Geschlechtes der Herren
von Losenstein erhalten, welche von den Grafen von Steier,
von denen sie gleich wie die edlen Herren von Hohenberg
abstammten, ein Pantherthier im Schilde führten, welches
durch den Steinmetz oder die Ausleger die Gestalt eines Hun=
des bekam. — An das letzterwähnte Gebäude gränzt der min=
der kunstreiche, aber sehr fruchtbare und nützlich angelegte
Schloßgarten, auf der Stelle der ehemaligen Rennbahn oder
Turnierplatzes, mit sehr hohen Mauern umgeben. Rückwärts
befindet sich ein niedriges Gebäude, welches Wandgemälde
aus dem alten Testamente enthält, und zur Zeit des Luther=
thums als Bethaus gedient haben mag. Außerdem befindet
sich im Schlosse eine Capelle, welche, nach Angabe der
herrschaftlichen Verwaltung, ungefähr in dem Jahre 1318 er=
baut worden ist. Ueberhaupt ist die Bauart des Schloßgebäu=
des, der darin befindlichen Keller und Gemächer äußerst merk=
würdig. — Ueber alle diese ansehnliche Gebäude ragt der große
und massive Wartthurm empor, und trotzet noch Jahrhunder=
ten der Zerstörung. Ein nebenstehendes, rundes abgetragenes
Gebäude führte den Namen Tempel, woraus man folgern
will, daß hier einst Tempelritter gehauset haben. Diese Mythe
ist jedoch nur eingebildet und daher falsch, denn wie wir
aus einer zweihundertjährigen Abbildung ersehen, war dieß
Gebäude nichts anders als ein runder Erker, zur Vertheidi=
gung sehr wohl gebaut.

Diese anſehnliche und große Burg, welche den ganzen Berg einnimmt, auf welchem ſie erbaut iſt, war äußerſt feſt, und für jene Zeiten faſt unbezwingbar. Als eine natürliche Wehre erheben ſich ſüdlich Berge und Wälder, und verhindern den Zugang. Den Eingang in das Schloß ſelbſt bewahrten ſieben Thore. Von der Oſtſeite iſt Schallaburg mit hohen Ringmauern und Thürmen, auf der Weſtſeite durch einen ſteilen Abhang, nördlich durch ein noch gegenwärtig feſtes Bollwerk, und ſüdlich durch einen Graben, über welchen die Aufzugbrücke führte, geſchützt. Alles beweiſt, daß Schallaburg ſchon in den früheſten Zeiten eine anſehnliche Burg und Beſitzung war, deren Eigenthümer unter die Erſten des Landes gehörten.

Die Lage von Schallaburg iſt übrigens eine der angenehmſten und herrlichſten; und eben ſo ſchön iſt die Ausſicht von dieſem Schloſſe auf die Umgebung. Eine weite Strecke, in welcher Wieſen, Felder, Hügel, Auen, Weingärten und Ortſchaften in bunten lieblichen Formen abwechſeln, verbreitet ſich öſtlich hin, nördlich über der Reichsſtraße zeiget ſich der große und volkreiche Markt Loosdorf, hinter ſelben das Schloß Albrechtsberg, und in weiter Entfernung, jenſeits der Donau, der ſich weit und mächtig dehnende, 3030 Fuß hohe Berg Jauerling. In verſchiedener Richtung erblickt man die Dörfer Anzendorf am Fuße des Schloßberges, entfernter Roggendorf, Merkendorf, Schollach, vor Zeiten ein Edelſitz, von dem ein ritterliches Geſchlecht den Namen führte. Gegen Weſt und Nord erhebet ſich der Hirſchberg und Wachtberg (eigentlich Wartberg); mehrere kleine Bäche und der Pielachfluß beſpülen dieſe Gegend, und geben ihr noch einen höhern belebenderen Reiz. Sehr romantiſch iſt die Anſicht gegen die eine halbe Stunde entfernte Ruine von Sichtenberg. Die ganz wenigen Ueberreſte geben deutlich das Bild der nur allzugewiſſen Vergänglichkeit, während die stolze Nachbarin zum Theile sich noch erhalten, zum Theil im Laufe der Zeiten neu erhoben hat.

Ueber die Erbauung und den Ursprung dieser Veste läßt sich das Dunkel der Vergangenheit auf eine gewisse und lichtvolle Art nicht erhellen. Indessen ist das Gebiet, worin diese Burg als Hauptsitz lag, als eine sehr alte Grafschaft bekannt, welche nach Kaiser Carl des Großen Systeme von ihm in der Ostmark (heutiges Oesterreich unter der Ens) zur Abhaltung der aus Ungarn von Zeit zu Zeit vordringenden Feinde errichtet wurde. Späterhin wurde unsere Markgrafschaft, nachdem die beiden Grenzgrafen Wilhelm und Engelschalk die dem Grenzgrafenamte in der Ostmark mit vielem Ruhme vorstanden (Wilhelmus et Engilschalcus germani fratres comites videlicet quondam strenui terminales. Urkunde vom Jahre 893) mit dem Tode abgegangen waren, zur Verwaltung dem Grafen Arbo oder Aribo übergeben. Es bringt sich hier die Frage auf, ob Arbo hier in Schallaburg oder in Wilhelmsburg, wo der Vorgänger Wilhelm residirte, oder wo sonst seinen Wohnsitz aufgeschlagen habe. Diese Frage vermögen wir nicht zu lösen, noch glauben wir, daß sie von andern gelöst werden wird. Ob also im IX. Jahrhundert hier schon eine Veste stand, ist ganz unentschieden, wohl aber zu vermuthen. Wie wir bereits wissen, haben die Ungarn, gleichwie die Hunnen aus Asien stammend, und sich zuerst in Dacien (heutiges Siebenbürgen) festsetzend, im Jahre 900 unsere Ostmark überschwemmt, und sogar die Ens überschritten, und erst, als ihre raubsüchtigen Einfälle in das Reich blutig zurückgewiesen wurden, wurde wider sie die Anesburg (Ensburg) erbaut. Ein erneuerter, noch kühnerer Einfall bis zum Lechfelde bei Augsburg, hatte im Jahre 955 zur Folge, daß die Ungarn von Kaiser Otto I. über die Ens zurückgetrieben wurden, daher sie Melk als ihre Grenzveste, unter der Benennung: die Eisenburg, erbauten. Dieß ist

Beweis genug, daß die hiesige Gegend vom Jahre 900 bis 983 von den damals noch rauhen Ungarn besetzt blieb, während welcher Zeit wir von Schallaburg gar nichts berichten können.

Als im Jahre 984 die Ungarn auch von Melk und sofort über die Leitha zurück gedrängt worden waren, kam der Bezirk um Melk, somit auch Schallaburg in das Eigenthum des Markgrafen und Befreiers Leopold I. des Erlauchten. Mit allem Grunde ist anzunehmen, daß entweder aus den alten Ueberresten, aus Carls Zeiten noch stammend, oder auch ganz neu, das noch vorhandene alte Schloß Schallaburg durch den Markgrafen erbaut wurde, zumal Schallaburg, aus mehreren Bestandtheilen bestehend, eine eigene, den österreichischen Markgrafen zuständige Grafschaft war. Sophie, die fünfte Tochter Leopolds III. des Schönen, welche zuerst an Herzog Heinrich von Kärnthen vermählt, dann im Jahre 1127 Witwe ward, ehlichte zum zweitenmale einen Grafen Sieghardt von Burghausen aus Baiern, bei welcher Gelegenheit sie als Morgengabe die Grafschaft Schalla oder Schallach (Schallaburg) von ihrem Bruder, dem regierenden Markgrafen Leopold IV. den Heiligen, erhielt. Sie gebar den Grafen Heinrich, welcher sich Graf von Sala oder Scalach nannte. Am 20. April 1142 wurde sie abermal Witwe, und verstarb am 2. Mai 1154, ohne daß wir ihren Begräbnißort wissen. Graf Heinrich hatte zwei Söhne, welche sich Heinrich und Sieghardt Grafen von Schalla nannten, in Urkunden als Zeugen, und auch in einer Klosterneuburger Schenkungs=Urkunde erscheinen, wovon letzterer eine Schenkung zur bessern Unterhaltung ihrer Mutter und Schwester betrifft, welch' beide Nonnen in diesem Stifte waren. Die Brüder selbst starben erbenlos, worauf die Grafschaft Schallaburg wieder an den österreichischen Landesfürsten, nämlich an Herzog Leopold den Glorreichen, zurückfiel. Der Hauptstamm der

Grafen von Burghausen und Schalla erlosch mit Geb=
hard im Jahre 1164, worauf Heinrich der Löwe ihre
Güter sammt der Stammburg einzog.

Wir bemerken hierbei, daß noch jetzt ein Dorf, nahe an
Schallaburg grenzend, vorhanden ist, welches den Namen
Schallach führt und ohne Zweifel von dem Grafen von
Schala gegründet wurde. Es erscheint auch ein Rittergee=
schlecht unter diesem Namen, wovon Otto, Jans und Ul=
rich in den Jahren 1303 und 1356 bekannt werden, über die
von einigen Schriftstellern berichtet wird, daß sie Abköm=
linge der vorgenannten Grafen waren. Dieser Meinung er=
lauben wir uns gerade zu widersprechen, sondern glauben, daß
eine edle Familie im Besitze von Schallach (Schalla=
burg gekommen ist, ob lehenweise von dem Herzoge oder sonst
sich diesen Namen beigelegt habe, wie es damals meist üblich war.
Im J. 1374 erscheint schon Heinrich von Zelking als Be=
sitzer von Schallaburg, und im J. 1391 Albrecht von Zel=
king. Von diesem kam die Herrschaft im J. 1425 an Anna
von Losenstein, welche eine geborne von Zelking war, und an
ihre Schwester Elisabeth, verehlichte von Polheim. Bei
ersterer Familie verblieb sie durch zwei hundert Jahre, wel=
che als Herren und Grafen von Losenstein in großem
Ansehen stand, und von den alten Markgrafen von Steier
stammte. Dietmar von Steier hatte nach dem Tode
Friedrichs des Streitbaren die Stadt Steier, welche
seine Vorfahren lange inne gehabt hatten, wieder erobert.
König Ottokar von Böhmen, der Oesterreich nach der Mitte
des XIII. Jahrhunderts regierte, löste die Stadt Steier
mit Geld und Einräumung der Veste Losenstein ein, wor=
auf Dietmar den Namen von Losenstein annahm, und
ein neues Geschlecht bildete. Die uralte und berühmte Herr=
schaft Losenstein war dem deutschen Reiche einverleibt, und
ihre Besitzer mußten zwei Mann zu Pferd und zwei Mann

zu Fuß als Reichscontingent stellen. — Dieses Geschlecht theilte sich in zwei Linien, in die Herren von Losenstein und Losensteinleithen von Florian, und jene von Losenstein zu Gschwend von Rudolph von Losenstein. Die erste Linie erlosch mit Georg Wolfgang auf Schallaburg im Jahre 1635: die zweite mit Franz Anton Fürsten von Losenstein = Gschwend, welche Würde er kurz vor seinem Tode im Jahre 1692 von Kaiser Leopold I. erhielt. Von den Besitzern der Herrschaft von Losenstein zu Schallaburg erscheinen im J. 1464 Hartneid; im Jahre 1521 Sebastian; im Jahre 1542 Christoph von Losenstein, der auch Weissenburg und Sichtenberg besaß; im Jahre 1560 Achaz und Wilhelm; im Jahre 1571 Hans Wilhelm von Losenstein, unter welchem Weissenburg von Schallaburg getrennt, und dem Georg Achaz von Losenstein mit einer eigenen Einlage zugeschrieben wurde. Im Jahre 1602 erhielten Schallaburg die Erben des Hans Wilhelm, welche solche im Jahre 1614 an Georg von Stubenberg auf Karpfenberg verkauften. Da selber ohne leibliche Erben starb, kam diese Herrschaft im Jahre 1640 durch Erbschaft an seinen Bruder Wolf, als dem ältesten dieser Familie, und im Jahre 1648 durch Kauf an seinen Vetter Johann Wilhelm von Stubenberg. Im Jahre 1662 erkaufte Schallaburg, Reichhardt Augustin von Kletzel, welchem im J. 1699 dessen Sohn Johann Reichhardt Graf von Kletzel folgte; nach diesem im Jahre 1718 durch Vergleich dessen Bruder Joseph Reichhardt; im J. 1737 dessen Sohn Christoph Joseph Graf von Kletzel, der die Herrschaft Schallaburg im Jahre 1762 an Bartholomäus Freiherrn von Tinti, verkaufte. Von diesem erhielt sie sein Sohn Johann Nepomuk Freiherr von Tinti, k. k. Hauptmann im Jahre 1803; im Jahre 1831 dessen Sohn Johann Nepomuk

worauf der gegenwärtige Besitzer, **Carl Freiherr von Tinti,**
k. k. Staats= und Conferenzraths=Official, folgte.

Diese Familie erhielt im Jahre 1507 von der Republik
Venedig den Adelstand. **Bartholomäus von Tinti,** kai=
serlicher Hofkammerrath, wurde von Kaiser Joseph I. in
den alten Reichsritterstand erhoben, und darauf den n. öster.
Ständen einverleibt. Von Kaiser **Carl VI.** ward er am 30.
October 1714 in des Königreichs Ungarn, und am 3. Juli
1725 in des heiligen römischen Reichs Freiherrnstand erhoben.
Er besaß die Herrschaften **Schallaburg, Plankenstein**
und **Enzersdorf am Gebirge** im V. U. W. W.

Die Fideicommiß=Herrschaft Schallaburg.

Diese besteht aus den Ortschaften: **Anzendorf, Aping,
Arnersdorf, Diendorf, Eisgugen, Eselsstein=
graben, Grub, Harmannsdorf, Hohenreith, Ining,
Kronaberg, Markt Loosdorf, Merkendorf, Oed,
Unter=Radel, Ritzengrub, Roggendorf, Schalla=
burg** sammt Schloß, **Schollach,** (Groß= und Klein=)
Schorngraben, Seeben, Seimetsbach, Ruine
Sichtenberg (vormals eine eigene Herrschaft) **Siegen=
dorf,** (Ober= und Unter=) **Steinparz, Thurmhofen,
Ober=** und **Unter=Klein=Zell.** Ueber alle diese Ortschaf=
ten besitzt die Herrschaft **Schallaburg** die Ortsherrlichkeit,
dann besitzt sie viele Unterthanen sowohl in ihrem Bezirke als
auch in fremden Gerichtsbarkeiten. Diese Herrschaft hat auch
ein eigenes freies Landgericht, unter welchem alle hierher un=
terthänigen Orte stehen.

Von diesen vorbenannten Dorfschaften werden gezählt:
440 Häuser, 597 Familien, 1309 männliche, 1485 weibliche
Personen und 356 schulfähige Kinder; ferner 405 Pferde, 177
Ochsen, 1003 Kühe, 1574 Schafe, 15 Ziegen und 85 Schwei=

Schallaburg.

né. Der herrschaftliche Grundstand enthält 1300 Joch Waldungen, 19 Joch Aecker, 40 Joch Wiesen und 2 Joch Weingärten.

Diese Herrschaft grenzt an die Dominien Melk, Albrechtsberg, Sitzenthal, Mitterau, Sooß, Weichselbach, St.
Leonhard am Forst und Zelking. Der größere Theil des dießherrschaftlichen Gebietes ist mehr flach als gebirgig, da die
meisten Ortschaften theils an der Straße um Loosdorf herum,
theils im nahen schönen Pielachthale liegen; nur Schallaburg hat eine hohe bergige Lage. — Die hiesige Gegend enthält viele Abwechslungen, gesundes Klima und vortreffliches
Wasser. — Zu den Haupt-Erzeugnissen der hiesigen Unterthanen gehören Feld- und etwas Weinbau, Obstpflege und Viehzucht. Die Grundstücke sind meist gut, nur einige mittelmäßig, sie werden nach dem Dreifelder = Wirthschaftssisteme bearbeitet, und mit Weizen, Korn, Gerste, Hafer und Linsfutter in der Regel bebaut. Außerdem baut man, besonders um
Loosdorf, einen sehr geschätzten, ausgezeichneten guten Safran; es wird auch ziemlich auf die Obstbaumzucht gesehen, und
bei der Viehzucht durchgehends die Stallfutterung angewendet. Der Schlag des Viehes ist schön und kräftig, damit wird
jedoch kein Handel getrieben, sondern solche nur in so ferne
unterhalten, als es der eigene Wirthschaftsbedarf erheischt.
Der Wiesenbau ist bedeutend; sie sind größtentheils zweimäh-
dig, einige davon aber den Ueberschwemmungen der Pielach
ausgesetzt. Was die Weingattung anbetrifft, gehört diese nur
zum mittlerem Gewächse. —

Wie der herrschaftliche Grundstand beweiset, so ist die
Herrschaft mit Waldungen wohl versehen; auch fast jeder Bauer
besitzt eine Strecke Waldung von einigen Jochen. Die Holzgat-
tungen sind Fichten, Tannen und Föhren. Die herrschaftlichen
Forste sind in ordentliche Schläge eingetheilt. Von den Bergen und Wäldern werden genannt: der Hirschberg und

Poppenberg bei Schallaburg, der Maurerberg zu Albrechtsberg, der Weirerberg und Sichtenberg zu Schollach, der Lochau- und Mühlberg bei Loosdorf. Die Jagd darf im Allgemeinen mittelmäßig genannt werden; sie gehört im ganzen herrschaftlichen Gebiete nach Schallaburg und liefert Rehe, Hasen, Füchse, Rebhühner und anderes Geflügel. — Durch einen Theil des Bezirkes, nämlich bei Loosdorf, fließt der Pielachfluß, in welchem jedoch die bestehende Holzschwemme der Fischerei höchst nachtheilig ist, als dieser Fluß sonst schmackhafte Huchen, Hechte und Forellen in Menge liefern würde. Es gibt auch andere kleine und unbedeutende Bäche, welche aus den Bergen kommend, oft verheerend austreten. — Bei Loosdorf wird das hiesige Gebiet durch die in das Reich führende Haupt-Poststraße von Osten nach Westen, also der Länge nach durchschnitten, wodurch der Markt besondere Regsamkeit erhält. Die übrigen Straßen sind nur Seiten- oder Feldwege, welche die Verbindung von einem Dorfe zum andern unterhalten. — Besondere Handelszweige bestehen keine, und an Freiheiten blos die zwei Jahrmärkte in Loosdorf, am 24. Juni und 10. August. Was die bemerkenswerthen Gegenstände in dieser Herrschaft anbetrifft, so gehören das schon beschriebene Schloß Schallaburg, die Ruinen der Veste Sichtenberg, die aber gegenwärtig ganz gering sind, dann die Pfarrkirche im Markte Loosdorf dazu.

Nachfolgend beschriebene Orte sind die Bestandtheile der Herrschaft Schallaburg:

Anzendorf.

Ein Dorf von 32 Häusern, mit der nächsten, eine halbe Stunde entfernten Poststation Loosdorf.

Zur Kirche und Schule gehört dasselbe nach Loosdorf.

Das Landgericht, die Orts-, Grund- und Conscriptionsobrigkeit ist die Herrschaft Schallaburg. Der Werbkreis gehört zum 49. Linien-Infanterie-Regiment.

Hier leben 40 Familien, 85 männliche, 88 weibliche Personen und 21 schulfähige Kinder; der Viehstand zählt: 6 Pferde, 7 Ochsen, 58 Kühe, 529 Schafe und 94 Schweine.

Die hiesigen Einwohner sind meist Kleinhäusler, und besitzen blos Ueberländgründe, haben auch nur einen Binder und einen Schneider unter sich. Sie beschäftigen sich mit Feld- und Weinbau, dann mit der Viehzucht. Auf mittelmäßig ertragsfähigen Gründen, bauen sie Weizen, Korn, Hafer und Linsfutter. Das Gewächs des Weines ist nur von mittelmäßiger Güte, und die Viehzucht mit Anwendung der Stallfutterung erstreckt sich blos auf den Hausbedarf.

Anzendorf ist der zweite Ort an der, außerhalb Loosdorf, von der Poststraße links hinweg über Roggendorf nach Schallaburg führenden Straße. Der Ort liegt am Fuße des Schloßberges etwas abhängig, und besteht nur in einer Gasse mit theilweise aus rohen Materiale erbauten und mit Stroh gedeckten Häusern, um welche herum zunächst die Obst- und Grasgärten liegen. Beim Dorfe erhebt sich die Straße zum Berge hinan, zwischen hohen Tannen-Waldungen und großen Felsstücken, die stellenweise zu beiden Seiten derselben sich aufthürmen, und der Gegend ein wildromantisches Ansehen geben. — Klima und Wasser sind vortrefflich.

Aping.

Ein Dörfchen von 4 Häusern, wovon Melk die nächste Poststation, Loosdorf aber die Briefsammlung ist.

Dasselbe ist zur Pfarre und Schule nach Hürm angewiesen. Das Landgericht und die Ortsherrlichkeit besitzt die Herrschaft Schallaburg; Conscriptionsobrigkeit ist Sooß, und

Grunddominien sind Schallaburg und Sitzenthal. Der Werbbezirk gehört zum 49. Linien=Infanterie=Regiment.

Hier leben 5 Familien , 10 männliche , 27 weibliche
Personen und 2 schulfähige Kinder; der Viehstand enthält:
14 Pferde, 24 Kühe und 10 Schweine.

Die hiesigen Einwohner sind Bauern, welche alle Körnergattungen bauen, wozu auch die Gründe von mittelmäßiger Ertragsfähigkeit sind. Die Viehzucht mit Anwendung der
Stallfutterung ist vortrefflich; auch haben sie Obst= aber keine
Weingärten. Es herrscht hier sehr gesundes Klima und gutes Wasser; die Jagdbarkeit liefert blos Niederwild und gehört der Herrschaft Schallaburg.

Das Oertchen Aping, welches regelmäßig zusammengebaut ist, und dessen Häuser mit Stroh gedeckt sind, liegt ganz
flach, nahe beim Pfarrorte Hürm, in einer sehr schönen Gegend.

Arnersdorf.

Ein aus 7 Häusern bestehendes Dörfchen, wovon Melk
die nächste Poststation, Loosdorf aber die Briefsammlung ist.

Zur Kirche und Schule gehört dasselbe nach Hürm.
Landgericht und Ortsobrigkeit ist Schallaburg; Conscriptionsobrigkeit die Herrschaft Sooß. Als Grunddominien werden
Aggsbach, Goldegg, Fridau und Stranersdorf bezeichnet. Der
hiesige Bezirk gehört zum 49. Linien=Infanterie=Regiment.

In 8 Familien leben 23 männliche, 26 weibliche Personen und 7 Schulkinder; diese besitzen an Viehstand: 12 Pferde, 3 Ochsen, 32 Kühe und 9 Schweine.

Die Einwohner sind ziemlich gut bestiftete Bauern, unter denen sich einige Handwerker befinden. Sie beschäftigen
sich mit dem Feldbau, und fechsen von ihren mittelmäßigen
Gründen die gewöhnlichen Körnerfrüchte. Obst erhalten sie
aus ihren Hausgärten, Weingärten besitzen sie aber keine. Die

Biehzucht, wobei Stallfutterung angewendet wird, ist sehr gut und übersteigt weit den häuslichen Bedarf.

Der Ort, in zerstreuten mit Stroh gedeckten Häusern bestehend, liegt theils eben, theils in einem wunderschönen Thale an einem Bache, ungefähr zehn Minuten östlich von Hürm und Ober=Radel. — Gesundes Klima und gutes Wasser sind vorherrschend. Da sich auch hier Wälder befinden, so liefert die Jagd Hoch= und Niederwild.

Diendorf.

Ein kleines Dorf von 5 Häusern, mit der nächsten Poststation Melk und der Briefsammlung Loosdorf.

Das Oertchen ist nach Hürm eingepfarrt und eingeschult. Das Landgericht und die Ortsherrlichkeit besitzt die Herrschaft Schallaburg, und mit Peilenstein auch die einigen behausten Unterthanen; Conscriptionsobrigkeit ist Sooß. Der hiesige Bezirk ist zum Werbkreise des 49. Linien=Infanterie=Regiments angewiesen.

Es befinden sich hier 6 Familien, 14 männliche, 16 weibliche Personen und 4 schulfähige Kinder; der Viehstand enthält: 18 Pferde, 24 Kühe, 7 Schafe und 12 Schweine.

Die Einwohner haben eine gute Grundbestiftung und beschäftigen sich mit dem Feldbau, der ihnen die nöthigen Fruchtkörner liefert. Die hiesigen Gründe gehören zu den mittelmäßigen, die jedoch wenig Elementarbeschädigungen ausgesetzt sind. Ihre Obstpflege beschränkt sich blos auf die Hausgärten, dagegen aber treiben sie eine vortreffliche Viehzucht, womit sie einen Handel unterhalten.

Diendorf besteht in zerstreuten mit Stroh gedeckten Häusern, und liegt theils im Thale, theils am Berge, bei welchem die Straße nach Melk vorbeiführt. Als nächste Ortschaften werden Hürm, Harmersdorf, Lebersdorf, Grub und

13 *

Seben bezeichnet. Die hiesige Gegend ist ausgezeichnet schön und wechselt in anmuthigen Partien von Wäldern und Bergen; sie enthält ein gesundes Klima und gutes Wasser. — Die Jagd liefert blos Niederwild.

Eisgugen.

Ein Dörfchen blos aus 3 Häusern bestehend, wovon Melk die nächste Poststation ist.

Zur Kirche und Schule gehört dasselbe nach St. Leonhard am Forst. Das Landgericht wird durch die Herrschaft Peilenstein ausgeübt, welche auch die Conscriptionsobrigkeit ist. Grund= und Ortsherrschaft ist Schallaburg. Der Werbbezirk gehört zum 49. Linien=Infanterie=Regiment.

Hier befinden sich 4 Familien, 11 männliche, 13 weibliche Personen und 2 schulfähige Kinder; an Viehstand sind 4 Pferde, 4 Ochsen, 15 Kühe, 10 Schafe und 7 Schweine vorhanden.

Die Einwohner ernähren sich vom Ackerbau, der Obstpflege und einer guten Viehzucht, wobei die Stallfutterung in Anwendung steht. Sie besitzen ziemlich gute Gründe, wovon sie die gewöhnlichen Fruchtkörnergattungen erhalten.

Die drei Häuser von Eisgugen liegen ein und eine halbe Stunde von St. Leonhard am Forst entfernt, in einer angenehmen und gesunden Gegend, welche gutes Wasser enthält. Die Jagdbarkeit ist ein Eigenthum der Herrschaft Schallaburg.

Eselsteingraben.

Ein kleines Dorf von 6 Häusern, wovon Melk die nächste Poststation ist.

Dieses Oertchen ist nach St. Leonhard am Forst einge=

pfarrt und eingeschult. Das Landgericht und die Conscriptionsobrigkeit ist die Herrschaft Peilenstein zu St. Leonhard; die
Ortsherrlichkeit besitzt Schallaburg, und zugleich mit Melk
die wenigen behausten Unterthanen. Der Werbkreis ist zum
Linien-Infanterie-Regiment Nr. 49 einbezogen.

In 8 Familien befinden sich 20 männliche, 24 weibliche
Personen und 5 schulfähige Kinder; der Viehstand zählt: 2
Pferde, 10 Ochsen, 26 Kühe, 12 Schafe und 18 Schweine.

Die hiesigen Bewohner besitzen eine gute Grundbestiftung; ihre wirthschaftlichen Zweige sind Ackerbau der gewöhnlichen Getreidearten, eine gute Viehzucht mit Stallfutterung
und die auf ihre Hausgärten sich erstreckende Obstpflege.

Der Ort Eselsteingraben, von der örtlichen Lage
also benannt, liegt mit seinen mit Stroh gedeckten Häusern
anderthalb Stunden nördlich vom Pfarrorte St. Leonhard am
Forst, zwischen Weichselbach, Ritzengrub und Hohenreit, in
einer ländlich angenehmen Gegend, in welcher gesundes Wasser und Klima vorherrschend sind. — Der Jagdnutzen in Hasen und Rebhühnern bestehend, gehört zur Herrschaft Schallaburg.

Grub,

Ein Dörfchen von 7 Hausnummern, wovon Melk die
nächste Poststation, Loosdorf aber der Briefaufgabsort ist.

Zur Kirche und Schule ist dasselbe nach Hürm angewiesen. Das Landgericht und die Ortsherrlichkeit besitzt die Herrschaft Schallaburg, und mit Mitterau auch die einigen behausten Unterthanen; die Conscriptionsobrigkeit ist Sooß. Der
Werbkreis gehört zum 49. Linien-Infanterie-Regiment.

Die Seelenzahl besteht in 7 Familien, 16 männlichen,
16 weiblichen Personen und 6 schulfähigen Kindern; diese
besitzen an Viehstand: 9 Pferde, 8 Ochsen, 23 Kühe, 27
Schafe und 11 Schweine.

Unter den hiesigen Einwohnern befinden sich auch einige Handwerksleute. Die Beschäftigung des Landmannes ist der Ackerbau auf guten Gründen für die gewöhnlichen Körnergattungen, eine gute Viehzucht und ergiebige Obstpflege.

Das Oertchen liegt an der von Loosdorf nach Mank führenden Straße, zwischen Ining und Hürm, ganz flach in einer allerdings malerischen Gegend, durch welche ein Bächlein nördlich dahin fließt. — Klima und Wasser sind vortrefflich; die Jagd, blos Niederwild liefernd, ist ein Eigenthum der Herrschaft Schallaburg.

Harmannsdorf.

Ein Dorf von 13 Häusern, mit der nächsten Poststation Melk und Briefsammlung Loosdorf.

Dieser Ort gehört zur Pfarre und Schule nach Hürm. Das Landgericht und die Ortsherrlichkeit besitzt die Herrschaft Schallaburg; Conscriptionsobrigkeit ist Sooß; Grundherrschaften sind: Schallaburg, Mitterau, Mauerbach, Sitzenthal, Melk, Sooß, Matzleinsdorf und Purgstall. Der Werbkreis gehört zum 49. Linien-Infanterie-Regiment.

Hier leben 18 Familien, 36 männliche , 42 weibliche Personen und 8 schulfähige Kinder; der Viehstand zählt: 15 Pferde, 30 Kühe und 10 Schweine.

Die hiesigen Bewohner, unter welchen sich auch Handwerker befinden, sind gut bestiftete Bauern, die sich mit dem Ackerbau beschäftigen. Sie treiben auch eine ihren Hausbedarf deckende Viehzucht, und haben Obst. Die Gründe gehören zur mittelmäßigen Classe, und leiden auch öfters durch Elementarbeschädigungen. — Klima und Wasser sind gut; die Jagd liefert Niederwild.

Harmannsdorf ist ein Ort von zerstreuten mit Stroh gedeckten Häusern, die ganz flach, an der von Loosdorf nach

Mank führenden Straße gelegen sind, in einer anmuthigen Gegend. Die nächsten Ortschaften sind Hürm, Diendorf, Ober- und Unter-Siegendorf.

Hohenreith.

Zwei Häuser, mit der nächstgelegenen Poststation Melk.

Zur Kirche und Schule gehören solche nach St. Leonhard am Forst. Das Landgericht und die Conscriptionsobrigkeit ist die Herrschaft Peilenstein; die Grund- und Ortsherrlichkeit besitzt die Herrschaft Schallaburg. Der Werbkreis gehört zum 49. Linien-Infanterie-Regiment.

In 2 Familien leben 5 männliche und 4 weibliche Personen; an Viehstand besitzen sie 2 Pferde, 2 Ochsen, 7 Kühe und 7 Schweine.

Als Waldbauern beschäftigen sich die Einwohner mit der Feldwirthschaft; es werden die gewöhnlichen Gattungen von Getreide, nämlich Waizen, Korn, Gerste und Hafer gebaut, wozu ziemlich gute Gründe vorhanden sind, dann treiben sie die zum Hausbedarf nöthige Viehzucht, und erhalten Obst von ihren Hausgärten.

Die zwei Häuser, von der örtlichen Lage, Hohenreith genannt, liegen ein und eine halbe Stunde nördlich von St. Leonhard am Forst zunächst Oed, Steinparz und Rizengrub. Klima und Waffer sind gut.

Jning.

Ein Dorf von 39 Häusern, wovon Melk die nächste Poststation und Loosdorf der Briefaufgabsort ist.

Der Ort ist nach Hürm eingepfarrt und eingeschult. Das Landgericht und die Ortsobrigkeit besitzt die Herrschaft Schallaburg, Conscriptionsherrschaft ist Sooß. Als Grundherrschaften

werden bezeichnet: Peilenstein, Schallaburg, die k. k. Staats=
herrschaft St. Pölten, Lilienfeld, Walpersdorf, Stranners=
dorf und das Spital Ips. Der hiesige Bezirk gehört zum
Werbkreise des 49. Linien=Infanterie=Regiments.

Hier befinden sich 47 Familien, 111 männliche, 111
weibliche Personen und 20 schulfähige Kinder; der Vieh=
stand zählt 48 Pferde, 2 Ochsen, 94 Kühe, 200 Schafe
und 20 Schweine.

Die hiesigen Einwohner sind Bauern, unter denen sich
die nöthigsten Handwerker befinden. Des Landmannes Beschäf=
tigung besteht in Feldbau von Weizen, Korn, Gerste und Ha=
fer, einer guten Viehzucht und Obstpflege in ihren Hausgär=
ten. Ihre Gründe dürfen mehr gut als schlecht genannt wer=
den, jedoch sind sie bisweilen den Elementarbeschädigungen un=
terworfen. Auch einige Weingärten werden hier getroffen, doch
aber ist das Gewächs, wie es sich leicht denken läßt, schlecht.

Der Ort Jning ist regelmäßig gebaut, die Häuser sind
theils mit Stroh, theils mit Schindeln gedeckt, und liegt ganz
flach, eine halbe Stunde südlich an der Reichspoststraße zwi=
schen Rahr und Grub, in einer schönen und gesunden Gegend,
die auch sehr gutes Wasser enthält. Die Straße, welche von
dem nahen Loosdorf nach Mank geht, führt hier durch, neben
welcher ein von Diendorf kommender Bach nach der Pielach
zufließt und sich bei Albrechtsberg in dieselbe mündet. — Die
Jagd ist ein Regale der Herrschaft Schallaburg und liefert
blos Niederwild.

Kronaberg.

Ein aus 4 Häusern bestehendes Dörfchen, mit der näch=
sten Poststation Melk und der Briefsammlung in Loosdorf.

Zur Kirche und Schule ist dasselbe nach Hürm angewie=
sen. Das Landgericht und die Ortsherrlichkeit besitzt die Herr=

schaft Schallaburg und mit dem Dominium Sooß auch die wenigen hier behausten Unterthanen. Conscriptionsobrigkeit ist Sooß. Der Werbkreis gehört zum 49. Linien=Infanterie=Regiment.

In 4 Familien leben 15 männliche, 13 weibliche Personen und 3 Schulkinder; der Viehstand enthält 4 Ochsen, 9 Kühe und 2 Schweine.

Die Einwohner sind gut bestiftete Bauern, welche den Ackerbau mit Weizen, Korn, Gerste und Hafer, eine Obstpflege und gute Viehzucht treiben. Weingärten gibt es keine und auch die Feldgründe sind wenig ertragsfähig.

Kronaberg, vom Berge gleichen Namens so benannt, besteht in zerstreuten, mit Stroh gedeckten Häusern, die am Berge bei Hürm gelegen sind. Die hiesige Gegend kann zu den schönen gerechnet werden; Klima und Wasser sind vortrefflich. Die Jagd liefert Hoch= und Niederwild.

Loosdorf.

Ein Markt von 104 Häusern, und zugleich eine eigene Poststation zwischen St. Pölten und Melk.

Kirche und Schule befinden sich hierselbst. Diese gehören in das Decanat Melk, das Patronat darüber besitzt die Herrschaft Schallaburg. Das Landgericht, die Ortsherrlichkeit und Conscriptionsobrigkeit besitzt die erwähnte Herrschaft Schallaburg, und nebst Sitzenthal und dem Stifte Michelbaiern, auch die hierorts behausten Unterthanen und Grundholden. Der hiesige Bezirk gehört zum Werbkreise des 49. Linien=Infanterie=Regiments.

Die Bevölkerung besteht in 171 Familien, 325 männlichen, 397 weiblichen Personen und 117 schulfähigen Kindern; diese besitzen einen Viehstand von 58 Pferden, 4 Ochsen, 160 Kühen, 191 Schafen, 11 Ziegen und 260 Schweinen.

Unter den hiesigen Einwohnern werden alle Gattungen von Gewerbs- und Handwerksleuten getroffen, nebst Bauern, die sich mit Feld-, Wein-, Obst-, Safranbau und der Viehzucht beschäftigen. Für den ersteren Zweig besitzen sie gute Gründe, die meist Weizen, Korn, Gerste und Linsfutter liefern. Der Safran gedeiht hier ganz vorzüglich, und ist auch, seiner Güte wegen, allgemein bekannt und gerühmt. Das Obst gehört zu den guten Gattungen, die Viehzucht darf ersprießlich genannt werden, nur der Wein ist ein mittelmäßiges Gewächs.

Der sehr gewerb- und regsame schöne Markt Loosdorf liegt frei und offen an der Linzerpoststraße, zwischen St. Pölten und Melk, vom ersteren drei, von letzteren eine Stunde entfernt, in einer höchst freundlichen Gegend. Der Markt enthält meist ein Stockwerk hohe, wohl gebaute, durchgehends mit Schindeln gedeckte Häuser, nebst mehreren ansehnlichen Gasthäusern, die zur Einkehr der Reisenden wohl versehen sind, und einem Brauhause, welches gutes Bier liefert. Er bildet eine Haupt- und eine Nebengasse, die zur Kirche führt, welche links abwärts von der Straße steht. — Die benachbarten Orte von hier sind Groß-Sirning, Roggendorf, Schallaburg und Albrechtsberg.

Loosdorf gehört in jeder Beziehung zu den besseren, wohlhabenden und schönen Märkten dieses Viertels; seine glückliche Lage an der Tag und Nacht sehr belebten Hauptstraße gibt ihm den Vorrang; nebstdem ist die Umgebung von Weingebirgen, den hochroth blumigen, sorgfältig umzäunten Safrangärten, zwischen lieblichen Fluren und Feldmarken von malerischem Anblicke, ein Bild voll schöner Natur, da das Ländliche mit dem Majestätischen in Verbindung steht, mit denn herrlichen Schlössern der Schallaburg, Albrechtsberg und Osterburg. Wenn der Wanderer in der freien Gegend an der allgütigen Natur sich satt geschwelget hat, mit

sehnsuchtsvollen Blicken den raschen Wellenfluthen der hell-
grünen, freudigen Laufes sich dahin wälzenden Pielach, die
nahe beim Markte vorüberrauscht, in den romantischen Säu-
men der Uferauen eingezwängt, gefolgt ist, dann erst ziehen
ihn die in ernster Größe erscheinenden Burgen mächtig an,
um an ihnen die Pracht des Mittelalters, deren Zierde sie
sind, zu bewundern; und noch mächtiger als alles dieses fes-
seln die blinkenden Kuppeln des herrlichen Stiftes von
Melk, über die sich mit dem wunderschönen Gotteshause das
ganze Füllhorn ergießt.

Nebst solchen Vorzügen sind auch Klima und Wasser vortrefflich; am Mühlbache von der Pielach gebildet, stehen
zwei Mühlen, worunter eine Papiermühle und Sä-
gemühle begriffen sind; und die Jagd, da keine besonderen Berge und Wälder, sondern blos der Mühlberg und die
Lochau erscheinen, liefert Rehwild, Hasen, Rebhühner ꝛc.;
welche sowohl, als auch die Fischerei, als Regalien der Herrschaft Schallaburg zugehören. — Durch ein altes Privilegium, welches wir noch nachfolgend erwähnen werden, hält
der Markt Loosdorf jährlich zwei Märkte, einen am
24. Juni und den andern am 10. August.

Eine besondere Zierde ist die hiesige Pfarrkirche, ihres schönen Baustyles und des ziemlich hohen Thurmes mit
einer hübschen Blechkuppel geziert, welche rückwärts dem
Markte auf einer kleinen Anhöhe sich erhebt.

Dieses schöne und geräumige Gotteshaus, dem heiligen
Laurenz geweiht, wurde im Jahre 1587 oder 1588 vollen-
det. Das Innere ist zwar einfach aber freundlich, denn nir-
gends tritt zweckwidrige Ueberladung störend entgegen. Die
Blätter des Hochaltars (die Marter des heiligen Lau-
rentius darstellend) und des St. Annaaltars sind von
unbekannten Meistern; der Dreifaltigkeitsaltar, so
wie der Kreuz- und Frauenaltar haben hölzerne Sta-

tuen ohne Kunstwerth. Merkwürdig aber sind die trefflichen Basreliefs von weißem Marmor, womit drei Altartische anstatt der gewöhnlichen Antipendien geziert sind. Sie bilden eine Reihe von biblischen Darstellungen, welche gegenwärtig folgender Art vertheilt sind; am Annaltar: Isaaks Opferung und Jakob mit dem Engel ringend; am Dreifaltigkeitsaltar: Christus in Todesangst am Oelberge und die Kreuzigung; am Kreuzaltare: das letzte Gericht. Die Rahmen der Bilder sind von rothem Marmor und enthalten erklärende Bibelstellen in lateinischer und deutscher Sprache.

Man sagt, daß diese fünf Tafeln zu dem, bei Abstellung der protestantischen Lehre, die hier vorzügliche Wurzeln faßte und außerordentlichen Schutz genoß, wie wir noch berichten werden, abgebrochenen großen Altar in dieser Kirche gehört haben sollen; allein höchst wahrscheinlich waren sie Bestandtheile von dem prachtvollen Grabmale des Erbauers der Kirche, Hanns Wilhelm von Losenstein, wovon noch der große marmorne Deckel des Sarkophages, ganz rückwärts in der Kirche an der Mauer befestigt zu sehen ist. Ein stattlicher Rittter im Harnische, mit unbedecktem Haupte, die eine Hand auf ein Buch, die andere an's Schwert gelegt, die Füße auf einem ruhenden Löwen gestützt, liegt auf der Marmorplatte, an deren Rändern eine deutsche Inschrift eingegraben ist. Da aber durch die Aufstellung in einem Winkel der Kirche, wodurch jetzt auch die Figur nicht liegend, sondern stehend erscheint, ein Rand von der Mauer bedeckt, und der untere zu Boden gekehrt ist, so ist nur noch eine Zeile lesbar, welche so lautet: »Du dankhbarer Nachkhömling sei der Guetthat Ingedenkh dabei diß Werkh rüeht im sein Freunlichkeit, Khunst, Tugent dir zu guet berait.

Zu dem Haupte der Statue enthält der emporstehende
Stein folgendes Chronographicon:

D. O. T. M.

Grataeque Posteritati Sacrum.
Glarus Joannes Wilhelmus nobilis Heros
Losensteinensis Gloria prima domus.
Schallenburgae etiam dominus pius atque benignus
Haec nova construxit Templa, Lyceae Scholae
In qua per celebres formantur in Arte Magistios.
Corda juventutis Moribus ingenuis,
Tu pia posteritas gratanti Pectore tectis,
His frnere! Auctoris sed Memor esto tui.
Ut sua perpetuo superet generosa propago,
Losensteina dum regia busta ferunt.
Numerale MDLXXXVII.

Wenn wir dieses Kunstwerk näher in Betrachtung ziehen, so wird es klar, daß das Grabmal ein freistehender, auf
ein oder zwei Stufen erhöhter Sarkophag war, dessen zwei
längeren Seiten und eine schmale, welche jene fünf Darstellungen schmückten, deren Gegenstände gewiß eher zur Verzierung eines Grabmals, als eines Altars passen, wenn gleich
auch der ganze Inhalt auf die protestantische Lehre hindeu-
tet. Die andere schmale Seite, für welche kein Bild übrig,
und überhaupt dieser Theil gar nicht vorhanden ist, war vermuthlich mit einer Inschrift, oder gewisser mit dem Loosen-
steinischen Wappen versehen.

Außer diesen schätzenswerthen Ueberresten eines so schönen Denkmales, ist von den vielen Epitaphi's, wovon einige
Schriftsteller sprechen, nichts mehr zu finden; selbst der Lei-
chenstein des gestrengen Ritters Leonhard Enenkel auf
Albrechtsberg an der Pielach († 1584), welchen der
gelehrte St. Pöltner Chorherr Raimund Duellius noch

im vorigen Jahrhundert hier antraf, ist nicht mehr vorhanden, außerdem es müßte nur jener große Marmor seyn, der jetzt vor dem Eingange im Gottesacker zur Stufe dient. Die meisten jener Grabsteine mögen schon bei Umstaltung der Kirche im XVI. Jahrhundert als Baumaterial verbraucht worden seyn. ——

Auf dem Leichenhofe, der die Kirche umgibt, steht ein kleines Kirchlein ohne Thurm, dessen Alter bis in das XIII. Jahrhundert zurück reicht. Sie ist entweiht, ganz leer und außer dem hohen Alter, ohne aller Merkwürdigkeit. Der Sage zufolge, soll sie die ursprüglich erste Pfarrkirche gewesen seyn, deren man sich bis zum Bau der gegenwärtigen Kirche bedient habe. Zu dieser Bestimmung wäre sie jedoch viel zu klein gewesen, und überdies beweiset eine Inschrift an der Pfarrkirche, daß der, von Hans von Losenstein geführte Bau zur Erweiterung einer schon bestandenen Kirche war. Diesemnach ist es außer Zweifel, daß sie in früheren Zeiten als eine Todtencapelle diente, worin der Gottesdienst für die Verstorbenen abgehalten wurde.

Zunächst dem Friedhofe stehen der Pfarrhof und die Schule. — Der Gottesdienst und die Seelsorge werden von einem Pfarrer und Cooperator versehen.

Zur hiesigen Kirche sind eingepfarrt: der Markt Loosdorf, dann die Ortschaften: Albrechtsberg ¼, Anzendorf ¾, Groß=Schollach ½, Klein=Schollach ½, Merkendorf ½, Neubach ½, Roggendorf ¼, Schallaburg ¾, Sitzenthal ¼, Steinparz 1 und Stollehen 1¼ Stunde entfernt.

Vor dem Markte steht das kleine Spital mit einer Capelle, welche um die Mitte des vorigen Jahrhunderts gebaut ward.

Mit allem Rechte kann man Loosdorf einen sehr alten Ort nennen, der durch viele Jahrhunderte einen Bestand=

theil der Herrschaft Schallaburg bildet, und schon im XIII. Jahrhundert sehr bedeutend war; zudem wird in den Jahren 1251 und 1265 schon ein Pfarrer bekannt, welcher auch als Vorsteher des ganzen Decanats = Bezirkes erscheint. Er schrieb sich Swickerus Plebanus et Decanus de Losdorf, und scheint sich besonders in dem schönen, seinem Amte so ehrenvollen Geschäftes eines Vermittlers und Versöhners großes Vertrauen in der ganzen Gegend erworben zu haben. So treffen wir ihn zu Melk bei einem Vergleiche zwischen dem Pfarrer Herrmann von Grillenberg im W. U. W. W. und seinen Patron, den Prälaten von Melk; nach einigen Wochen zu Tulbing als Zeugen, wo Ludwig von Zelking dem Stifte Klosterneuburg das Dorf Walpersdorf auffandte; später, nämlich im Jahre 1267 bei einem gütlichen Vergleiche zwischen den Stiftern Lilienfeld und St. Lambrecht in Betreff streitiger Grenzen; und wahrscheinlich in demselben Jahre in der Gesellschaft mehrerer Schiedsrichter, einen langen Prozeß schlichtend, welchen Rudolph, der Pfarrer von Capellen wegen Zehenten mit dem Propste Heinrich von St. Pölten geführt hatte.

Es scheint auch bestimmt, daß hier ein adeliges Geschlecht vorhanden war, welches sich von Loosdorf schrieb und nannte; in dieser Beziehung wird in einer St. Pöltner Urkunde vom Jahre 1366 Leo der Lostoffär als Zeuge gefunden, mit seinem anhangenden Insiegel, in welchem sich ein Fuchs mit einem Vogel im Rachen zeiget; dann enthält das alte Todtenbuch der St. Pöltner Regular = Canonie den Namen einer Agnes von Loostorf, als einer, in die Gemeinschaft guter Werke aufgenommenen Schwester. Diese Familie dürfte aber nicht lange geblüht haben, als sonst noch mehrere Sprossen aus Urkunden aufgefunden würden.

Was die Pfarrer betrifft, die als Nachfolger des Dechants Swickerus in Loosdorf vorkommen, so erscheint na-

mentlich der »würdig geistlich Herr Pfarrer Seifried zu
Lostorf im Jahre 1393 bei der Stiftung der Capelle vor
dem Schloſſe zu Pielach, und im Jahre 1407 in einem Re-
verſe, über die Stiftung der Pfarrkirche zu Mauer als Zeuge. — Am 4. Mai 1480 ſtellte Sigmund Fröſchel,
Pfarrer zu St. Lorenz und St. Märtenkirche zu Loo-
ſtorf, unter der Zeugenſchaft des Ritters Wolfgang Hager zu Sitzenthal, einen Revers über eine, ſeiner Kirche ver-
machte Wieſe aus, in welcher Kirche ſich auch Waldpurga,
die Witwe Chriſtophs von Hohenfels, geborne Sulz-
beckin, im Jahre 1577 einen ewigen Jahrtag ſtiftete. Ein
zweiter ſollte zu Mauer, wo ſie begraben zu werden wünſchte,
für ſie gehalten werden. — Nach dem Wortlaute dieſer Urkunde tritt die Vermuthung hervor, als ob zwei Kirchen in
Loosdorf dazumal vorhanden geweſen wären, nämlich jene
zu St. Lorenz und die Martinskirche; wahrſcheinlich iſt jedoch die alte Capelle vom Friedhofe darunter verſtanden, oder
es müßte eine andere Filiale damit gemeint ſeyn.

Loosdorf hat übrigens als Hauptſitz der lutheriſchen
Lehre gegolten. Als die proteſtantiſche Lehre in Oeſterreich unter dem Adel eifrige Anhänger und Verbreiter gefunden hatte,
worunter die mächtigen, reichen, und den erſten Familien Oe-
ſterreichs und Baierns verſchwägerten Loſenſteiner, im
Vereine mit den Puchhaimen, Grabnern, von Roſen-
burg und Pottenbrunn, Jörgern, Eneukeln, Teu-
feln von Guntersdorf, Streinen, Tſchernembeln,
Zelkingern, Hagern, Geyern zu Oſterburg, Ma-
mingern zu Kirchberg an der Pielach und Nußdorf
an der Traiſen, Auerspergen und Starhember-
gen ꝛc., theils jetzt erloſchenen, theils noch blühenden Häuſern, vorzüglich thätig zur Beförderung der Reformation ſich
zeigten, beſchloß Chriſtoph Herr zu Looſenſtein, auf
Schallaburg und Weiſſenburg, kaiſerlicher Hofrath

und Arcieren = Garbe = Hauptmann, eine lateinische Schule auf seinen Gütern, und zwar zu Loosdorf zu errichten, mußte aber, vom Tode überrascht, die Ausführung derselben seinem Sohne Johann, kaiserlichen Rath, Verordneten des Herrenstandes, dann des Erzherzogs Mathias Hofmarschall, überlassen, welche auch mit thätiger Unterstützung der n. öst. protestantischen Stände, im Jahre 1574 zu Stande kam. Die Statuten dieses Gymnasiums wurden im selben Jahre zu Augsburg gedruckt, wovon jetzt nur wenig Exemplare mehr vorhanden seyn werden. In der Vorrede derselben wird von der Nothwendigkeit der Schulen gesprochen, darauf folgt: I. Capitel: vom Ampt eines treuen Praeceptoris und Schulmeisters; II. Capitel: von den abgetheilten und unterschiedenen Haufen der Schulknaben, so man Classes nennt; III. Capitel: von dem ersten Haufen oder Classe; IV. Capitel: vom zweiten Haufen; V. Capitel: vom dritten Haufen; VI. Capitel: vom vierten Haufen; VII. Capitel: vom fünften Haufen. Bis zu dieser Classe mußten die Schüler schon weit im Unterrichte vorgerückt seyn, denn in der IV. Abtheilung bediente man sich der großen Gramatica und der kürzern Reden des Cicero. Zur Erwerbung des Wortreichthums sollte Mylii Nomenclatura fortgelernt werden, und die griechischen Sprachübungen aus Luthers griechischem Katechismus, wie er zu Wittenberg in vier Sprachen gedruckt erschien, monatlich wenigstens ein Capitel. In der Zwischenzeit wurde etwas von den Profan=Schriftstellern, z. B. Carmina Pythagorae Hesiodi etc., dann mit den Tertianis, das kleine Corpus Juris Doctrinae, Musik und Arithmetik vorgetragen. Sie sollten Vorkenntnisse in der Rhetorik nach Medlers Compendien erlangen; ferners wurde wöchentlich eine Stunde für die Geschichte, dann für Stylübungen wie in der dritten Classe, und Auflösungen von Gedichten bestimmt.

Alle Sonntage mußte ein Knabe eine Viertelstunde eine lateinische oder deutsche Declamation in Gegenwart der andern halten. Das VIII. Capitel bestimmt die Lection der heiligen Bibel. Die Schule wurde Vormittags mit Gebet und Lesung eines ganzen Capitels aus dem alten Testament, Nachmittags mit dem Veni Sancte Spiritus angefangen; Vormittags mit dem Te Deum laudamus aus Luthers Gesangbuch beschlossen. Da die Schule an der Kirche gelegen war, so wohnten die Knaben der Vesper bei, da, nach den Anordnungen der beiden Stände in Nieder-Oesterreich, täglich Nachmittag nach drei Uhr eine kurze Vesper Statt fand, wobei von einem Knaben ein Stück aus der Bibel gelesen werden mußte. Dabei sollten sich die Knaben still und züchtig verhalten. Nach dem IX. Capitel wurde alle halbe Jahre ein allgemeines Examen in Beiseyn des Pastors und der Knaben Aeltern vorgenommen. Das X. Capitel handelte von den Züchtigungen der Knaben; nur bei den allergröbsten Vergehen, wenn Ermahnungen nichts mehr helfen, sollte die Ruthe gebraucht werden. Die Schulstrafen bestanden meist in Ausschließung von Ferien ꝛc. ꝛc., die Reichen wurden um Geld bestraft, und das Geld für die armen Knaben verwendet, die Untauglichen aber bei Zeiten entlassen. Der Scheltwörter, oder bei den Ohren reißen, zum Kopf schlagen, stoßen und dergleichen, ungebührliches Wesen mehr, durften sich die Lehrer nicht bedienen. Das XI. Capitel handelt von armen Knaben. Es sollten zehn bis zwölf arme fleißige Knaben auf allgemeine Kosten Nahrung, Almosen und Kleider empfangen, wobei die Einwohner im Markte Loosdorf aufgefordert wurden, ihnen Almosen mitzutheilen, um einstens Belohnung dafür von Gott zu erhalten. — Dieß waren also die Statuten des lutherischen Gymnasiums in Loosdorf.

Uebrigens läßt sich über diese Lehranstalt wenig sagen.

Als die protestantischen Stände durch den Superindentenen von Rostock, Doctor Lucas Backmeister, eine Kirchenvisitation im Lande unter der Ens vornehmen ließen, um den eingerissenen theologischen Zänkereien über die Erbsünde ein Ende zu machen, wurde für das V. O. W. W. das Schloß Schallaburg zum Versammlungsort der ständischen Deputirten bestimmt, und bei dieser Gelegenheit der Pfarrer von Loosdorf, Balthasar Masko, zur Würde eines Subseniors erhoben. Er hatte auch einen großen Zulauf von den Melker Bürgern, deren viele ihre Kinder nach Loosdorf zur Taufe trugen, und das Abendmahl unter beiden Gestalten empfingen, bis der damalige Prälat von Melk, Urban, durch strenge Zwangsmittel diesen Neuerungen im Jahre 1583 steuerte. Indessen stieg das Ansehen der Kirche zu Loosdorf noch höher, da man später sogar noch ein Consistorium hier errichtete, und der Pfarrer den Titel eines Superindenten annahm. Vielleicht war dieß eben jener Magister Johannes Bayer, vorher Prediger im Landhaus zu Linz und auf der Herrschaft Losensteinleithen, der als guter Redner gerühmt wird, und im Jahre 1612 von Loosdorf als Staatsprediger nach Steier berufen wurde, alldort auch im Jahre 1619 verstarb.

Nicht viel länger scheinen Kirche und Schule in den Händen der Protestanten geblieben zu sein. Ihr großer Beförderer und Wohlthäter Hans von Losenstein war im Jahre 1601 gestorben, ohne von seinen zwei Frauen Kinder zu erhalten, worauf die Stubenberge Schallaburg durch Kauf in Besitz nahmen. Als die Flamme des Religionskrieges in Böhmen aufloderte, setzten auch die protestantischen Stände des Landes ob der Ens, mit ihren benachbarten Glaubensbrüdern sich den Befehlen des Kaisers Ferdinands II. mit bewaffneter Hand entgegen. Sie waren mit einem Heere im Lande unter der Ens eingerückt, welches sie nach der fruchtlosen Belagerung von Melk im Jahre 1619 wieder verließen. Darauf verwüstete die kaiserliche Besatzung von Melk die nächstgelegenen Schlösser der Protestanten, Pielach, Albrechtsberg, Zelking und Schallaburg, wobei auch Loosdorf der Plünderung nicht entging, und bald darauf scheint auch das Gymnasium aufgehoben, und die katholische Religion wieder hergestellt worden zu sein.

Als Denkmal jener Zeiten haben die Pfarrkirche, und unterhalb derselben das solide, ansehnliche Gebäude des ehemaligen Gymnasiums sich erhalten. Dieses Haus, noch jetzt die hohe Schule genannt, ist nun ein Freihof, und wurde bis zu Jahre 1809 von Bernhard Edlen von Fürnberg besessen, seit dessen Tode aber ist er ein Eigenthum bürgerlicher Besitzer. (Meist aus dem Aufsatze von Seiner Hochwürden Herrn Bibliothekar Kaiblinger. Nr. 97 im Archive vom Jahre 1827.)

Merkendorf.

Ein kleines Dörfchen von 11 Häusern, mit der nächsten, eine halbe Stunde entfernten Poststation Loosdorf.

Zur Kirche und Schule gehört dasselbe nach Loosdorf. Das Landgericht, die Orts-, Grund- und Conscriptionsobrigkeit ist die Herrschaft Schallaburg. Der Werbkreis gehört zum 49. Linien-Infanterie-Regiment.

Hier befinden sich 12 Familien, 35 männliche, 36 weibliche Personen nebst 15 schulfähigen Kindern. Diese besitzen einen Viehstand von 6 Pferden, 12 Ochsen, 28 Kühen, 75 Schafen, 2 Ziegen und 32 Schweinen.

Die hiesigen Einwohner sind sehr gut bestiftete Landbauern, welche auf ihren ertragsfähigen Gründen, Weizen, Korn, Hafer, Linsfutter und Safran bauen, welch letzterer gut gedeiht und berühmt ist. Auch die Viehzucht ist erfprießlich mit Anwendung der Stallfutterung.

Merkendorf ist regelmäßig gebaut, die Häuser find mit Stroh gedeckt, und liegt links ab eine halbe Stunde von der nach Linz führenden Poststraße, in einem kleinen Thale zwischen Roggendorf und Schollach, in einer wirklich schönen Gegend, die sehr gesundes Klima und vortreffliches Wasser enthält. Hier in der Nähe befindet fich der fogenannte Poppenberg mit einer Waldung befeßt, die an den Hirfchberg grenzet. — Die Jagd, ein Eigenthum der Herrfchaft Schallaburg, ist ziemlich ergiebig und liefert Rehe, Hafen, Rebhühner rc.

O e d.

Ein aus 5 Häufern beftehendes Dörfchen, mit der nächften Poftstation Melk.

Diefes gehört zur Pfarre und Schule nach St. Leonhard am Wald. Das Landgericht und die Conscriptionsobrigkeit befißt die Herrfchaft Peilenstein; als Ortsherrfchaft ist Schallaburg bezeichnet, welche auch mit Melk und Peilenstein die hierorts behausten Unterthanen befißt. Der Werbkreis ist zum Linien-Infanterie-Regiment Nr. 49 einbezogen.

Hier leben in 6 Familien 15 männliche, 19 weibliche Perfonen und 3 fchulfähige Kinder; an Viehstand befißen fie 2 Pferde, 6 Ochfen, 11 Kühe und 8 Schweine.

Die wirthfchaftlichen Zweige des hiefigen Landmannes find Ackerbau, Obstbaum- und Viehzucht. Sie bauen auf ihren ziemlich guten Feldgründen Weizen, Korn, Gerste und Hafer, erhalten Obst aus ihren Gärten und decken durch die Viehzucht den häuslichen Bedarf.

Das Oertchen Oed liegt zunächst Hohenreith, Rißengrub und Grillenreith, westlich von Sooß, in einer recht ländlichen Gegend. Gutes Trinkwasser und gesunde reine Luft sind vorherrschend. — Die Jagd, ein Eigenthum der Herrschaft Schallaburg, liefert Hoch- und Niederwild.

Radel (Unter-).

Ein Dorf von 11 Häusern, wovon St. Pölten, in einer Entfernung von zwei und einer halben Stunde, die nächste Post-station ist.

Zur Pfarre und Schule gehört der Ort nach St. Mar-garethen. Das Landgericht und die Ortsherrlichkeit besitzt die Herrschaft Schallaburg; Conscriptionsobrigkeit ist Fridau. Grunddominien sind folgende verzeichnet: Schallaburg, Mit-terau, Nußdorf an der Traisen, Aggsbach, Göttweih, Fri-bau und Sooß. Der Werbkreis gehört zum 49. Linien-In-fanterie-Regiment.

Hier befinden sich 12 Familien, 31 männliche, 32 weib-liche Personen und 8 schulfähige Kinder; der Viehstand zählt 14 Pferde, 16 Ochsen, 33 Kühe, 40 Schafe und 44 Schweine.

Die hiesigen Bewohner sind Landbauern, welche sehr gu-te Gründe besitzen, die mit den gewöhnlichen Körnergattun-gen bebaut werden. Sie haben auch Obst in ihren Hausgär-ten und eine sehr gute Viehzucht, wobei die Stallfutterung in Anwendung steht.

Unter-Radel liegt in einem schmalen, aber ziemlich langen wunderschönen Thale, welches im Kleide herrlicher Wie-sen pranget, und größtentheils von üppigen Saat- und Klee-feldern umgeben wird, eine halbe Stunde von Dürnau. Ein stillmurmelnder Bach durchrieselt dasselbe, der stellenweise mit Weidenanflug, und hin und wieder mit höheren Bäumen ma-lerisch bewachsen ist. Die Häuser sind meist wohlgebaut, mit-unter Stockwerk hoch, mit Schindeln und Stroh gedeckt, und haben theilweise grüne Jalousien. Neben den Häusern stehen große gezimmerte Scheunen, und zwischen denselben zeigen sich die freundlichen Hausgärten. In der Mitte dieses lieblichen Thales steht eine Gruppe hoher Buchenbäume. Am westlichen Ende des Dorfes befindet sich ein Gasthaus. — Klima und Wasser sind vortrefflich, wovon die gute Gesundheit der Einwohner zeigt.

Ritzengrub.

Ein Dorf von 10 Häusern, wovon Melk als die nächste Poststation bezeichnet wird.

Zur Pfarre und Schule ist dasselbe nach St. Leonhard am Wald angewiesen. Die Rechte eines Landgerichtes und Conscriptionsobrigkeit werden von der Herrschaft Peilenstein ausgeübt. Grund= und Ortsherrschaft ist Schallaburg. Der Werbkreis gehört zum 49. Linien=Infanterie=Regiment.

In 12 Familien leben 30 männliche, 33 weibliche Personen und 8 schulfähige Kinder. Der Viehstand zählt 4 Pferde, 12 Ochsen, 36 Kühe und 21 Schweine.

Die Bewohner ernähren sich vom Feldbau, der Obstpflege und Viehzucht, die den häuslichen Bedarf übersteigt. Die Gründe sind von mittelmäßiger Ertragsfähigkeit und werden mit Weizen, Korn, Gerste und Hafer bebaut.

Der Ort liegt eine halbe Stunde vom Pfarrorte St. Leonhard, zwischen Oed, Hohenreith, Grilleureith und Haslach, zu welchen allen die nöthigen Verbindungswege bestehen. Das Klima hier ist gesund, das Wasser gut und der Jagd= nutzen besteht in Hoch= und Niederwild.

Roggendorf.

Ein aus 35 Häusern bestehendes Dorf, wovon die nächste Poststation Loosdorf nur eine Viertelstunde entfernt ist.

Zur Pfarre und Schule ist dasselbe nach Loosdorf ange= wiesen. Das Landgericht, die Orts= und Conscriptionsobrigkeit ist Schallaburg; als Grundherrschaften sind bezeichnet: Schal= laburg, Melk, Albrechtsberg, Viehofen und Schönbühel. Der hiesige Bezirk gehört zum Werbkreise des 49. Linien=In= fanterie=Regiments.

In 48 Familien leben 99 männliche, 118 weibliche Per= sonen und 23 schulfähige Kinder; der Viehstand besteht in 49 Pferden, 17 Ochsen, 30 Kühen, 76 Schafen und 50 Schweinen.

Die Einwohner sind meist gut bestiftete Bauern, unter denen nur wenige Kleinhäusler sich befinden. Ihre Beschäfti= gung besteht in Feldbau, der ihnen Weizen, Korn, Gerste, Linsfutter und Hafer liefert, und wozu gute Gründe vorhan= den sind, in etwas Wein=, Safranbau, in der Obstpflege und der blos für den Hausbedarf nöthigen Viehzucht, bei welcher theilweise die Stallfutterung in Anwendung steht.

Der Ort Roggendorf liegt von der nach Linz füh= renden Poststraße links abwärts eine Viertelstunde, an dem nach Schallaburg führenden Wege, hart am Fuße des sogenannten Wachberges, zunächst Loosdorf, Anzendorf und Merken= dorf, und wird recht lieblich von schattigen Obstbäumen, Klee= und Saatfeldern umgeben. Zwischen den mit Stroh gedeck= ten, blos aus Erdgeschossen bestehenden Bauernhäusern, be= findet sich eine kleine Beth=Capelle, und in der Mitte des Orts, nächst dem dasselbe durchfließenden Quellbächleins, steht auf zwei Pfählen gestützt, die Glocke, mit welcher das Zeichen zum Gottesdienste in Loosdorf gegeben wird.

Roggendorf ist ein freundlicher Ort, die Gegend sehr angenehm und gesund. — Hier besteht in der Fläche blos Feldjagd, die Wälder des Wachberges aber liefern Rehwild, welches ein Regale der Herrschaft Schallaburg ist.

a) Schollach (Groß=).

Ein Dorf von 39 Häusern, mit der nächsten Poststation Melk und der Briefsammlung Loosdorf.

Zur Pfarre und Schule gehört der Ort nach Loosdorf. Landgericht, Orts= und Conscriptionsobrigkeit ist die Herrschaft Schallaburg, welche auch mit Melk und Mitterau die hierorts behausten Unterthanen und Grundholden besitzt. Der Werbkreis gehört zum 49. Linien-Infanterie-Regiment.

Hier leben 49 Familien, 97 männliche, 136 weibliche Personen und 26 schulfähige Kinder; diese besitzen einen Viehstand von 23 Pferden, 14 Ochsen, 78 Kühen, 108 Schafen und 90 Schweinen.

Die Einwohner sind Bauern und Kleinhäusler, die als Handwerker Schmied, Schuhmacher und Schneider haben. Sie beschäftigen sich mit dem Feldbau und Taglohn; es werden Weizen, Korn, Gerste, Linsfutter und Hafer gebaut, wozu gute Gründe vorhanden sind. Obst erhalten sie von ihren Hausgärten und treiben für ihren eigenen Bedarf eine gute Viehzucht mit Anwendung der Stallfutterung.

Der Ort, welcher regelmäßig gebaut, und die Häuser mit Stroh gedeckt sind, liegt drei Viertelstunden südlich von der Poststraße und dem Markte Loosdorf, in einem kleinen, höchst angenehmen Thale, welches von einem Bächlein durchflossen wird. Zunächst dem Dorfe erheben sich der Weirer=, Poppen= und Sichtenberg mit einer Ruine, bei welcher vor ungefähr 500 Jahren eine Kirche stand, die zum

Dorfe Schollach gehört haben soll, wovon aber nur mehr eine Grundfeste zu finden ist. — Klima und Wasser sind sehr gut; die Jagdbarkeit, ein Eigenthum der Herrschaft Schallaburg, liefert Hoch- und Niederwild.

Schollach ist ein alter Ort und hieß Scala; auch blühte eine edle Familie dieses Namens, wovon wir das Nähere bei Schallaburg besprochen haben und wohin wir auch den geehrten Leser verweisen.

b) Schollach (Klein-).

Ein Dörfchen von 10 Häusern, wovon Melk, als die nächste Poststation, und Loosdorf, als der Briefaufgabsort, bezeichnet werden.

Dasselbe ist zur Pfarre und Schule nach Loosdorf angewiesen. Landgericht, Orts- und Conscriptionsobrigkeit ist die Herrschaft Schallaburg, welche auch mit Melk die hierorts behausten Unterthanen besitzt. Der Werbkreis gehört zum 49. Linien-Infanterie-Regiment.

Die Seelenzahl besteht in 11 Familien; 37 männlichen, 22 weiblichen Personen und 10 schulfähigen Kindern; der Viehstand in 16 Pferden, 2 Ochsen, 33 Kühen, 57 Schafen und 38 Schweinen.

Als Landbauern beschäftigen sich die Einwohner mit dem Körnerbau, der Obstpflege und Viehzucht, die über den häuslichen Bedarf hinreicht.

Der Ort liegt zunächst Groß-Schollach, und hat dieselbe Lage wie jener.

Schorngraben.

Ein Oertchen von 7 Häusern, mit der nächsten Poststation Melk und der Briefsammlung in Loosdorf.

Dasselbe ist zur Pfarre und Schule nach Hürm einbezogen. Das Landgericht wird durch die Herrschaft Peilenstein ausgeübt; die Ortsherrlichkeit besitzt Schallaburg; Conscriptionsobrigkeit ist Sooß. Grunddominien sind: Mitterau, Scheibbs, Schallaburg, Weinzierl und die Pfarre Emmersdorf im V. O. M. B. Der Werbkreis gehört zum 49. Linien-Infanterie-Regiment.

Hier befinden sich 8 Familien., 17 männliche, 27 weibliche Personen und 3 schulfähige Kinder; der Viehstand zählt: 8 Pferde, 4 Ochsen, 20 Kühe, 8 Schafe und 7 Schweine.

Die hiesigen Einwohner sind Bauern, welche sich meist mit dem Feldbau beschäftigen, wovon sie die gewöhnlichen Fruchtkörnergattungen fechsen. Nebst einer guten mit Stallfütterung besorgten Viehzucht, haben sie auch Obst. Die Gründe gehören in die mittelmäßige Classe, und sind öfters Elementarbeschädigungen ausgesetzt.

Schorngraben liegt eine halbe Stunde von Hürm entfernt, theils am Berge, theils im Thale, der Schorngraben gemeinhin genannt, in einer hübschen Gegend, welche reine gesunde Luft und gutes Wasser enthält. Da sich hierorts auch Wälder befinden, so liefert die Jagd Hoch- und Niederwild.

Seeben,

auch Sebin vor Alters genannt, ein Dorf aus 13 Häusern bestehend, wovon Melk als die nächste Poststation und Loosdorf als der Briefaufgabsort bezeichnet wird.

Zur Kirche und Schule ist der Ort nach Hürm angewiesen. Das Landgericht und die Ortsherrlichkeit besitzt die Herrschaft Schallaburg; Conscriptionsobrigkeit ist die Herrschaft Sooß. Grunddominien, welche die hierorts behausten Unterthanen und Grundholden besitzen, gibt es mehrere, nämlich: Schalla-

burg, Mitterau, Melk, St. Andrä und die k. k. Staatsherrschaft St. Pölten. Der Werbbezirk ist dem 49. Linien-Infanterie-Regiment untergeordnet.

In 18 Familien leben 47 männliche, 36 weibliche Personen und 7 schulfähige Kinder; der Viehstand zählt: 27 Pferde, 4 Ochsen, 44 Kühe, 96 Schafe und 15 Schweine.

Unter den hiesigen Bewohnern, welche Landbauern sind,
gibt es einige Handwerker. Uebrigens treiben sie den Ackerbau, wozu die Gründe ziemlich gut und ertragsfähig sind,
und welche mit den vier Hauptkörnergattungen gewöhnlich
bebaut werden. Sie erhalten Obst von ihren Hausgärten und
besitzen auch einige Weingärten, wovon das Gewächs aber
schlecht ist. Am besten darf die Viehzucht genannt werden,
welche den Hausbedarf übersteigt.

Der Ort ist regelmäßig gebaut, die Häuser sind mit
Stroh und Schindeln gedeckt, und liegt ein und eine Viertelstunde südlich von der Reichspoststraße ganz flach zwischen
Ining, Grub, Hürm und Mannersdorf, in einer sehr angenehmen und gesunden Gegend, die gutes Wasser enthält. Zu
allen diesen Ortschaften, nach Haindorf und an die Poststraße,
bestehen die nöthigen Verbindungswege. Die Jagd, ein Regale der Herrschaft Schallaburg, liefert blos Hasen und Rebhühner.

Seimetsbach.

Ein aus 10 Häusern bestehendes Dörfchen, mit der nächste Poststation Melk und der Briefsammlung in Loosdorf.

Zur Pfarre und Schule gehört dasselbe nach St. Leonhard am Forst. Das Landgericht wird durch die Herrschaft
Peilenstein zu St. Leonhard ausgeübt, welche zugleich auch
Conscriptionsobrigkeit ist. Schallaburg besitzt die Ortsherrlichkeit, und Grundherrschaften sind: Peilenstein, Plankenstein,

Schallaburg und Scheibs. Der hiesige Bezirk ist zum Werbkreis des 49. Linien-Infanterie-Regiments einbezogen.

Es leben hier 10 Familien, 24 männliche, 26 weibliche Personen und 7 Schulkinder; der Viehstand zählt: 8 Pferde, 12 Ochsen, 28 Kühe, 16 Schafe und 13 Schweine.

Die Einwohner nähern sich mehr den Wald - als Landbauern, doch treiben sie meist den Feldbau mit Weizen, Korn, Gerste und Hafer, wozu die Gründe von mittelmäßiger Beschaffenheit sind. Obst gibt es auch, doch viel mehr ist die Viehzucht, welche mit Fleiß besorgt wird.

Seimetsbach, von einem kleinen Bächlein so benannt, liegt drei Viertelstunden nordöstlich vom Pfarrorte St. Leonhard, zwischen Grillenreith, Haslach und Neustift, zu welchen Ortschaften die nöthigen Verbindungswege bestehen. Der ganze Bezirk der Herrschaft Schallaburg überhaupt, und so auch der hiesige, enthält schöne Gegenden voll Abwechslungen und angenehm ländliche Partien. Reine gesunde Luft und sehr gutes Trinkwasser sind vorherrschend. In den hiesigen gebirgigen Theilen liefert der Jagdnutzen Hoch- und Niederwild.

Sichtenberg.

Eine Ruine, welche sich zunächst dem Dorfe Groß-Schollach am Berge gleiches Namens befindet, zunächst derselben noch einige Grundfesten sich zeigen, die einer Kirche, und zwar jener von Schollach angehören sollen. Die alles zerstörende Zeit hat mächtig ihre eingreifenden Fittiche über diese Veste geschwungen, so, daß nichts als bloße Trümmer den forschenden Wanderer wehmuthsvoll entgegen starren. Die sich sogleich aufbringenden Fragen, wann mag diese Burg und durch wem entstanden sein, verhallen ohne Aufklärung, weil uns darüber geschichtliche Werke wenig sagen. Allerdings ist es unbestreitbar, daß eine edle Familie, die sich von Sichten-

berg schrieb und nannte, diese Burg erbaut habe, und auch
darin durch einige Jahrhunderte hausete. Darüber sprechen ur-
kundliche Beweise, durch die es bekannt wird, daß Heinrich
von Sichtenberg zwischen 1204 und 1212 lebte; Ulrich
Ritter von Sichtenberg erscheint im J. 1229 und Friedrich von 1282 bis 1291; darauf erscheinen die Herren von
Radler als Besitzer von Sichtenberg, namentlich Martin von Radler im Jahre 1384 und mehrere Andere.

Unserer Meinung zufolge dürfte diese Veste im XII.
Jahrhundert von dem oben erwähnten Geschlechte erbaut worden sein, und den Namen von dem Berge (seichten Berge,
wahrscheinlich gesichteten Berge, worauf man Wasser auf-
fing, es in eine Cisterne leitete, die noch zehn Klafter tief
nebst mehreren Höhlen vorhanden ist, und sichtete, nämlich
läuterte) erhalten haben, welchen sich, wie in diesem Zeitalter allgemein üblich war, die Besitzer selbst beilegten. Mehrere Bestandtheile gehörten zu dieser Burg, die in der Folge
an Schallaburg kamen; so mag auch Sichtenberg eine
eigene ständische Gülteneinlage gehabt haben, die aber längst
aufgelöst, und wie erwähnt, mit Schallaburg seit mehreren
Jahrhunderten verschmolzen ist. ——

Seit dem Beginn des Verfalles dieser Burg sind Jahrhunderte in den Strom der Zeit abgelaufen, daher ihre gänz-
liche Verwüstung seit so langer Zeit. Schon gegen Ende des
XVII. Jahrhunderts mag sie als Ruine sehr unbedeutend,
und überdieß ohne geschichtlicher Celebrität gewesen sein, als
sie sonst unser fleißiger Topograph, Matthäus Fischer,
der im Jahre 1674 die nahe gelegene Schallaburg auf-
nahm, gewiß der Vergessenheit entrissen haben würde.

Wehmüthig scheidet der Forscher von diesen trauernden
Ueberresten, denn er vermag nicht der Nachwelt bestimmte
Ueberlieferungen ihrer Schicksale zu geben; doch was wir von
Sichtenberg wissen, mag genügen, das uns Urkunden die

nöthigste Aufklärung, wie schon gesagt, gespendet haben. Noch viel könnten wir in Archiven darüber auffinden, doch Zeit und Raum gestattet Mehreres zu erforschen unser ohnedieß sehr ausgedehntes Werk nicht.

a) Siegendorf (Ober-).

Ein kleiner Ort von 7 Häusern, wovon Melk die nächste Poststation, und Loosdorf der Briefaufgabsort ist.

Zur Kirche und Schule gehört derselbe nach Hürm. Das Landgericht und die Ortsherrlichkeit besitzt die Herrschaft Schallaburg, und mit Mitterau auch die wenigen behausten Unterthanen; Conscriptionsobrigkeit ist Sooß. Der Werbkreis gehört zum 49. Linien-Infanterie-Regiment.

In 9 Familien leben 24 männliche, 19 weibliche Personen und 5 schulfähige Kinder. Der Viehstand enthält 12 Pferde, 4 Ochsen, 20 Kühe und 10 Schweine.

Als mittelmäßig bestiftete Bauern, haben die Einwohner mehrere Handwerker unter sich, und treiben den Ackerbau, der ihnen die gewöhnlichen Getreidearten liefert, und wozu die Gründe von mittlerer Ertragsfähigkeit sind. Außerdem haben sie Obst und eine ergiebige Viehzucht, die auch fleißig mit Stallfütterung besorgt wird.

Der Ort ist größtentheils zerstreut, die Häuser sind mit Stroh gedeckt, und liegen nahe bei Hürm in einem sehr freundlichen Thale, an der Straße, welche von Loosdorf nach Mank führt. Die übrigen nächstgelegenen Dörfer sind: Unter-Siegendorf, Harmersdorf, Neustift und Murschratten. — Klima und Wasser sind vortrefflich, und da es hier auch Berge und Wälder gibt, so besteht die Jagd in Hoch- und Niederwild.

Woher der Name des Orts genommen wurde, ist gänzlich unbekannt, daß er aber von einem Siege herrührt, welcher hier einstmals Statt fand, ist weder bekannt, noch glaubwürdig.

b) Siegendorf (Unter-).

Ein aus 14 Häusern bestehendes Dorf, wovon Melk die nächste Poststation, Loosdorf aber der Briefaufgabsort ist.

Der Ort ist nach Hürm eingepfarrt und eingeschult. Das Landgericht und die Ortsherrlichkeit besitzt die Herrschaft Schallaburg; Conscriptionsobrigkeit ist Sooß. Als Grundherrschaften sind verzeichnet: Mitterau, Sitzenthal, Goldegg, Aggsbach, Schallaburg, die k. k. Staatsherrschaft St. Pölten, Mauerbach im W. U. W. W. und die Pfarre Hürm. Der Werbkreis gehört zum 49. Linien-Infanterie-Regiment.

Die Seelenzahl umfaßt 15 Familien, 30 männliche, 37 weibliche Personen und 6 schulfähige Kinder; der Viehstand 8 Pferde, 4 Ochsen, 25 Kühe, 12 Schafe und 12 Schweine.

Unter den hiesigen Einwohnern gibt es einige Handwerksleute; übrigens sind ihre wirthschaftlichen Zweige der Körnerbau von Weizen, Gerste, Korn und Hafer, die Obstpflege in ihren Hausgärten und eine zum eigenen Bedarf hinreichende Viehzucht, wobei die Stallfutterung in Anwendung steht.

Unter-Siegendorf enthält zerstreut gebaute, mit Stroh gedeckte Häuser, und liegt nur einige Minuten von Ober-Siegendorf entfernt, durch welches ein kleines Bächlein fließt. Alle übrigen Rubriken sind dieselben wie bei dem vorstehenden Ober-Siegendorf.

Steinparz.

Ein kleines Dörfchen von 8 Häusern, mit der nächsten Poststation Melk und den nur eine Stunde entfernten Briefaufgabsort Loosdorf.

Dieses ist zur Kirche und Schule nach Loosdorf angewiesen. Das Landgericht, die Orts- und Conscriptionsherrschaft ist Schallaburg, welche auch mit Zelking die hierorts behausten Unterthanen besitzt. Der Werbbezirk gehört zum Linien-Infanterie-Regiment Nr. 49.

Hier leben 11 Familien, 17 männliche, 22 weibliche Personen und 9 schulfähige Kinder. Der Viehstand zählt: 4 Pferde, 6 Ochsen und 13 Kühe.

Die hiesigen Einwohner als Bauern und Kleinhäusler sind nur gering bestiftet; sie beschäftigen sich mit dem Feldbau und Tagwerkarbeiten. Gebaut werden sehr wenig Weizen, mehr Korn, Linsfutter und Hafer, wozu schlechte Gründe vorhanden sind. Sie haben etwas Obst und nur eine geringe Viehzucht.

Der Ort ist regelmäßig gebaut, die Häuser sind mit Stroh gedeckt, und liegt gebirgig im Walde, unweit Sooß und Schallaburg, zwischen dem sogenannten Hirsch- und Weidenberge. Die Gegend ist sehr schön; Klima und Wasser sind vortrefflich, und die Jagd ergiebig.

Steinparz ist ein sehr alter Ort, der von jeher zur Herrschaft Schallaburg gehört.

a) Thurmhofen (Ober-).

Ein aus 4 Hausnummern bestehendes Dörfchen, mit der nächsten Poststation Melk.

Dieses ist zur Pfarre und Schule nach Hürm angewiesen. Das Landgericht ist Peilenstein, die Ortsobrigkeit Schallaburg, Conscriptionsherrschaft Sooß. Grundherrschaften sind: Melk, Strannersdorf und die Pfarre Hürm. Der Werbkreis gehört zum 49. Linien-Infanterie-Regiment.

In 5 Familien befinden sich 14 männliche, 16 weibliche Personen und 3 schulfähige Kinder; diese besitzen 9 Pferde, 30 Kühe und 10 Schweine.

15

Die Einwohner besitzen eine gute Grundbestiftung und beschäftigen sich mit dem Ackerbau, der Obstpflege, und einer vortrefflichen Viehzucht mit Anwendung der Stallfutterung. Es werden alle Gattungen Körnerfrüchte gebaut, wozu die Gründe ziemlich ertragsfähig sind.

Die Häuser liegen beisammen, in einer sehr angenehmen Thalgegend, drei Viertelstunden vom Pfarrorte Hürm, in der gesundes Klima und gutes Trinkwasser vorherrschend sind. Da hier Berge und Wälder vorhanden sind, so liefert die Jagd Hoch- und Niederwild.

Der Name Thurmhofen läßt mit Grund vermuthen, daß vor Zeiten hier ein Thurmhof bestand, auf dessen Grund und Boden, Ober- und Unter-Thurmhofen, als zwei kleine Oertchen, entstanden. Uebrigens ist von dem vermutheten Thurmhofe nichts Näheres bekannt.

b) Thurmhofen (Unter-).

Ein kleines Dorf von 8 Häusern, wovon Melk als die nächste Poststation bezeichnet wird.

Zur Pfarre und Schule gehört dasselbe nach Hürm. Das Landgericht ist Peilenstein, die Ortsobrigkeit Schallaburg, Conscriptionsherrschaft Sooß. Als Grunddominien bemerken wir Melk, Sooß, Weinzierl, Schallaburg, Grünbühel und Mauerbach im V. U. W. W. Der Werbbezirk gehört zum 49. Linien-Infanterie-Regiment.

Es befinden sich hier 9 Familien, 27 männliche, 25 weibliche Personen und 3 schulfähige Kinder; der Viehstand zählt: 19 Pferde, 2 Ochsen, 29 Kühe, 53 Schafe und 20 Schweine.

Die hiesigen Einwohner besitzen eine gute Grundbestiftung, und beschäftigen sich mit dem Feldbau der gewöhnlichen Getreidearten, der Obstpflege und einer guten Viehzucht, bei der die Stallfutterung in Anwendung steht. Die Aecker sind ziemlich gut, und erleiden wenig Elementarbeschädigungen.

Das Oertchen ist zusammengebaut und liegt eine halbe Stunde von Hürm entfernt, zunächst Ober = Thurmhofen, in einer anmuthigen Thalgegend. Wie schon oben erwähnt, ist die Luft rein und gesund, das Wasser sehr gut; die Jagd liefert Hoch= und Niederwild.

Zell (Klein=).

Ein aus 5 Häusern bestehendes Oertchen, mit der nächsten Poststation Melk.

Dieses ist zur Kirche und Schule nach Mank angewiesen. Das Landgericht wird von der Herrschaft Peilenstein ausgeübt; die Ortsherrlichkeit besitzt Schallaburg; Conscriptionsherrschaft ist Strannersdorf. Als Grundbominien werden genannt: Schallaburg, Scheibs und Strannersdorf. Der Werbkreis gehört zum 49. Linien-Infanterie=Regiment.

Es leben hier 7 Familien, 10 männliche, 10 weibliche Personen und 3 schulfähige Kinder. Diese besitzen an Viehstand; 2 Pferde, 8 Ochsen, 14 Kühe, 20 Schafe und 25 Schweine.

Die Einwohner ernähren sich vom Ackerbau, welcher die gewöhnlichen Körnerfrüchte liefert, von der Obstpflege und der guten Viehzucht, wobei auch Stallfutterung angewendet wird.

Die 5 Häuser von Klein=Zell liegen ganz flach, eine halbe Stunde südlich von Mank, zunächst Wolkersdorf, Kerschbaum, Pöllaberg und Dorna, unfern des Mankbaches, in einer angenehmen und gesunden Gegend, die auch gutes Wasser enthält. — Nahe beim Dörfchen führt die Straße nach Texing; im übrigen bestehen die nöthigsten Verbindungswege zu den umliegenden Dorfschaften.

15 *

Sooß.

Ein Dorf von 34 Häusern, und zugleich eine eigene Herrschaft, wovon Melk als die nächste Poststation bezeichnet wird.

Der Ort ist nach Hürm eingepfarrt und eingeschult. Das Landgericht wird von der Herrschaft Schallaburg ausgeübt; Grund-, Orts- und Conscriptionsobrigkeit ist die Herrschaft Sooß. Der Werbbezirk gehört zum 49. Linien-Infanterie-Regiment.

In 49 Familien befinden sich 90 männliche, 106 weibliche Personen und 10 schulfähige Kinder; diese besitzen einen Viehstand von 6 Pferden, 12 Ochsen, 43 Kühen, 321 Schafen (darunter sind die herrschaftlichen mit begriffen) und 12 Schweinen.

Die Einwohner sind nur sogenannte Viertelbauern, welche an Handwerkern Schmiede, Schuster, Schneider, Wagner, Maurer ꝛc. ꝛc. unter sich haben. Ihre Beschäftigung besteht in Feldbau und Obstpflege, von welch' ersterem Zweige die gewöhnlichen Körnergattungen gebaut werden. — Weingärten gibt es keine. Die Viehzucht darf gut genannt werden, welche mit Stallfutterung betrieben wird.

Das Dorf Sooß mit dem herrschaftlichen Schlosse besteht in zerstreuten, mit Stroh und Schindeln gedeckten Häusern, und liegt südlich von der Linzer-Poststraße und dem Markte Loosdorf, welcher der nächste Ort für Briefaufgaben ist, anderthalb Stunden entfernt, in einem tiefen Waldthale, zwischen Schallaburg und Hürm. Die Gegend ist wahrhaftig wild romantisch schön; besonders überraschend ist die Ansicht, wenn man von Hürm den Waldsteig über Massenbach geht, wo der Wanderer von der Höhe herab die Ruinen und das Schloß in der Tiefe durch die Waldungen durchschimmern steht. Das Dorf, welches am Fuße der Veste in zerstreuten Gruppen situirt ist, wird von der Ferne wenig sichtbar, da die Gehöfte meist zwischen dichtbelaubten Obstgärten verborgen sind. Uebrigens sind es nette Bauernhäuser, worunter besonders das Einkehrwirthshaus, das mit einer Fleischhauergerechtigkeit versehen, als das niedlichere angeführt zu werden verdient, und hart am Fuße der alten Veste mit den sie umgebenden Obstgarten gelegen ist. — Den Ort durchrieselt ein Bach, an welchem eine Mühle steht. — Klima und Wasser sind vortrefflich; die Jagdbarkeit, Hoch- und Niederwild liefernd, gehört der Herrschaft Sooß.

Es bestehen hier zwei Schlösser, ein kleines und ein großes, das eigentliche herrschaftliche Schloß, nebst einer, hinter dem kleinen liegenden, alten Ruine, die Veste Sooß genannt. Das neue Schloßgebäude liegt am Abhange eines mit dichten Waldungen bewachsenen Berges; es ist im einfachen neuern und gefälligen Styl erbaut, hat zwei Stockwerke mit zwanzig schön ausgeschmückten Zimmern, und am äußern Ende einen Thurm, und enthält eine lange, gegen die vor demselben tiefer liegende Meierei und das Dorf gekehrte nördliche Fronte, dann einen zur Rechten stehenden Seitenflügel, der zugleich das Stiegenhaus bildet, und mittelst eines vom zweiten Stockwerk ausgehenden Schwibbogens, mit dem daselbst auf einem Theile des Felsens, auf dem die ehemalige Veste stand, neu erbauten Amtshause verbunden ist. Dieses Schloß ist somit von allen Seiten frei, wobei im Rücken und zu beiden Seiten sehr schöne Obst- und Ziergärten sich befinden, vor demselben aber ein kleiner freier Platz gebildet wird, an welchem der Hof der etwas tiefer liegenden Wirthschaftsgebäude sich anreihet.

Die vorige Veste, nun Ruine, wovon übrigens nur noch geringe Mauerreste vorhanden sind, stand, wie bereits bemerkt, zur Rechten des Schlosses, auf einem ziemlich hohen, sehr abhängigen Sandsteinfelsen, gerade über dem Dorfe. Am neuen Schlosse führt der Weg zu demselben auf einem schmalen Fußsteige; die Aussicht von diesem Felsen ist ungemein schön, indem zu den Füßen das tiefe Waldthal sich ausbreitet, gegen Norden aber die herrliche Gegend von Loosdorf, die Ruine Osterburg, das Schloß Hohenegg und weiterhin zwischen Waldungen das Kloster Langegg in lieblichen Formen sichtbar werden. Auf dem Felsen sind mehrere Höhlen und Tiefen, auch befindet sich eine zehn Klafter tiefe, in den Felsen gehauene Cisterne. Durch Jahrhunderte in Trümmer und Schutt verfallen, wird diese Ruine nicht mehr besucht, daher denn auch dieser Fels meist mit Tannen, Gesträuchen und Moos bewachsen ist. Eine andere unscheinbare Ruine liegt eine Viertelstunde nördlich vom Schlosse entfernt am Wege gegen Loosdorf hin, welche einstmals wahrscheinlich ein zur Veste Sooß gehöriges Gebäude war. — Vom neuen Schlosse hinweg führt ein steiler Waldsteig westlich nach St. Leonhard und in gerader südlicher Richtung in die romantischen Thäler von Mank und Kilb. Für den fremden Wanderer ist jedoch hier ein Führer nöthig.

Wir haben mehrere Orte dieses Namens in den vier Vierteln Niederösterreichs, nämlich eines im V. U. W. W., V. U. M. B. und V. O. W. W., ohne daß wir jedoch erfahren und entziffern konnten, woher das Wort Saz ze oder Soz ze (Sooß) abgeleitet wurde, welche Benennung der celtischen Aussprache angehört. Diesem zufolge ist es auch ganz gewiß, daß die uralte österreichische Familie von Soz ze nicht den Namen den von ihnen etwa gegründeten Oertern gegeben, sondern solchen von der schon damals bestandenen örtlichen Lage genommen habe. Uebrigens ist es außer allen Zweifel, daß die Herren von Soz ze den Ort hier und die Veste gründeten, gleich wie jenen im V. U. W. W., ja wir glauben mit Grund vermuthen zu dürfen, daß der gegenwär-

tige Ort der älteste von allen ist, und ihr Stammsitz war, und
daß nämlich die örtliche Lage hier den celtischen Namen Saz=
ze geführt habe. Im XI. Jahrhundert mag dieses Geschlecht
schon geblüht haben, wenn gleich keine Urkunden aus dieser
Zeit vorhanden sind, und die Glieder derselben erst im XIV.
Jahrhundert in Schriften davon bekannt werden. Hueber
nennt uns im Jahre 1320 den Chunrad und Otto von
Sooß oder Soffer; Duelius den Otto und die Anna
im Jahre 1358. Ferners erscheinen Conrad und Hermann
von Sozza im Jahre 1366 und 1369, wovon auch einige
dieser Glieder Hohenegg im III. Theil seines genealogi=
schen Werkes nennt. Sowohl die Zeit des Ausblühens, als
auch ihr Wappen, sind unbekannt.

Die Allodial-Herrschaft Sooß.

Die Herrschaft Sooß, welche die Ortsherrlichkeit über
die Ortschaften: Sooß, Saltbrunn, Haslach und Neu=
stift besitzt, zählt 50 Häuser, 68 Familien, 144 männliche,
157 weibliche Personen und 24 schulfähige Kinder; ferner 12
Pferde, 34 Ochsen, 78 Kühe, 392 Schafe und 35 Schweine.
An herrschaftlichen Grundständ sind vorhanden: 152 Joch
herrschaftliche, 5 Joch Privat=Waldungen, 25 Joch Wiesen,
68 Joch Ackerland und 6 Joch Gärten. Außerdem besitzt sie
viele zerstreut liegende, in verschiedenen Gerichtsbarkeiten
behauste Unterthanen.

Diese Herrschaft grenzt an die Dominien Schallaburg,
Ranzenbach, Weichselbach, St. Leonhard am Forst und
Zelking. Sie liegt anderthalb Stunden südlich von der Reichs=
poststraße abwärts, in einer sehr romantischen Thalgegend, in
der vortreffliches Klima und sehr gutes Wasser vorhanden
sind. — Hauptstraßen gibt es im diesherrschaftlichen Bezirke
keine, sondern blos Seitenwege. — Der Hauptnahrungszweig

der hiesigen Einwohner ist der Feldbau, welcher in Weizen, Korn, Gerste, Hafer, Hirse, Safran, Flachs und Hanf besteht, und wozu die Gründe gut sind, welche auch mit vielem Fleiße bearbeitet werden. Wie überall, besteht auch hier die Dreifelderwirthschaft. — Weinbau wird keiner betrieben, dagegen ist der Anbau von steierischem Klee sehr stark. Die Wiesen gehören in die mittlere Classe, die in der Regel bewässert, und mit Gips und Asche gedüngt werden. — Die Baumzucht ist vortrefflich und liefert viel Obst, woraus Essig und Branntwein erzeugt wird. Auch die Viehzucht darf gut genannt werden, wobei die Stallfutterung in Anwendung steht; übrigens ist die Schaf- und Pferdezucht nicht von Bedeutung. — Was die Waldungen betrifft, so bestehen sie meist in Buchen, Tannen und Fichten; sie haben sowohl wie die Berge verschiedene Localbenennungen, wovon der Sichtenberg zu erwähnen kömmt. Die Jagdbarkeit, ein Regale der Herrschaft Sooß, ist gut, und liefert alle Gattungen Wild. — Außer einem kleinen Bach in Sooß, sind sonst keine Gewässer vorhanden. — Besondere Freiheiten oder Märkte bestehen keine; und ebenfalls auch keine Fabriken. — An bemerkenswerthen alten Urkunden ist blos ein Urbarium vom Jahre 1586 von Pilgram Herrn von Puchheim und ein Lehensbrief von Kaiser Carl VI. vom 30. Mai 1729 vorhanden.

Die Besitzer der Herrschaft Sooß betreffend, so war das Geschlecht der Herren von Sooß noch nicht ausgeblüht, als die Herrschaft schon in den Händen des österreichischen Herzogs Rudolph IV. sich befand. Auf welche Art sie an den Landesfürsten kam, ist unbekannt; wir finden jedoch, daß diese Herrschaft im Jahre 1356 Eberhard von Capell pfandweise vom gedachten Herzog überkam. Friedrich und Otto von Stubenberg erhielten solche im Jahre 1365 durch Einantwortung vom Herzog Albrecht III.; darauf kam sie an den Grafen von Schauenberg, von welchem sie im Jahre 1382 Heinrich Graf von Cilly übernahm. Von den darauf folgenden Besitzern erscheint im Jahre 1500 Oswald Schirmer; im Jahre 1534 Wolfgang Radler; im Jahre 1550 Samson Präzel von Rabeck; im Jahre 1606 die Erben der Beatrix von Neubegg; im Jahre 1620 Franz Adam von Neubegg; im Jahre 1650 dessen Sohn Ehrenreich Ferdinand Freiherr von Neubegg; im Jahre 1676 Ehrenreich Friedrich; im Jahre 1690 dessen Bruder Ferdinand Raimund, durch Erbschaft; im Jahre 1730 Ferdinand Ehrenreich Graf von Rindsmaul, durch Erbschaft vom Vorigen; im Jahre 1743 dessen Bruder Sigmund Friedrich, durch Erbschaft; im Jahre 1802 Ferdinand Graf von Rindsmaul; im Jahre 1813 Nikolaus Graf von Rindsmaul, durch Erbschaft; im Jahre 1817 Joseph Freiherr von Hauer, durch Kauf vom Vorigen; im Jahre 1832 Johann Nepomuk Freiherr von Mesnil; und gegenwärtig Franz Joseph Wolfgang Freiherr von Kaiserstein.

Nachstehende drei Ortschaften sind die Bestandtheile der Herrschaft Sooß.

Galtbrunn.

Ein Dörfchen von 4 Häusern, wovon Amstetten die nächste Poststation ist.

Dieses gehört zur Pfarre und Schule nach St. Georgen am Ipsfelde. Das Landgericht und die Conscriptionsobrigkeit ist die Herrschaft Seisenegg; die Orts- und Grundherrlichkeit besitzt die Herrschaft Sooß. Der Werbkreis ist zum 49. Linien-Infanterie-Regiment angewiesen.

Hier leben 4 Familien, 10 männliche, 18 weibliche Personen und 5 schulfähige Kinder. Der Biehstand zählt 4 Pferde, 8 Ochsen, 16 Kühe, 41 Schafe und 6 Schweine.

Die hiesigen Einwohner sind gut bestiftete Bauern, welche sich mit dem Körnerbau beschäftigen, wozu der Grund jedoch mittelmäßig ist, weil er meist seichten, schotterigen und daher zu heißen Boden enthält, und so in der Regel blos mit Korn, Linsfutter und Hafer bebaut wird. Die Biehzucht ist sehr gut und wird mit Stallfutterung betrieben; was jedoch die Obstpflege anbelangt, so erstreckt sich solche blos auf die Hausgärten. — Klima und Wasser sind vortrefflich; der Jagdnußen liefert blos Hasen und Rebhühner und gehört der Herrschaft Seisenegg.

Die vier Bauerngehöfte von Galtbrunn, welche mit Stroh gedeckt sind, liegen unregelmäßig beisammen auf dem Ipsfelde, nächst der Reichspoststraße und dem Seisenegger-Bach, eine Viertelstunde von St. Georgen am Ipsfelde entfernt.

Haslach.

Ein kleines Dörfchen aus 6 Hausnummern bestehend, wovon Melk die nächste Poststation ist.

Dasselbe gehört zur Pfarre und Schule nach St. Leonhard am Wald. Das Landgericht und die Conscriptionsobrigkeit ist die Herrschaft Peilenstein zu St Leonhard; die Grund- und Ortsherrschaft besißt das Dominium Sooß. Der hiesige Bezirk ist zum Werbkreise des 49. Linien-Infanterie-Regiments einbezogen.

Die Seelenzahl besteht in 7 Familien, 21 männlichen, 16 weiblichen Personen und 4 schulfähigen Kindern; diese besißen 2 Pferde, 6 Ochsen, 10 Kühe, 16 Schafe und 8 Schweine.

Die Bewohner sind ziemlich gut bestiftete Waldbauern,

welche den Ackerbau der gewöhnlichen Körnerfrüchte treiben, wozu die Gründe ertragsfähig sind; auch haben sie die für den Hausbedarf nöthige Viehzucht und erhalten Obst aus ihren Hausgärten.

Das Oertchen Haslach (dürfte wohl damit Hasenlache, Hasenlacke gemeint seyn) liegt eine Viertelstunde nördlich von St. Leonhard am Wald und eben so weit von Sooß entfernt, in einer schönen und gesunden Gegend, die auch vortreffliches Wasser enthält. — Die Jagdbarkeit ist ein Eigenthum der Herrschaft Sooß und liefert Hoch = und Niederwild.

Neustift.

Ein Dorf von 4 Häusern, mit der nächsten Poststation Melk.

Zur Kirche und Schule ist dasselbe nach Hürm angewiesen. Das Landgericht wird durch die Herrschaft Schallaburg ausgeübt. Grund =, Orts = und Conscriptionsobrigkeit ist die Herrschaft Sooß. Der Werbkreis gehört zum 49. Linien-Infanterie = Regiment.

In 8 Familien befinden sich 23 männliche, 17 weibliche Personen und 5 Schulkinder; der Viehstand besteht in 8 Ochsen, 9 Kühen, 14 Schafen und 9 Schweinen.

Die hiesigen Einwohner sind Waldbauern, die aber alle Gattungen Fruchtkörner bauen. Sie erhalten Obst von ihren Hausgärten und treiben etwas Viehzucht mit Anwendung der Stallfutterung. — Klima und Wasser sind gut; die Jagd liefert Hoch = und Niederwild.

Neustift liegt am Berge, in zerstreuten Häusern, nahe bei Ober = Siegendorf und Sooß, in einer waldigen und bergigen Gegend.

Seisenegg.

Ein Dorf von 32 Häusern, mit einem herrschaftlichen Schlosse und die gleichnamige Herrschaft, wovon Amstetten als die nächste Poststation bezeichnet wird.

Die rechte Seite des Orts von Seiseneggerbach gehört zur Pfarre und Schule nach Viehdorf, die linke nach St. Georgen am Ipsfelde. Das Landgericht, die Orts=, Grund= und Conscriptionsobrigkeit ist die Herrschaft Seisenegg. Der Werbkreis gehört zum 49. Linien=Infanterie=Regiment.

Hier leben 46 Familien, 82 männliche, 78 weibliche Personen und 10 schulfähige Kinder. Der Viehstand zählt 13 Pferde, 14 Ochsen, 60 Kühe, 20 Schafe und 10 Schweine.

Die hiesigen Bewohner sind theils gewöhnliche Handwerks = und Gewerbsleute, theils Taglöhner, und blos der nach Seisenegg gehörige, etwas abseits liegende Niedernhof ist ein gut bestiftetes Bauerngut. Als Gewerbsleute sind vorhanden: 1 Bäcker, 1 Binder, 1 Hufschmied, 2 Müller (eine jede Mühle enthält zwei Gänge), 1 Schlosser, 1 Schneider, 1 Schuhmacher, 1 Tischler, 1 Gastwirth und Fleischhauer, 1 Zimmermeister, dann Maurer= und Zimmergesellen. Indessen werden doch alle Körnerfrüchte, Erdäpfel und Klee gebaut, wozu aber die Aecker nur mittelmäßig, etwas schwer und naß, die Wiesen jedoch viel besser sind. Die Obstbaumzucht, welche jährlich zunimmt, liefert schon jetzt erfreuliche Resultate; eben so wird auch die Viehzucht mit vielem Fleiße betrieben und dabei die Stallfutterung angewendet.

Der Ort Seisenegg, von Amstetten 1, von Viehdorf und St. Georgen ½, von Neustadl 2, von Freynstein an der Donau 3, von Blindenmakt 1¼, von Kolmitzberg 1½, von Grein in Oberösterreich und von Ardagger 2 Stunden entfernt, ist in einem tiefen, auf drei Seiten von waldigen Bergen begrenztem Thale situirt, in dessem Mittelpunkt auf einem länglichen und mäßigen Felsenberge sich das herrschaftliche Schloß erhebt, wogegen der herrschaftliche Meier-hof und Getreidekasten, so wie die übrigen Häuser um das Schloß in der Niederung herum sich befinden und wovon nur blos sieben Kleinhäuser sehr romantisch, höher noch als das Schloß auf dem Plateau des nahen Bergholzes sich zei-gen, welche theils die Klause, theils den Königsberg umfassen. Das Schloß ist von drei Seiten mit Wasser umge-ben, wovon der Seiseneggerbach links vom Schlosse, das sogenannte Grueberbächel rechts durchfließt, welche beide den rückwärts dem Schlosse befindlichen, 1 Joch 295 Quadr. Klafter großen Teich mit Wasser versehen und sich außer dem Dorfe vereinigen. Ersterer braust mit vielem Lärm da-hin, weil er über Felsenklippen seinen Lauf nimmt. Uebri-gens sind beide beim gewöhnlichen Wasserstand nur kleine Bäch-leins, erfordern jedoch für die durchführenden Verbindungswege mit der Reichspoststraße, mit Neustadl u. s. w., drei Brücken; außerdem sind noch drei andere Privatbrücken und ein Steg vorhanden. — Von den Gebäuden sind das alte Schloß, das neue Gefangenhaus und der neue Körnerkasten mit Ziegeln, die übrigen aber mit Schindeln und Stroh gedeckt. — Das vor-handene Trinkwasser ist gut, aber nicht sehr viel; für das Schloß besteht eine 439 Klafter lange Wasserleitung mittelst föhrenen Röhren. — Die Jagd ist ein Eigenthumsrecht der hiesigen Herrschaft, liefert Rehe, Hasen, Füchse und Reb-hühner, und ist sehr ergiebig. Auch befindet sich hier ein sehr ausgiebiger und guter Granit = Steinbruch, der für die ganze Umgebung die nöthigen Bausteine, und selbst nach Wien schon Pflastersteine geliefert hat. —

Das herrschaftliche Schloß, wie schon oben er-wähnt, auf einem erhöhten Felsenpunkte prangend, ist mit ei-nem Graben und einer Mauer umfangen, und die Einfahrt

geht über einen Erddamm bergan durch drei Thore; es besteht
aus zwei Theile, nämlich: aus dem alten und neuen
Schlosse; jenes erhebt sich nördlich, es ist klein aber fest gebaut, zweistöckig, hat auf der linken Seite einen massiven,
ziemlich hohen viereckigen Thurm mit einem einfachen Schin-
delbache, einen ganz kleinen Hof mit einem guten Pumpbrun-
nen, zu ebener Erde drei Gewölbe und einen Keller. Im ersten Stocke sind die sämmtlichen Localitäten (fünf Stücke) zum
Amtsgebrauche in Verwendung, unter denen sich ein Saal befindet, der gewölbt und sehr hoch ist, und einen mittelst Schrau-
ben zusammengesetzten Ofen enthält, von gegossenen Eisen-
platten, die kriegerischer Scenen in erhabener Arbeit, dann das
freiherrlich von Greifenbergische Wappen mit der Jahreszahl 1612 enthalten. Dieser Saal ist mit rauhen Stein-
platten gepflastert und diente in den alten Zeiten wahrscheinlich als Prunk- oder Speisesaal. Im zweiten Stocke, — durch
breite Stiegen mit dem ersten in Verbindung — befinden sich
eine geräumige Küche und Vorhalle, dann vier Zimmer,
welche zwar hoch sind, oben aber nur, wie vor Alters ge-
bräuchlich, einen sogenannten Tramboden (Dielen) und unten
einen gesetzten, die Fenster aber kleine achteckige, in Blei ge-
faßte Glastafeln haben; in diesem Zimmer sind gegenwärtig
alte Gewehre und Waffen, alterthümliche Meubeln, eine
Bildersammlung und eine kleine alte Bibliothek, die während
den verschiedenen Kriegszeiten viele Verluste erlitten hat.
Uebrigens ist dasselbe mit Pferdställen und mit der Holzlage
umgeben. Dieses den nördlichen Theil gegen den Teich hin
bildende Gebäude, steht rechts mit dem neuen vorderen, gegen
Süden angebrachten Schlosse durch ein niederes zweistöckiges
Seitengebäude, und mit der Capelle in Verbindung; die
linke Seite ist mittelst einer hohen Mauer geschlossen, wodurch
ein angemessener Hofraum gebildet wird, darin auch ein Brun-

nen mit einem steinernen Baſſin ſteht, welcher ſein Waſſer durch die ſchon bemerkte Waſſerleitung erhält.

Das neue Schloß iſt länger als breit, hat zwei Stockwerke und vor der Hauptfronte einen Baſtei ähnlichen freien Platz mit eiſernen Schutzgittern und zwei ſpitzen Thürmen. Die Gemächer ſind hoch, ziemlich groß, jedoch ohne beſonderer architektoniſcher Merkwürdigkeit; ſie werden von Zeit zu Zeit nach dem jetzigen Geſchmacke verſchönert ausgeſchmückt, und gegenwärtig von der Herrſchaft bewohnt. In jedem Stocke iſt ein Saal vorhanden, wovon aber jener im zweiten Stockwerke zu einem Theater eingerichtet iſt, wozu ſich auch eine ziemlich zahlreiche Garderobe befindet. — Zu ebener Erde enthält dies Schloßgebäude die Wohnungen für die herrſchaftliche Dienerſchaft, die Küche, die nöthigen Gewölbe und einen in Felſen gehauenen Keller. — Die Capelle, ein landesfürſtliches Lehen, iſt klein aber hoch, ſie befindet ſich eigentlich im erſten Stocke, hat aber im zweiten ein Oratorium, und insbeſondere eine hölzerne Gallerie. Sie iſt der heiligen Katharina zu Ehren geweiht, und mit einem Altar ausgeſchmückt, der ganz einfach aus Holz beſteht. — Paramente ſind nur wenige vorhanden. Dieſe Capelle beſitzt ein Schreiben des Fürſtbiſchofes Sebaſtian Grafen von Pötting zu Paſſau vom 23. März 1682, wodurch die frühere Einweihung und Conſecration derſelben anerkannt, und durch ein päpſtliches Breve von Inocenz XI. auf ſieben Jahre, jenen Chriſtgläubigen, welche dieſe Capelle am Feſttage des heiligen Erzengels Michael andächtig beſuchen und darin beten, oder welche auch an Samſtägen der Litanei von unſerer lieben Frau beiwohnen, ein Ablaß verliehen wurde. In dieſer Capelle werden nun in Folge der Matthäus von Rieſenfels'ſchen Stiftung vom Jahre 1668 wöchentlich, und zu den Quatemberzeiten durch den jeweiligen Pfarrvicar in Viehdorf, die geſtifteten Meſſen geleſen, und am Markustage,

so wie am Montage in der Bittwoche, wird die Pfarrprozeſ=
ſion von Viehdorf aus hierher in dieſelbe geführt.

In dem Schloßgraben an der linken Seite iſt die privi=
legirte Schießſtätte mit einem angemeſſenen Gebäude, welche
jedoch dermalen unbenützt iſt. Früher ſoll hier ein Wacht= und
Badhaus geſtanden ſein. — Am Fuße des Schloßberges, dem
neuen Schloſſe gegenüber, und durch einen freien Platz, wel=
cher unlängſt terraſſenmäßig verſchönert wurde, auch mit drei
ſchönen Linden geziert iſt, und durch die vorbeiführende Vieh=
dorfer= und Hainſtetterſtraße vom Schloßgebäude getrennt
wird, ſteht der herrſchaftliche Meierhof, welcher in
der gegen das Schloß gekehrten Fronte, zu ebener Erde die
Wohnungen des Dienſtgeſindes und andere Wirthſchaftsbe=
hältniſſe, im Stockwerke aber die Beamtenwohnungen ent=
hält. Das im Mittelpunkte befindliche Einfahrtsthor hat einen
feſten Thurm mit einer aus Weißblech gedeckten Kuppel, zwei
kleinen Glocken und einer Uhr, die blos die Stunden ſchlägt.
Die Seitenflügel des Meierhofes enthalten die gemauerten
Stallungen, und mit der Scheune rückwärts wird der Hof=
raum geſchloſſen.

Rechts an den Meierhof reiht ſich der terraſſenmäßig an=
gelegte Garten, der 2 Joch 580 Quadratklafter im Umfange
hat und mit einer Klafter hohen Mauer eingefriedet iſt; er
wird theils als Obſt=, theils als Küchen= und Ziergarten ver=
wendet, darin ſich auch eine eigene Gärtnerwohnung, ein gro=
ßes Glas= und ein Treibhaus, dann ein kleiner Springbrun=
nen mit Baſſin befinden.

Mehrere frühere Anlagen und Alleen, welche mit dem
Garten auf dem anſtoßenden Felde in Verbindung geſtanden
ſind, wurden zum Beſten der herrſchaftlichen Oeconomie ver=
wendet, und im Jahre 1828 mit einer anmuthigen Anlage
auf dem Königsberge erſetzt, welche mit einer Eremitage und
einigen Pavillons geſchmückt iſt, übrigens aber eine prachtvolle

Aussicht auf das Ipsfeld, den Oetscher und die damit in Verbindung stehenden Gebirge, so wie auf die näher sich erhebenden kleinern, das Ipsfeld amphitheatralisch begrenzenden und zusammenhängenden Berge gewährt. — Bemerkenswerth ist auch, daß das ganze Schloß gleichsam unterminirt ist, und selbst unterirdische Gänge vom Schlosse aus durch das Thal, unter dem Bache hin, und durch den nahen Königsberg hinaus, bis zur Straße führen sollen.

Der Meierhof ist in der neuern Zeit zweckmäßig verändert und verbessert worden, denn vorher war er mit dem Schlosse durch die an die Schloßgräben anstoßenden Mauern verbunden, dergestalt, daß der Zwischenraum sammt dem darin liegenden Wirthshause geschlossen war. Diese Mauern waren, so wie noch andere dermalen bestehende, mit Schußscharten versehen, und das Ganze war demnach seiner Zeit ohne Zweifel ein sehr festes Ritterschloß, weßhalb in den bezüglichen Lehenbriefen noch immer der Ausdruck: »die Veste Seisenegg« vorkömmt. Das Schloßgebäude hat eigentlich keine bestimmte Bauform, und es zeigt in Folge der successiven Entstehung in der gegenwärtigen Größe, verschiedene Charaktere, wobei jedoch der ältere Theil kennbar die gothische Bauart des XII. oder XIII. Jahrhunderts ausspricht. Der Ursprung verliert sich in das graue Alterthum, worüber die bei der Herrschaft vorhandenen Urkunden keinen Aufschluß geben. — Der Name Seisenegg (im alten Sprachgebrauch also genannt, in neuerer Sprache Säuseneck) ist ungezweifelt von dem Sausen des beim Schlosse über Felsentrümmer vorüber brausenden sogenannten Seiseneggerbaches abgeleitet worden. Wir haben jedoch Urkunden aufgefunden, nach welchen es dargethan ist, daß im Jahre 1248 Albero von Chunring Besitzer von Seisenegg war. Dieß gibt uns die gründliche Vermuthung, daß die Herren von Chunring gleich wie viele andere Schlösser in Oesterreich, auch

16

dieses Schloß gegründet haben dürften. Erst später erscheint ein adeliges Geschlecht, nämlich jenes der von Seisenegg, wie wir umständlicher noch am Schlusse der Darstellung der Herrschaft davon sprechen werden.

Die Fideicommiß-Herrschaft Seisenegg.

Diese Herrschaft besitzt die Ortsherrlichkeit über die Ortschaften Allersdorf, Aßlsdorf, Au (in der Pfarre St. Georgen), Au (in der Pfarre Neustadtl), Balldorf, Berg, Berging, Berhart, Bolzmühl, Buchkogel, Dachgrub, Dingfürth, Dornach, Eggersdorf, Eisenreichdornach, Ensfeld, Freinhof (ein Freihof), Führamühl, Galtbrunn, St. Georgen am Ipsfeld, Greimpersdorf, Grub (in der Pfarre Neustadtl), Grub (in der Pfarre Viehdorf), Gumpenberg, Haaberg, Hainstetten (die zerstreuten Häuser davon), Hart, Haubenberg, Hochholz, Hörmersdorf, Hößgang, Judenhof, Kienberg, Kopftern, Koröd, Krahof, Kremslehen, Kroißenreith, Langenöd, Lengrub, Lindmühl, Matzendorf, Nabegg, Neustadtl, Obernhof, Oberschlag, Peham, Perasdorf, Pilsen, Preinsbach, Reickersdorf, Reith, Reith mit der Guguleithen, Rühring, Sand, Schaltberg, Schieming, Schildborf, Schlaghof, Seisenegg, Sippenberg, Steinöd, Sündhof, Thalling, Triesenegg, Viehdorf, Voglpolz, Vorderleithen, Weeg, Wieden, Wiesen, Willersbach, Windpassing, Winthan und Wolfstein (Klein-). Außerdem sind Eisenreichdornach, Neustadtl und Winklmühl mit Seisenegg vereinigte Aemter, die ihre Unterthanen größtheils in verschiedenen Ortschaften zerstreut haben; blos über Seisenegg, Dornach, Dingfurt, Eisenreichdornach, Greimpersdorf, Kopplern, Neustadtl, Reickersdorf und Schieming, besitzt die Herrschaft ganz allein die Grundherrlichkeit. Die sämmtlichen behausten Unterthanen sind übrigens in fünfzehn Pfarren entlegen, nämlich in der Pfarre Amstetten, Aschbach, Biberbach, Eurathsfeld, Ferschnitz, St. Georgen am Ipsfelde, Kollmitzberg, Neustadtl, Oehling, Sindlburg, Steinakirchen, Viehdorf, Wieselburg, Ips und Zeillern.

Die Gesammtsumme des Seelen=, Vieh= und Grundstandes beträgt demnach: 750 Häuser, 948 Familien, 2091 männliche, 2194 weibliche Personen, 443 schulfähige Kinder, 220 Pferde, 997 Ochsen, 1642 Kühe, 1570 Schafe, 24 Ziegen und 601 Schweine; in ihrem ortsobrigkeitlichen Bezirke beträgt der eigene und fremde Dominical-Grundstand: 126 Joch 1471⁶/₁₀ Quadratklafter Ackerland, 122 Joch 354⁴/₁₀ Quadratklafter Wiesgrund, 1 Joch 1461⁴/₁₀ Quadratklafter Hutweiden, 1 Joch 385 Quadratklafter Teiche und 404 Joch 975⁷/₁₀ Quadratklafter Waldung.

Der ganze Bezirk der Herrschaft Seisenegg erstreckt sich — mit Ausschluß der Ortschaften Freinstein sammt Aichberg und Langgries, Unterholz, Hainstetten und Leutzmannsdorf — über einen arrondirten Terain, welcher östlich an die Herrschaft Auhof anstößt, dann der Donau zuläuft, dieser entlang bis gegen Tiefenbach unter der Herrschaft Ardagger sich hinzieht, darauf den Pfarrgrenzen von Kollnitzberg und Stift Ardagger mit Neustadtl und Viehdorf folgt, und endlich mit Einschluß der zu den Grenzrotten Kopplern, Guguleithen und Dornach bei Eggersdorf an die Ips sich verbindet, und in diesen sodann bis gegen Aglsdorf nächst Blindenmarkt fortläuft. Dieser Bezirk enthält im Durchschnitte eine Länge und Breite von zwei Meilen, und einen Durchschnitts-Umkreis von sechs Meilen. Nur die Ortschaft Haaberg ist isolirt außer diesem Bereiche entlegen, und vom Amtssitze zu Sei-

16 *

244

senegg eine Meile entfernt, welcher übrigens aber für den größten Theil des obigen ortsobrigkeitlichen Bezirkes ziemlich im Mittelpuncte sich befindet.

Der ganze Bezirk enthält also beinahe den ganzen Theil vom ebenen Ipsfelde, zwischen Amstetten und Blindenmarkt, welcher der Länge nach durch die lebhafte Reichspoststraße durchschnitten wird, dann die kleinen von Osten nach Westen anstoßenden Anhöhen, welche mit kleinen Thälern und Niederungen wechseln, und endlich nach und nach sich zu den Donaubergen erheben, welche die Donau diesseits ziemlich scharf begrenzen, zwar hier und da ziemlich bedeutende Granitfelsen zeigen, aber dennoch größtentheils productiv und bewohnt sind. Es gibt auch allenthalben sehr schöne Ansichten und überraschende Fernsichten, wovon die imposantesten beim Georgikreuz in Neustadtl, auf dem Prammer=, Buch=, Brandstetter= und Osdaningerkogel, beim Großriegler, Sündhofer, Kahinger, Hausleithner, im Haubenberg, Hochhößberg, Weg und nächst Viehdorf getroffen werden.

Die einzelnen Bauernhäuser, deren Zahl groß ist, sind mit ihren Hausgrundstücken größtentheils gut beisammen gelegen, und enthalten durchaus einen geschlossenen Hofraum, indem gewöhnlich eine Seite das Wohnhaus, eine die Stallungen, eine die Hütte mit den Schweinställen und die letzte die Scheune enthält; das Wohngebäude ist gewöhnlich ohne Stockwerk, gemauert und das ganze mit Stroh gedeckt. Gegenwärtig werden viele Stallungen neu gemauert und gewölbt, dann Keller hergestellt. — Zu den Rotten gibt meist das erste Haus, oder die mehreren gleichnamigen, öfters auch die Benennung der örtlichen Lage den Namen.

Das Klima ist in hiesiger Gegend im wesentlichen gesund und mild; nur hochgelegene und freie Punkte, oder die in der Nähe der Donau und Ips gelegenen Häuser und Ort=

schaften erleiden eine rauhere oder kältere Luft und sind mehr den vorherrschenden Winden ausgesetzt.

Was die Erzeugnisse im dießherrschaftlichen Bezirke betrifft, so bestehen solche hauptsächlich in den rohen Naturprodukten von Grund und Boden, nämlich im Getreide, Obst, Most, Holz und aus der Viehzucht. Was die verschiedenen einheimischen Gewerbsleute erzeugen, gehört ohnedieß nur für den hiesigen und nachbarlichen Landmann. — Als vorzügliche Zweige können Getreide- und Futterbau, dann Obstbaum- und Viehzucht genannt werden. Bei letzterer wird eigentlich blos Stallfutterung angewendet. — Es werden übrigens Weizen, Korn, Gerste, Lins und Hafer gebaut, aber nicht überall, da in einigen Ortschaften in der schlechtern und gebirgigen Gegend, die Gründe sich blos zum Korn- und Haferbau eignen. Weinbau gibt es hier gar nicht, dagegen aber erweitert sich die Obstbaumzucht jährlich mehr auf eine erfreuliche Weise. — Die Gründe sind sehr verschieden, und gehören im Durchschnitte in die mittelmäßige und schlechte Classe, weil der Boden entweder zu schwer, naß oder sandig, schotterig und absonnig ist. Uebrigens wird von den meisten Grundbesitzern aller Fleiß angewendet, die Ertragsfähigkeit nicht nur zu erhalten, sondern vielmehr zu erhöhen; besonders wird dieß durch pflügen, eggen, düngen, Koth aufführen und Gyps ausstreuen bezweckt. Die Brache wird zwar von den meisten Landleuten noch angewendet, aber doch nicht mehr in der Ausdehnung wie früher, da die Brachäcker theils zum Klee-, theils zum Erdäpfel- und Flachsbau benützt werden, wonach dann der Rest noch häufig als Schafweide dient.

Den herrschaftlichen Bezirk durchschneidet nebst der Reichspoststraße, die straßenartigen Verbindungswege über St. Georgen nach Blindenmarkt, über Seisenegg nach Hainstetten, Neustadtl und Freinstein, über Viehdorf nach Arbagger, nach Amstetten, und über Hörmersdorf nach Freidegg, Ferschniß ꝛc. — An Brücken und Stegen sind die hohe Brücke über die Ips zu Hörmersdorf, welche von der fürstlich Star=hembergischen Herrschaft Auhof gegen einen angemessenen Mauthbezug unterhalten wird, und gegenwärtig aus Holz be=steht, dann zwei Brücken zu Seisenegg, die beträcht=lichsten; außer diesen gibt es noch mehrere kleine, welche theils gemauert, theils von Holz sind. — Nebst dem Ipsflusse sind auch noch mehrere andere kleine Bäche vorhanden, welche bei Beschreibung der einzelnen Ortschaften ohnehin angeführt wurden; unter den letztern sind der Seisenegger=, der Tie=fenbach, dann die Praßniß (Oelsitzmüller=Bäch=lein), am bedeutendsten. — Im ganzen Bezirke befinden sich 18 Mühlen, von denen die Lexmühle an der Ips die vorzüglichste ist; die übrigen stehen an verschiedenen Bächen, und enthalten ein bis zwei Läufer (Gänge) und nebstdem hier und da eine Bretersäge, befinden sich aber meist an un=stäten Wässern. Die Fischerei in denselben und in den vor=handenen herrschaftlichen Teichen, gehört verschiedenen Herr=schaften, und ist ohne Erheblichkeit; nur selten wird eine Donau-Huche (ein sehr schmackhafter Fisch) von bedeutenderem Ge=wichte eine Beute des Fischers.

Berge und höhere Punkte gibt es mehrere, und wir ha=ben sie ebenfalls bei den einzelnen Dorfschaften bemerkt; als die merkwürdigsten darunter zeigen sich der Prammer=, Osdaninger= und der hohe Brandstetter=Kogel in der Pfarre Neustadtl, dann der Kahingerberg in der Pfarre St. Georgen und der Haubenberg zunächst Sei=senegg. Die größeren Waldungen dehnen sich am Greiner=berg, mit den anstoßenden Rustikalwaldungen an der Donau, an den Donauwänden und am Haaberg aus. — Das Jagd=recht gehört in einem kleinen Bezirke der Herrschaft Auhof und Greinburg, im übrigen der Herrschaft Seisenegg, und liefert vorzüglich Rehe, Hasen, Füchse, Rebhühner und

Schuepfen; dem größten Theile nach, ist sie gegenwärtig im guten Stande.

Fabriken sind keine vorhanden, und die entbehrlichen Naturprodukte, welche nicht in der nächsten Umgebung und auf den Wochenmärkten zu Waidhofen an der Ips abgesetzt werden, sind meistens ein Gegenstand des Wienerhandels. — Der Seisenegger Granitsteinbruch, und das Steinkohlenbergwerk zu Peitenstein, in der Rotte Windpassing, sind bei den erwähnten Ortschaften bereits berührt worden. — Die diesseitigen Ortschaften haben sich keiner besondern Freiheiten zu erfreuen; nur Häßgang genießt das Vorrecht, kein herrschaftliches Todten=, und kein Veränderungspfundgeld zahlen zu dürfen.

Die bemerkenswerthen Gebäude betreffend, so sind solche bei jedem Orte angeführt, und bestehen vorzüglich in den Pfarkirchen zu St. Georgen am Ipsfelde, zu Neustadtl und zu Viehdorf, dann in der Filialkirche St. Agatha zu Dornach, in dem herrschaftlichen Schlosse zu Seisenegg nebst Capelle, welche schon im Jahre 1579 urkundlich als l. f. Lehen vorkömmt, und in dem Freihof der Rotte Grueb, Pfarre Viehdorf. Das herrschaftliche Brauhaus zu Seisenegg wird seit dem Jahre 1715 nicht mehr betrieben, und das Gebäude davon wurde im Jahre 1836 in einen soliden und zweckmäßigen Körnerschüttkasten umgestaltet.

Noch bemerken wir, daß im herrschaftlich Seisenegger Archive aus dem XIV. Jahrhundert verschiedene Original = Kaufbriefe vorhanden sind; dann befinden sich daselbst ein Pantheidungsbüchl vom Jahre 1413; der älteste Criminal = Prozeßakt ist vom Jahre 1582; und über die Bauernaufstände, die im Jahre 1597 sich in hiesiger Gegend bildeten, sind mehrere gesammelte Aktenstücke vorfindig. — Die herrschaftlichen Urbarien sind von den Jahren 1484, 1509,

1598 und 1603; der älteste vorhandene Lehenbrief ist vom Jahre 1525, die älteste Amtsrechnung von 1581 und das älteste amtliche Urkunden = Protokoll von 1640.

Was die geschichtlichen Ereignisse über die gesammten Unterthanen der Herrschaft als Grundobrigkeit betrifft, so dürfte es nicht übergangen werden, daß beim letzten türkischen Einfalle im Jahre 1683, laut den vorhandenen amtlichen Erhebungen, 77 Personen hinweggeführt, 4 gemordet, 3 verwundet, 9 Häuser abgebrannt und 41 Pferde weggenommen wurden. Ueberdieß sind die Barbaren in die abgelegensten Gegenden gekommen, haben aller Orte geplündert, vieles ruinirt, und besonders viele Feldfrüchte verdorben. — Bei dem französisch=baierischen Einfall, während des Erbfolgekrieges, hat die Herrschaft Seisenegg mit Peßenkirchen, laut vorhandener Rechnung vom 3. December 1741, um 8831 Gulden 9 Kreuzer C. M. geliefert und Schaden gelitten; überdieß mußten der österreichischen Truppe, unter dem Husaren = Oberstlieutenant von Mentzel, die sechs Schloßstückl, welche halbpfündige Kugeln schossen, sammt Zugehör abgegeben werden, die aber bald in die Hände der Feinde fielen. Daß die Herrschaft sammt ihren Unterthanen und Bezirksholden bei den französischen Invasionen in den Jahren 1800, 1805 und 1809 ebenfalls hart mitgenommen wurden, und sehr Vieles einbüßten, ist um so glaubwürdiger, nachdem die vom Feinde besetzte Hauptstraße so nahe gelegen ist, und diese nicht unterließen, in allen von ihnen occupirten Gegenden die Kriegsübel eingreifend fühlen zu lassen.

Unstreitig ist das Schloß von Seisenegg der älteste Theil der Herrschaft, und wie wir schon früher bemerkt haben, ist zwar die Zeit der Erbauung und der Gründer desselben nicht bekannt, doch scheint es ein Sprosse der Chunringen gewesen zu sein, da Albero von Chunring im Jahre 1248 als Besitzer von Seisenegg erscheint, welchem im

Jahre 1259 sein Sohn, Leutold von Chauring folgte.
Bald darauf erscheint ein adeliges Geschlecht, welches
sich von Seisenegg schrieb und nannte, jedoch unbekannt,
ob dasselbe durch Kauf der Herrschaft, oder pfand= oder pfleg=
weise, Eigenthümer davon geworden ist. Walther von Sei=
senegg, Burggraf zu Steier, lebte im J. 1284; ein anderer
Walther von Seisenegg, ebenfalls Burggraf zu Steier,
im Jahre 1381; Balthasar von Seyßeneck erscheint im
Stiftsbriefe der Kirche von St. Georgen am Ipsfelde des
Herrn von Sinzendorf, im Jahre 1419 nebst mehreren
Andern als Zeuge; Jörg Seissenecker zu Saß wird im
Jahre 1444 und 1463, und ein anderer Georg im Jahr 1501
urkundlich bekannt, welchen Letzteren Kaiser Maximilian I.
mit Anna von Starhemberg vermählte. Unbezweifelt
geht daraus hervor, daß es ein angesehenes österreichisches
Geschlecht vom Ritterstande war; allein, obschon es von dem
Schlosse Seisenegg fortan den Namen führte, so besaß
es doch nicht lange diese Herrschaft, da schon im Jahre 1303
Friedrich Peyger als Besitzer von Seisenegg vor=
kömmt; diesem folgte Heinrich von Walsee, und darauf
seine Tochter Barbara, welche sich mit dem Grafen Sig=
mund von Schaumburg vermählte, und demselben im
Jahre 1463 diese Herrschaft zubrachte. Im Jahre 1491 er=
kaufte die Herrschaft Seisenegg Andrä Krabat von
Lappitz, Pfleger zu Steier; ihm folgte im Jahre 1531
Hans von Lappitz; im Jahre 1542 dessen Sohn Corne=
lius; im Jahre 1570 dessen Töchter und andere Erben;
im Jahre 1588 Christoph von Schallenberg, durch
Heirath von seiner Frau Margaretha, geborne von Lap=
pitz; im Jahre 1593 Albrecht von Enenkel zu Albrechts=
berg, Freiherr auf Hohenegg und Goldegg; im Jahre 1598
Johann Baptist Linßmayer, Freiherr von Greifen=
berg, zu Weinzierl, Mißingdorf und Teraspurg; im Jah=

re 1609 deſſen Sohn Johann Gottfried; im Jahre 1650
deſſen Bruder Johann Rudolph Linßmayer Freiherr
von Greiffenberg; im Jahre 1664 Mathäus von Rie=
ſenfels durch Kauf, welcher dieſe Herrſchaft am 19. Mai
1668 teſtamentariſch als Majorats=Fideicammiß für
die Rieſenfels'ſche Familie beſtimmte; im Jahre 1668 deſ=
ſen Sohn Franz Freiherr von Rieſenfels; im Jahre 1698
deſſen Sohn Franz Mathias; im Jahre 1717 Franz
Philipp Freiherr von Rieſenfels, durch Vergleich vom
Vorigen; im Jahre 1737 deſſen Sohn Ferdinand Hein=
rich; im Jahre 1763 Emanuel Heinrich; im Jahre
1787 Philipp Franz; im Jahre 1788 Philipp; im
Jahre 1789 Ferdinand und im Jahre 1825 Herr Phi=
lipp Frei= und Panierherr von Rieſenfels, k. k. wirkl.
Kämmerer, Ritter des königl. bairiſchen St. Georgs Ordens,
ober= und niederöſterreichiſcher, dann ſteiermärkiſcher Land=
ſtand, Mitglied der k. k. n. ö. Landwirthſchaftsgeſellſchaft und
Beſitzer der Herrſchaften Rohrbach und Klingenbrunn im V.
O. W. W., dann Schwendt, Kalling und Haißing im ober=
öſterreichiſchen Innkreiſe, welcher auch noch gegenwärtig die
Herrſchaft Seiſenegg beſitzt.

Bevor wir zur Beſchreibung der Ortſchaften ſchreiten,
halten wir es für eine beſondere Pflicht, hier öffentlich un=
ſern innigſten Dank für die Güte des Herrn Verwalters
Franz Xavier Aichinger auszuſprechen. Unter den vie=
len großen Gefälligkeiten der hochwürdigen Geiſtlichkeit und
wohllöblichen Herrſchaftsverwaltungen im V. O. W. W., die
mit wahrhaft edler Bereitwilligkeit durch gütige Ertheilung
mündlicher und meiſt ſchriftlicher Auskünfte aus allen Kräf=
ten unſer vaterländiſches Werk raſch vollbringen zu helfen, ſich
großmüthig beeifern, ſteht nebſt andern wichtigen und Zeit=
aufwand koſtenden Arbeiten, die umſtändliche Ausarbeitung der
Herrſchaft Seiſenegg durch Herrn Verwalter Aichinger

oben an, der die große Mühe nicht scheuend, erneuert uns die Beschreibung der Herrschaften Rohrbach und Klingenbrunn, dann alle Sitten und Gebräuche bei Taufen, Verehligungen, Sterbfälle rc., für dieses Viertel zu liefern sich erboten hat, und hierdurch warmen Antheil an dem Gedeihen dieses mühevollen vaterländischen Werkes nimmt.

Nachfolgende Ortschaften sind die Bestandtheile der Herrschaft S e i s e n e g g, worüber dieselbe die Ortsherrlichkeit besitzt.

A l l e r s d o r f.

Ein Dorf von 11 Häusern, mit der nächsten Poststation Amstetten.

Zur Pfarre und Schule gehört dasselbe nach St. Georgen am Ipsfelde. Landgericht, Orts- und Conscriptionsobrigkeit ist die Herrschaft Seisenegg, welche mit Weinzierl und Wolfpassing die behausten Unterthanen besitzt. Der Werbkreis gehört zum 49. Linien-Infanterie-Regiment.

Hier befinden sich 12 Familien, 30 männliche und 36 weibliche Personen nebst 9 schulfähigen Kindern. Der Viehstand besteht in 4 Pferden, 14 Ochsen, 25 Kühen, 34 Schafen und 10 Schweinen.

Die Einwohner beschäftigen sich mit der Feldwirthschaft, welche im Anbaue von Weizen, Korn, Gerste, Wicken und Hafer besteht. Die Gründe sind ziemlich gut und Elementar-Beschädigungen durch Reif und Schauer selten. Obst gewinnen die Einwohner blos in ihren Hausgärten und Hauswiesen. Die Viehzucht deckt den häuslichen Bedarf; für das Rindvieh ist eigentlich Stallfutterung eingeführt, und nur dann und wann — besonders im Herbste — wird es auf die abgefechsten Wiesen und Felder getrieben; Schafe und Schweine werden aber stets ausgetrieben und auf angemessenen Gründen gehütet.

Allersdorf liegt an der nördlichen Seite des Ipsfeldes, größtentheils flach, eine Viertelstunde von Seisenegg, und eine Stunde von Amstetten und Blindenmarkt. Die Gegend darf zu den schöneren gerechnet werden. — In diesem Orte sind fünf Bauernhäuser, wovon drei bedeutend bestiftet sind, die übrigen gehören Taglöhnern und gewöhnlichen Handwerkern. — Die Häuser sind beinahe zerstreut gebaut, haben blos Strohdächer, aber eine gute Lage, wobei auch gesundes Klima und hinreichend viel und gutes Wasser vorhanden ist. Rückwärts vom Dorfe, von Westen gegen Osten, zieht sich größtentheils die mit Wald besetzte Anhöhe hin, welche aber sonst ohne Bedeutung ist. — Durch das Dorf fließt der Seiseneggerbach; die Jagd, Rehe, Hasen und Rebhühner enthaltend, gehört zur Herrschaft Seisenegg.

Noch bemerken wir, daß sich auf der Westseite im freien Felde ein sogenanntes Türkenkreuz befindet, zur Erinnerung, daß beim letzten Türken-Einfalle (1683) an dieser Stelle eine Bäuerin von dem Hause Nr. 1 oder 4 enthauptet worden sei.

Atzelsdorf.

Eine Rotte von 4 Häusern, mit der nächsten, eine Stunde entfernten Poststation Melk.

Diese gehört zur Pfarre und Schule nach Amstetten. Landgericht, Orts- und Conscriptionsobrigkeit ist die Herrschaft Seisenegg; Grundherrschaft aber Albrechtsberg an der Pielach. Der Werbkreis gehört zum Linien-Infanterie-Regiment Nr. 49.

In 4 Familien befinden sich 10 männliche, 15 weibliche Personen und 2 schulfähige Kinder; der Viehstand zählt 10 Ochsen, 11 Kühe, 11 Schafe und 5 Schweine.

Unter den hiesigen Einwohnern befinden sich drei gut bestiftete Bauern und ein Kleinhäusler als Taglöhner. Sie treiben die Feldwirthschaft und Viehzucht, welche gut genannt werden darf. Es werden gewöhnlich Weizen, Korn, Gerste, Wicken und Hafer gebaut, und auf den nahe gelegenen Aeckern werden Obstbaumpflanzungen versucht.

Die Rotte Agelsdorf, zu welcher auch die Einöde Wollmersdorf gehört, liegt eine halbe Viertelstunde von Seisenegg, eine Stunde von Amstetten und Blindenmarkt entfernt, an der westlichen Seite des Ipsflusses, größtentheils flach in einer schönen Gegend. Zwei Häuser sind zerstreut situirt und haben blos Strohdächer. Hinter der Rotte zieht sich eine mit Wald besetzte Anhöhe von Westen nach Osten hin. — Klima und Wasser sind gut, letzteres jedoch etwas matt. Die zur Herrschaft Seisenegg gehörige Jagd liefert Rehe, Hasen und Rebhühner in ergiebiger Menge. — Auf einem hierher gehörigen Grunde trifft der Wanderer ein ansehnliches förmliches K r e u z: das sogenannte S e i s e n e g g e r - K r e u z, welches auch sein Entstehen den letzten Türkeneinfällen zu verdanken hat.

A u.

Ein aus 3 Häusern bestehendes Dörfchen, mit der nächsten Poststation Amstetten.

Dasselbe gehört zur Kirche und Schule nach St. Georgen am Ipsfelde. Landgericht, Orts= und Conscriptionsobrigkeit ist Seisenegg; Grundherrschaft Auhof. Der Werbkreis gehört zum Linien = Infanterie = Regiment Nr. 49.

Hier leben 3 Familien, 7 männliche und 14 weibliche Personen; diese besitzen an Viehstand blos 2 Ochsen, 7 Kühe und 3 Schweine.

Die hiesigen Einwohner beschäftigen sich mit der Feldwirthschaft, welche in dem Anbau von Korn, Lins, Hafer, Weizen und Gerste besteht, und wovon letztere zwei Getreidearten blos zum Hausbedarf gehören. Grund und Boden hierzu sind schotterig und mit Wellsand vermischt, also zu hitzig;

zudem wirken Reife und Ueberschwemmungen oft schädlich ein. Die Viehzucht ist mittelmäßig und eben so auch die Obst=pflege. —

Au, mit seinen drei Häusern liegt eine halbe Stunde von Blindenmarkt entfernt, ganz flach, in der sogenannten Ipsau, nämlich zwischen dem Ipsmühl= und dem Sei=seneggerbach, wovon ersterer durch eine bedeutende Wehre vom Ipsflusse abgeleitet wird, der eilf Mühlen bis zur Einmündung in die Donau in Betrieb setzt. — In hiesiger Ge=gend sind weder Berge noch Wälder; das Klima und Wasser sind gut, und eben so auch die Jagdbarkeit, welche der Herr=schaft Seisenegg zugehört.

Au (Unter=).

Eine Rotte von 5 Häusern, wovon Amstetten als die nächste Poststation bezeichnet wird.

Zur Kirche und Schule ist dieselbe nach Neustadel an=gewiesen. Das Landgericht, die Orts= und Conscriptionsobrig=keit ist die Herrschaft Seisenegg; Grundherrschaften sind Wald=hausen, Wolfpassing und die Pfarre zu Ips. Der Werbkreis gehört zum 49. Linien-Infanterie=Regiment.

In 6 Familien leben 12 männliche, 14 weibliche Per=sonen und 1 schulfähiges Kind. Diese besitzen an Viehstand 14 Ochsen, 13 Kühe, 21 Schafe und 8 Schweine.

Die Bewohner treiben die Feldwirthschaft; sie bauen Weizen, Korn, Gerste, Hafer und Erdäpfel, aber blos zum nöthigsten Hausbedarf. Obst gibt es wenig, denn es beschränkt sich blos auf die Hausgärten, und diese sind unbedeutend. Auch die Viehzucht erstreckt sich nur auf den eigenen Wirthschafts=bedarf, genießt aber die Stallfutterung und den Herbstaus=trieb. Indessen dehnt sich der Kleebau immer mehr und mehr aus, nur ist zu bedauern, daß die Gründe sandig und steinig, die Wiesen auch theilweise zu trocken, und theilweise zu naß sind; wobei auch Reifschaden und Abwintern nicht selten eintreten.

Diese Rotte liegt eine halbe Stunde von Neustadl, in einer hügeligen Gegend, daher gleichsam versteckt; nur beim sogenannten Großriegler eröffnet sich eine weite Aussicht gegen Westen. — Hier befinden sich vier Bauerngüter mit einer guten Bestiftung, das fünfte besitzt ein Schuhmacher. Sie liegen zerstreut, haben Strohdächer, und um diese ist gut arrondirt das Besitzthum gelegen. — Im hiesigen Bezirke entspringt ein Arm des Moosmüller-Baches. Berge gibt es mehrere, welche stellenweise mit Schwarzföhren besetzt sind. — Klima und Wasser sind gut. Die Jagd liefert Rehe und Hasen. — Hierher gehören auch die Einöden Ritzlehen, Groß- und Kleinriegl.

Balldorf.

Ein Dörfchen von 8 Häusern, wovon Amstetten die nächste Poststation ist.

Der Ort ist nach St. Georgen am Ipsfelde eingepfarrt und eingeschult. Landgericht, Orts- und Conscriptionsobrigkeit ist die Herrschaft Seisenegg. Als Grundherrschaften sind verzeichnet: Ardagger, Wolfpassing, die Kirche und Pfarre St. Georgen am Ipsfelde, die Pfarre Steinakirchen und das Ulmerfelder Spital. Der Werbbezirk gehört zum 49. Linien-Infanterie-Regiment.

Die Bevölkerung besteht in 10 Familien, 16 männlichen, 25 weiblichen Personen und 3 schulfähigen Kindern; der Viehstand zählt 12 Ochsen, 13 Kühe, 34 Schafe und 6 Schweine.

Die Einwohner ernähren sich von der Feldwirthschaft; gewöhnlich werden Weizen, Korn, Gerste, Hafer und Lins gebaut, wozu die Gründe aber schotterig, mit Wellsand vermischt, und daher sehr hitzig sind, nebst welchen sie auch oft durch Ueberschwemmungen und Reife leiden. Obst gibt es keines, und selbst die Viehzucht, zwar mit Stallfutterung, ist unbedeutend.

Balldorf liegt ganz flach im Ipsfelde, eine halbe Stunde von Blindenmarkt. Der Ipsfluß und der bei der Lexmühle durch eine bedeutende Wehre daraus geleitete Mühlbach durchströmen die Ortsfreiheit. Die Gegend enthält weder Berge noch Wälder. — Klima und Wasser sind gut; der Jagdnutzen ergiebig.

B e r g.

Eine aus 8 Häusern bestehende Rotte, mit der nächsten Poststation Amstetten.

Diese gehört zur Pfarre und Schule nach Neustadel. Das Landgericht, die Orts = und Conscriptionsobrigkeit besitzt die Herrschaft Seisenegg. Grundbominien gibt es mehrere, nämlich Waldhausen, Seisenegg, Auhof und die Pfarre St. Georgen. Der Werbkreis gehört zum Linien=Infanterie=Regiment Nr. 49.

Hier befinden sich 10 Familien, 28 männliche, 24 weibliche Personen und 8 schulfähige Kinder; der Viehstand enthält 10 Ochsen, 13 Kühe, 7 Schafe, 3 Ziegen und 4 Schweine.

Die Einwohner sind theils gut bestiftete Landbauern, theils gewöhnliche Handwerksleute. Was Grund und Boden anbetrifft, so wie die Zweige der Bewirthschaftung und Viehzucht, so sind solche gleich denen, welche wir bei Au angeführt habeu. — Der Jagdnutzen ist ein Eigenthum der Herrschaft Seisenegg, und besteht in Rehen und Hasen, bisweilen auch in Hirschen und Rebhühnern.

Die Rotte Berg, wovon die Häuser durchaus Strohbächer haben, liegt in einer viertelstündigen Ausdehnung zerstreut, theils auf der südöstlichen Abdachung des ziemlich bedeutenden Pramerberges (Kogels), theils in der Niederung. Das sogenannte Weinstablhaus hat in der ganzen Pfarre die höchste Lage, die auch eine überraschend schöne, weit ausgedehnte Fernsicht gegen Osten, Süden und Westen spendet, solcherart, daß man bis Zelking, Melk, dann zu der österreichisch-steiermärkischen Gebirgskette, zum Traunstein und zum Pöstlingberg nächst Linz sieht. — Auf den Giefergrund hier entspringt der Seisenegger-Bach. — Das Klima ist zwar etwas rauh aber gesund, das Wasser vortrefflich, jedoch wenig. — Die hiesige Gegend enthält die Einöden Oßberg, Gieferlehen und Mayberg.

Berging.

Eine Rotte von 7 Häusern, wovon Amstetten die nächstgelegene Poststation ist.

Diese ist zur Pfarre und Schule nach Viehdorf angewiesen. Das Landgericht, die Orts- und Conscriptionsherrschaft ist Seisenegg. Grundherrschaften sind Hainstetten, Seisenegg und der Magistrat Amstetten. Der Werbkreis gehört zum 49. Linien-Infanterie-Regiment.

Es befinden sich hier 10 Familien, 25 männliche, 19 weibliche Personen und 5 schulfähige Kinder. Diese besitzen 4 Pferde, 22 Ochsen, 29 Kühe, 52 Schafe und 13 Schweine.

Die Einwohner sind durchgehends Bauern und ziemlich gut bestiftet, sie bauen etwas Weizen und Gerste, meist Korn und Hafer. Die Gründe sind von mittelmäßiger Ertragsfähigkeit, zwischen welchen das kleine Preinsbächlein dahinrieselt. Obstgärten besitzt jedes Haus, und die Baumzucht wird jährlich durch neue Bepflanzung auf den Feldern vermehrt.

17

Die Viehzucht anbelangend, so ist sie bedeutend, und beson=
ders gut ist selbe beim Rindvieh, wobei Stallfutterung ange=
wendet wird.

Berging liegt eine Viertelstunde vom Pfarrorte Vieh=
dorf, etwas tief, gleichsam versteckt, dagegen der sogenannte
Zehenthof viel höher, und die übrigen Häuser zerstreut,
welche Strohdächer haben. — Das Klima ist gut, das Wasser
mittelmäßig. — Die Jagdbarkeit, Rehe, Hasen und Rebhüh=
ner liefernd, gehört der Herrschaft Seisenegg. — Hieher ge=
hören auch die Häuser von dem schon benannten Zehent=
hof und Steig.

Berhart.

Eine Rotte von 8 Häusern, mit der nächsten Poststation
Melk.

Diese sind zur Pfarre und Schule nach Neustadl ange=
wiesen. Das Landgericht, die Grund=, Orts= und Conscriptions=
obrigkeit ist die Herrschaft Seisenegg. Der Werbkreis gehört
zum 49. Linien=Infanterie=Regiment.

Die Seelenzahl beträgt 9 Familien, 18 männliche,
24 weibliche Personen und 11 schulfähige Kinder; der Vieh=
stand 14 Ochsen, 18 Kühe, 18 Schafe und 7 Schweine.

Die Wirthschaftszweige und Erzeugnisse sind dieselben,
die wir bei Au angeführt haben.

Berhart liegt in einer Ausdehnung von einer halben
Stunde zerstreut, und größtentheils in der nordwestlichen Nie=
derung bei Neustadl. Das herrschaftliche Jägerhaus
befindet sich auf der nordwestlichen Seite des Pramerko=
gels und gewährt eine sehr schöne Aussicht gegen Süden, We=
sten und einen Theil gegen Norden. — Alle Häuser der Rotte
sind mit Stroh gedeckt. — Klima und Wasser sind gut, und
letzteres in Fülle vorhanden. — Im hiesigen Bezirk entspringt

ein Arm des Tiefenbaches, und einer des Moosmüller=
baches. — Auch enthält solcher die Einöden Schaching,
Stög, Bach, Schinbau und Obermühl.

Bolzmühle.

Eine Rotte von 4 Häusern, wovon Amstetten die nächste
Poststation ist.

Diese ist nach Neustadel zur Pfarre und Schule gewie=
sen. Das Landgericht, die Orts = und Conscriptionsobrigkeit ist
Seisenegg. Grundherrschaften sind Hainstetten und die Pfarre
Ips. Der Werbkreis gehört zum 49. Linien=Infanterie=Re=
giment.

In 5 Familien leben 12 männliche, 13 weibliche Perso=
nen und 5 schulfähige Kinder; der Viehstand zählt 8 Och=
sen, 8 Kühe und 4 Schweine.

Die Einwohner beschäftigen sich mit der Feldwirthschaft
und bauen blos zu ihren eigenen Bedarf Weizen, Korn,
Gerste, Hafer und Erdäpfel; Obst haben sie sehr wenig, und
auch die Viehzucht ist unbedeutend, bei der aber die Stallfut=
terung angewendet wird. Die Gründe sind höchst mittelmäßig,
daher auch der Kleebau nicht bedeutend seyn kann.

Die Rotte Bolzmühle mit den vier Häusern, liegt
eine Viertelstunde weit zerstreut auf Hügeln und im Thale, am
Wege nach Neustadel, an der Grenze der Pfarre St. Geor=
gen und Viehdorf und am Seiseneggerbache, der sich
nächst der Blumauermühle mit dem Teichbache verei=
nigt und eine kleine Mühle treibt. Die Häuser haben Stroh=
dächer, theilweise gutes, theilweise schlechtes Trinkwasser; das
Klima aber ist gesund. — Diese Rotte enthält auch den Hei=
ßenhof und das Schadenlehen.

Brandhofleiten,

ein Dominikal-Grundstück mit 9 Kleinhäuser, welche zum Dorfe Wittersbach gezählt sind und alldort auch erscheinen.

Buchkogl,

auch Purkogel genannt, eine Rotte von 5 Häusern, mit der nächsten Poststation Amstetten.

Diese gehört zur Pfarre und Schule nach Neustadel. Das Landgericht, die Orts- und Conscriptionsobrigkeit ist Seisenegg. Grunddominien sind Ardagger, Auhof, Seisenegg und Waldhausen. Der Werbkreis gehört zum 49. Linien-Infanterie-Regiment.

In 6 Familien leben 13 männliche, 15 weibliche Personen und 1 schulfähiges Kind. Der Viehstand besteht in 12 Ochsen, 13 Kühen, 6 Schafen und 5 Schweinen.

Die Bewohner ernähren sich vom Ackerbau der gewöhnlichen Körnergattungen, und der zum Hausbedarf nöthigen Viehzucht. Obst haben sie sehr wenig; auch sind die Grundstücke in Bezug auf Ertragsfähigkeit nur mittelmäßig zu nennen.

Diese Rotte liegt in einer Ausdehnung von einer Viertelstunde zerstreut, hoch und zum Theil etwas versteckt, eine halbe Stunde vom Pfarrorte Neustadel. Die Lage gestattet in die Gegend ringsherum eine herrliche Aussicht. — Klima und Wasser sind gut, letzteres aber ist wenig und auch entfernt. — Die Jagd ist ziemlich ergiebig und gehört der Herrschaft Seisenegg. Zu dieser Rotte gehören auch die Bauernhäuser, genannt zu Stelzenöd, auf der Thana und in der Winden.

Die Benennung Purkogel scheint auf die Rotte vollkommen zu passen, weil sie nämlich auf einem Kogel liegt,

wo der Wind recht laut weht, was in der hiesigen Bauern-
sprache purren heißt, also: der Wind purrt.

Dachgrub.

Eine kleine Rotte von 5 Häusern, wovon der Markt Amstetten als nächste Poststation bezeichnet wird.

Zur Kirche und Schule gehört dieselbe nach Neustadel.
Das Landgericht, die Orts = und Conscriptionsobrigkeit ist
die Herrschaft Seisenegg, welche auch mit Auhof die wenigen
behausten Unterthanen besitzt. Der Werbkreis gehört zum 49.
Linien = Infanterie = Regiment.

Die Seelenzahl besteht in 6 Familien, 15 männlichen,
8 weiblichen Personen und 3 schulfähigen Kindern; diese besitzen 21 Ochsen, 18 Kühe, 24 Schafe und 9 Schweine.

Gleich wie bei Berg, sind auch hier die Einwohner theils
ziemlich gut bestiftete Landbauern, theils gewöhnliche Handwerker. Es wird der Ackerbau der gewöhnlichen Fruchtkörnergattungen, etwas Obstpflege und eine gute Viehzucht mit Anwendung der Stallfutterung getrieben.

Dachgrub (eine örtliche Benennung) besteht aus zerstreuten, mit Stroh gedeckten Häusern, welche im Thale und
auf Anhöhen eine Viertelstunde umher entfernt liegen und
eine wunderschöne Lage haben. Vom Pfarrorte Neustadel sind
sie eine und eine halbe Stunde entfernt. Gutes, hinreichendes
Wasser, gesundes Klima und gute Jagdbeute, der Herrschaft
Seisenegg zuständig, sind Vorzüge dieser Gegend.

Dingfurt.

Ein Dorf von 18 Häusern, mit der nächsten Poststation
Amstetten.

Zur Pfarre und Schule ist dasselbe nach Amstetten gewiesen. Das Landgericht, die Grund= und Ortsobrigkeit besitzt die Herrschaft Seisenegg; Conscriptionsherrschaft ist Amstetten. Der Werbkreis gehört zum Linien=Infanterie=Regiment Nr. 49.

Hier leben 23 Familien, 49 männliche, 50 weibliche Personen und 10 schulfähige Kinder; der Viehstand besteht in 12 Ochsen, 20 Kühen, 42 Schafen und 10 Schweinen.

Die Einwohner sind Landbauern, ziemlich gut bestiftet, und haben die nothwendigsten Handwerker im Dorfe. Gebaut werden blos Weizen, Korn, Lins uud Hafer zum Hausbedarf, wozu die Gründe wenig ertragsfähig sind, wegen ihrer schotterigen, sandigen und trockenen Lage, die überdieß noch zeitweisen Wassergüssen und Reifen unterliegen. Die Viehzucht ist ganz unbedeutend nad deckt kaum den häuslichen Bedarf; auch gibt es ganz wenig Obst in den Hausgärten. Das Klima ist sehr gut, das Wasser aber nicht, und zwar seit der Ipsfluß so nahe sich dem Orte zudrängt. — Die der Herrschaft zustehende Jagdbarkeit liefert in ziemlicher Menge Rehe, Hasen, Rebhühner, Wildenten und anderes Federwild.

Der Ort Dingfurt ist größtentheils unregelmäßig gebaut, und liegt zwischen dem Ipsfluffe und der Reichspoststraße, eine Stunde von Amstetten, am flachen Ipsfelde, dessen Häuser, bis auf zwei, nur Strohdächer haben. In frühern Zeiten ist die Ips an der Gißhübler= und Reithleiten hingeflossen, bis gegenwärtig hat sich aber das Wasser mit dem Rinnsel bis in die Nähe des Ortes hingedrängt, dergestalt, daß es beginnt gefährlich zu werden, besonders seit der sogenannte Gegenbruch, der übrigens schon vor 45 Jahren entstanden ist, an Bedeutung zunimmt, weßhalb auch schon drei Häuser übersetzt werden mußten. — Seit fünf Jahren sind fünf Häuser im Dorfe neu entstanden. — Man sagt, daß auf dem Mitterfeld drei Zigeunergräber vorhanden seyn sollen, worüber jedoch bisher nichts Bestimmtes erforscht werden konnte. Was sollen Zigeuner in hiesiger Gegend eigentlich für eine Niederlassung gehabt haben? es ist dies sonderbar; richtiger dürften solche von den Hunn=Avaren, oder von den Ungern unter König Geisa im X. Jahrhundert herrühren, und dann auch wichtiger seyn, wenn man diese Gräber wirklich auffände, was bis nun zu eine bloße Sage bleibt.

Dornach.

Eine Rotte von 6 Häusern, wovon Amstetten die nächste Poststation ist.

Diese gehört zur Pfarre und Schule nach Amstetten. Das Landgericht, die Orts=, Grund= und Conscriptionsobrigkeit ist die Herrschaft Seisenegg. Der hiesige Bezirk gehört zum 49. Linien=Infanterie=Regiment.

Es leben in 8 Familien, 15 männliche, 22 weibliche Personen und 5 schulfähige Kinder; diese besitzen einen Viehstand von 10 Pferden, 4 Ochsen, 12 Kühen, 25 Schafen, 1 Ziege und 6 Schweinen.

Die Einwohner sind Landbauern und ernähren sich vom Ackerbau der gewöhnlichen Getreidegattungen, wovon die Gründe zu den bessern dieser Gegend gehören. Obst erhalten sie von den Hausgärten, besonders Zwetschken. Die Viehzucht ist ziemlich gut, doch aber nur auf den eigenen Wirthschaftsbedarf beschränkt, und es wird hierbei die Stallfutterung angewendet. In dieser kleinen Gemeinde befinden sich drei Bauern, welche gute Bestiftung besitzen, die übrigen drei Hausbesitzer sind Zimmerleute.

Die Häuser dieser Rotte, welche Strohdächer haben, liegen an der sogenannten Leithen, eine Viertelstunde von Amstetten, welche nordwestlich das Ipsfeld begrenzt, zerstreut. — Klima und Wasser sind gut, und eben auch die Jagd, welche herrschaftlich ist, und Rehe, Hasen und Rebhühner liefert. —

Vor Alters zog sich die Heerstraße neben Dornach und Ei=
senreichdornach, auf dem gegenwärtigen Gehwege dahin,
und es wurden vor mehreren Jahren öfters Silbermünzen,
Hufeisen und andere Gegenstände ausgegraben.

In dieser Rotte befindet sich auch eine Filialkirche
zu Ehren der heiligen Agatha an der sogenannten Hoch=
feldleithen. Sie ist im einfachen Baustil, nicht gar klein,
und hat einen kleinen spitzen Thurm mit drei Glocken und ei=
ner Uhr. Im Innern ist sie licht und freundlich, und enthält
einen von Holz errichteten, mit Verzierungen geschmückten
Hochaltar, an welchem die Jahreszahl 1716 angebracht
ist, dann eine Kanzel. — Am Fenster rechts neben dem Hoch=
altar sind zwei gemalte Glastafeln, welche schön gemalte
Wappen mit geistlichen und andern Emblemen enthalten, un=
ter einem ist die Schrift angebracht. Anno dm. aj. v.° xm.
dus. Olnaldus abbas ᶦᵐ mettn hocticet demand. Auf dem
rechten Seitenaltarbilde befindet sich unten in der linken Ecke
die Buchstaben: R. A. I. M., welche gleichfalls auf dem Hoch=
altare vorkommen. Nach dieser Ueberschrift und den Buchsta=
ben zu urtheilen, gehörte diese Kirche einst zur Abtei Met=
ten in Baiern, welche Eigenthümerin des nachfolgenden be=
schriebenen Eisenreichdornacher-Amtes war. Wir hoffen bei
der Pfarre Amstetten, wohin sie als eine Filiale gehört,
näheren Aufschluß geben zu können.

Der bestehenden Sage zufolge, soll diese Kirche durch
eine Gräfin (deren Name, so wie die Zeit der Erbauung
wird nicht angegeben) erbaut worden sein; gegenwärtig besitzt
dieses Gotteshaus noch ein in öffentlichen Fonds anliegendes
Capital von beinahe 24,000 Gulden W. W. — Im Jahre
1813 wurde sie zu einem österreichischen Pulvermagazin ver=
wendet; derzeit aber wird in den Bitttägen und am St. Aga=
thatage öffentlicher Gottesdienst darin gehalten. Früher war
am zweiten Sonntage nach Ostern hier Kirchtag, (Schmalz=

koch - Kirchtag genannt), der von den Bewohnern des Orts und der Umgebung noch durch den Genuß des Schmalzkoches im Andenken erhalten wird.

Während den drei französischen Invasionen hat die Rotte durch Plünderung, Brand und andern Schaden viel gelitten.

Eggersdorf.

Ein Dörfchen von 8 Häusern, und der nächsten Poststation Melk.

Dieses ist nach Amstetten eingepforrt und eingeschult. Landgericht, Orts= und Conscriptionsobrigkeit ist Seisenegg, Grundherrschaften sind: Seisenegg, die Pfarre Amstetten und Erlakloster. Der Werbbezirk gehört zum 49. Linien=Infanterie=Regiment.

In 11 Familien befinden sich 27 männliche, 26 weibliche Personen und 4 schulfähige Kinder; der Viehstand zählt: 12 Pferde, 4 Ochsen, 22 Kühe, 12 Schafe, 1 Ziege und 9 Schweine.

Die hiesigen Einwohner sind Landbauern, und im Besitze einer guten Grundbestiftung; auch sind die Gründe von ziemlicher Ertragsfähigkeit. Es werden die gewöhnlichen Fruchtkörnergattungen gebaut. Die Obstbaumzucht ist erst im Beginn; die Viehzucht ist bedeutend und genießt die Stallfutterung. — Der Jagdnutzen gehört der Herrschaft Seisenegg, Rehe, Hasen, Rebhühner, Wildenten und anderes Federwild in Menge liefernd. Es herrscht hier eine reine gesunde Luft und gutes Wasser in Fülle.

Ein Uebelstand für dieses Dorf ist, daß es keine Hochwaldung besitzt, und durch den Ipsfluß oft verheerende Ueberschwemmungen erleidet.

Eggersdorf liegt unregelmäßig zusammengebaut in der Ebene, zwischen der Ips, respective Amstetter=Mühlba=

che und eine Viertelstunde von der Reichs-Poststraße, südöstlich vom Markte Amstetten.

Im Jahre 1809 wurde es durch die Franzosen auf zwei
Mal ganz abgebrannt, und im Jahre 1827 sind aus unbe-
kannten Ursachen wieder 6 Häuser in Flammen aufgegangen.
— Noch bemerken wir, daß sich hier bei Eggersdorf die
zwei sogenannten Löwingbächeln und der Amstetter-
Lederer-, eigentlich Edla-Bach, in den oben erwähnten
Mühlbach einmünden.

Eisenreichdornach,

auch Eisdornach genannt, ein Dorf von 18 Häusern, mit
der nächsten Poststation Amstetten, welche eine halbe Stunde
davon entfernt ist.

Zur Kirche und Schule gehört der Ort nach dem Markte
Amstetten. Das Landgericht, die Grund-, Orts- und Conscriptionsobrigkeit ist die Herrschaft Seisenegg. Der hiesige Ortsbezirk gehört zum Werbkreise des 49. Linien-Infanterie-Regiments.

In 22 Familien leben 55 männliche, 57 weibliche Personen und 5 schulfähige Kinder. Der Viehstand zählt: 29 Pferde, 14 Ochsen, 47 Kühe, 95 Schafe, 2 Ziegen und 21
Schweine.

Die hiesigen Einwohner bestehen aus Bauern, mit ei-
ner größtentheils guten Bestiftung, aus Kleinhäusler und
Inwohner, welche Taglöhner sind. Sie besitzen ziemlich gute
Grundstücke, welche in der Regel mit Weizen, Korn, Gerste,
Hafer und Erdäpfel bebaut werden. Außer den Hausgärten
ist die Obstbaumzucht noch unbedeutend, jedoch beginnt man
hier und da auf windstillen Plätzen Obstbäume zu pflanzen.
Die Viehzucht ist nicht gering, und wird auch sorglich mit
Stallfutterung betrieben.

Das Dorf Eisenreichdornach ist größtentheils zusammengebaut, jedoch unregelmäßig; denn ein Bauernhaus — Hinterholz genannt — liegt beinahe eine Viertelstunde entfernt, und zwei Kleinhäusler auch etwas abseits, übrigens liegt der Ort aber selbst an der Anhöhe, welche von Westen gegen Osten das Ipsfeld begrenzt, eine halbe Stunde nordöstlich von Amstetten und ungefähr zehn Minuten von der Linzer=Poststraße. — Die Häuser haben durchgehends Strohdächer; auch ist hier reine, gesunde Luft und hinreichend gutes Wasser vorhanden. — Die Jagd liefert ziemlich viel Rehe, Hasen und Rebhühner.

Das kleine Löwingbächlein entspringt in der hiesigen Waldung. Wie noch gegenwärtig die Sage besteht, so soll auf dem sogenannten Pührabauerngrund einst ein Schloß gestanden sein, wovon der Platz noch jetzt der Riendl= Schloßgraben genannt wird. Eisenreichdornach war auch von jeher eine eigene Herrschaft mit einer ständischen Gülteneinlage Nr. 83, die aber im Jahre 1788 der Herrschaft Seisenegg zugeschrieben wurde.

Wir haben schon erwähnt, daß die Herrschaft Eisenreichdornach, auch ein Amt genannt, in früheren Zeiten dem Kloster Metten in Baiern eigenthümlich zugehörte. Wann und auf welche Art dasselbe zu diesem Besitzthume gelangte, und in welchem Jahre solche hinwegkam, ist unbekannt, nur so viel ist im n. ö. ständ. Gültenbuche angemerkt, daß diese Herrschaft im Jahre 1638 der Marktrath zu Amstetten durch gerichtliche Execution erhielt. Von diesem überkam sie im Jahre 1647 Adolph von Lempruch durch Kauf, und im Jahre 1681 dessen Sohn Johann Adolph von Lempruch, worauf Johann Franz von Lempruch folgte, der sie im Jahre 1716 an Johann Leopold Donat Fürsten von Trautsohn käuflich überließ. Von diesem erhielt Eisenreichdornach sein Sohn Johann

Wilhelm Fürst von Trautsohn; im Jahre 1782 Carl Graf von Auersperg durch Erbschaft vom Vorigen; im Jahre 1788 Philipp Franz Freiherr von Riesenfels durch Kauf; in demselben Jahre Philipp Freiherr von Riesenfels und im Jahre 1789 Ferdinand Freiherr von Riesenfels, unter welchem diese Herrschaft jener von Seisenegg einverleibt ward.

Es ist demnach gewiß, daß hier vor Zeiten ein herr= schaftliches Schloß gestanden habe, so wie es auch sein könnte, wenn wir auf die obige Sage zurück blicken, daß die Ge= mahlin eines Herrschaftsbesitzers die Kirche St. Agatha in Dornach gestiftet habe, wenn nicht etwa die Abtei Met= ten die Gründerin derselben ist.

Ensfeld.

Eine aus 14 Häusern bestehende Rotte, mit der nächsten Poststation Amstetten.

Diese gehört zur Pfarre und Schule nach Viehdorf. Das Landgericht, die Orts= und Conscriptionsobrigkeit ist die Herr= schaft Seisenegg. Grundherrschaften gibt es mehrere, welche hierorts behauste Unterthanen haben, nämlich: Ardagger, Auhof, Seisenegg, Wolfpassing, Erlakloster, die Kirche Am= stetten, die Pfarre und Kirche zu Viehdorf. Der Werbbezirk ist dem 49. Linien=Infanterie=Regiment zugewiesen.

Hier leben 16 Familien, 43 männliche, 39 weibliche Per= sonen nebst 10 schulfähigen Kindern; diese besitzen an Vieh= stand: 17 Pferde, 20 Ochsen, 56 Kühe, 23 Schafe und 29 Schweine.

Die hiesigen Einwohner sind durchaus Bauern, und alle ziemlich gut bestiftet, wovon die Gründe auf den Hö= hen und in freier Lage gut, im Thale aber schlecht sind, weil sie theils zu naß, theils zu kalt liegen, auch öfters von Reif heimgesucht werden. Die Obstpflege ist mittelmäßig, die Viehzucht aber sehr gut, bei welcher die Stallfutterung eingeführt ist. Hier gibt es sogenannte Bergschafe, welche kleiner als die gewöhnlichen Schafe sind, und gröbere Wolle, aber ein sehr schmackhaftes Fleisch haben.

Die Häuser dieser Rotte, durchaus mit Stroh gedeckt, liegen zerstreut auf der Anhöhe und im Thale, meist drei beisammen zu Ensfeld, Stocka und Jetzing, welche auch einzeln eigene Benennungen haben. Das hiesige Thal wird vom Aubache, welcher zunächst Reickersdorf entspringt, und vom Stettnerbache, dann die Anhöhe durch die Verbindungsstraße von Seisenegg und Viehdorf nach Ardagger und zur Donau durchschnitten. Dabei enthalten die Häuser auf der Anhöhe eine wunderschöne Lage, mit einer ausgedehnten Fernsicht gegen Osten und Süden, und auch zum Theil gegen Westen und Norden. Klima und Wasser sind gut; die Jagd liefert Rehe, Hasen und Rebhühner. — Eine hölzerne Kreuzsäule bei dem, zur hiesigen Rotte gehörigen Bauernhause, die Brandstetten genannt, bezeichnet die Grabstätte von vier an der Pest, wahrscheinlich im Jahre 1713 verstorbenen Personen.

Freynhof,

ein Freisitz mit einer eigenen ständischen Gülten-Einlage, und gegenwärtig zur Herrschaft Seisenegg gehörig, ist zur Ortschaft Grub nummerirt, und wird auch dort erwähnt werden.

Führamühl.

Eine kleine Rotte von 7 Häusern, mit der nächsten Poststation Amstetten.

Diese gehört zur Pfarre und Schule nach St. Georgen am Ipsfelde. Das Landgericht, die Orts- und Conscriptionsobrigkeit ist die Herrschaft Seisenegg. Grundbdominien sind: Auhof, St. Georgen am Ipsfelde, Wolfpassing und die Pfarre Ips. Der Werbkreis gehört zum 49. Linien-Infanterie-Regiment.

Hier leben 12 Familien, 26 männliche 22 weibliche Personen und 7 schulfähige Kinder; der Viehstand zählt: 10 Ochsen, 19 Kühe, 21 Schafe und 5 Schweine.

Die hiesigen Bewohner sind Bauern, mit einer mittelmäßigen Grundbestiftung, deren Gründe auch nur von mittelmäßiger Beschaffenheit sind, die in der Regel blos mit Korn und Hafer bebaut werden. Die Obstpflege ist nicht von Bedeutung, und die Viehzucht erstreckt sich nur auf den eigenen Hausbedarf, jedoch steht dabei die Stallfutterung in Anwendung.

Die Rotte besteht in zerstreuten, mit Stroh gedeckten Häusern, und hat eine meist hügelige Lage zunächst den Wäldern, in einer Entfernung von einer halben Stunde von St. Georgen am Ipsfelde. Das Haus Obsdorf genannt, liegt ungemein reizend, von welchem aus man auch eine entzückende Aussicht auf das Ipsfeld, und auf die steiermärkischen Gebirge genießt. — Der durchfließende Oehlsitzerbach treibt hier die Führamühle mit zwei Gängen, wovon manchmal einer zur Oehlstampfe oder Presse verwendet wird. — Man trifft hier gesundes Klima und gutes Wasser. — Die Jagd gehört der Herrschaft Seisenegg, und liefert Rehe und Hasen in ziemlicher Menge.

Galtbrunn.

Ein kleines Dörfchen von 4 Häusern, wovon Amstetten die nächste Poststation ist.

Dieses ist nach St. Georgen am Ipsfeld eingepfarrt und eingeschult. Landgericht, Orts=, und Conscriptionsobrig=keit ist die Herrschaft Seisenegg, Grunddominium ist Krenn=stetten zu Ulmerfeld. Der hiesige Bezirk ist dem Werbkreise des 49. Linien=Infanterie=Regiments einverleibt.

Es befinden sich hier 4 Familien, 10 männliche, 18 weib=liche Personen und 5 schulfähige Kinder; der Viehstand besteht in 4 Pferden, 8 Ochsen, 18 Kühen, 41 Schafen und 6 Schweinen.

Die hiesigen Bewohner sind gut bestiftete Bauern, die von ihrem Ackerbau sich ernähren, aber blos Korn, Lins und Hafer fechsen, weil die Gründe stark schotterig und sonach we=nig ertragsfähig sind. Die Viehzucht ist bedeutend, und wird mit Stallfutterung betrieben; dagegen beschränkt sich die Obst=baumzucht blos auf ihre Hausgärten.

Die vier Bauerngehöfte von Galtbrunn, mit Stroh gedeckt, liegen unregelmäßig beisammen, auf dem Ipsfelde, nächst der Reichspoststraße und dem Seiseneggerbache, eine Viertelstunde entfernt vom Pfarrdorfe St. Georgen. — Gutes Klima und Wasser, nebst einer ergiebigen Feldjagd, sind vorherrschend.

St. Georgen am Ipsfelde.

Ein Pfarrdorf von 11 Häusern, mit der nächsten Post=station Amstetten.

Kirche und Schule befinden sich im Orte; diese gehören in das Decanat Ips; das Patronat gehört dem Pfarrer zu Amstetten. Das Landgericht, die Orts= und Conscriptions=obrigkeit ist die Herrschaft Seisenegg; Grundherrschaften sind Auhof, und die Kirche und Pfarre St. Georgen am Ips=felde. Der hiesige Bezirk gehört zum Werbkreis des 49. Li=nien=Infanterie=Regiments.

In 16 Familien befinden sich 28 männliche, 31 weibliche Personen und 8 schulfähige Kinder. Der Viehstand enthält 2 Pferde, 4 Ochsen, 18 Kühe und 5 Schweine.

Die Einwohner sind Bauern, unter denen sich 2 Wirthe, 1 Krämer, 1 Bäcker, 1 Hafner, 1 Hufschmied, 1 Schneider, 1 Schuhmacher, Zimmer= und Maurergesellen nebst Taglöhner befinden.

Da die in der Ebene liegenden Gründe zu den besseren der hiesigen Gegend gehören, so werden auch alle Getreidegattungen gebaut. Die Obstpflege ist ziemlich bedeutend und bessert sich jährlich; auch die Viehzucht wird sorgfältig betrieben und dabei die Stallfutterung angewendet.

Der Ort ist unregelmäßig gebaut, sechs Häuser davon sind mit Schindeln, die übrigen mit Stroh gedeckt, und liegt am Ipsfelde auf der ersten kleinen Anhöhe, welche von Osten gegen Westen das Ipsfeld begrenzt, eine halbe Stunde von Blindenmarkt, oder der Reichsstraße, eine halbe Stunde von Seisenegg, eine und eine Viertelstunde von Amstetten und zwei und eine halbe Stunde von Ips entfernt, in einer freundlichen Gegend, da, wo der Verbindungsweg von Seisenegg nach Blindenmarkt vorbeiführt. Klima und Wasser sind vortrefflich und auch die Jagd, auf Rebhühner und Hasen, ist bedeutend, die der Herrschaft Seisenegg zustehet. — Am 24. April und 24. August jeden Jahres werden hier Kirchtäge abgehalten.

Auf einem Hügel im Orte, von einigen Häusern, der Schule und den Pfarrhof umschlossen, steht die Pfarrkirche dem heiligen Georg geweiht. Das Gebäude ist alten gothischen Stieles, ziemlich groß, mit einem Thurme, der oben eine Blechkuppel, eine Stunden schlagende Uhr, und drei Glocken enthält, wovon die größte 4½, die andere 2¼ und die dritte einen Zentner wiegt. Die beiden ersten wurden im Jahre 1688 und 1689 in Linz gegossen, die Jahreszahl der kleinen aber kann man nicht mehr mit Gewißheit entziffern, weil mehrere Buchstaben mangeln, doch scheinen die noch vorhandenen C.C.C.XXXVII. auf das Jahr 1337 hinzudeuten, obschon das M fehlt. — Die innere Ausschmückung besteht in einem Hoch- und drei Seitenaltären. Ersterer ist seit dem Jahre 1829 im neuern Geschmacke errichtet, von Holz, grau und marmorartig staffirt und mit vergoldeten Verzierungen versehen. Die Leuchter, Canontafeln und andern Verzierungen sind meist lackirt und vergoldet. Das Haupt-Altarbild enthält die bildliche Darstellung des heiligen Georgs. Von den Seitenaltären heißt jener in der, der Kirche angebauten Seitencapelle, der Frauenaltar, mit einem uralten Tabernakel versehen, der auf der Evangelienseite besteht zur heiligen Barbara, und auf der Epistelseite zu Ehren der vierzehn Nothhelfer. — In der Kirche selbst liegen am Boden vier sehr alte Grabsteine, wovon nur von Einen die Jahreszahl 1450 noch zu entziffern ist; von den übrigen sind die Umschriften und Insignien ganz ausgetreten, jedoch deutet einer auf einen Geistlichen. — An der rechten Seitenmauer ist ein einfacher Grabstein aus rothem Marmor von dem gewesenen Ortspfarrer Johann Georg Schneider († 9. August 1681), und einer von schwarzem Marmor mit goldener Schrift, den Pfarrer Mathäus Ludowikus Mauchter betreffend († 3. März 1760). Dieser Grabstein enthält am Schlusse das schöne Chronographicum: HoDIe MIhI, CrastIbI . VaLe, a Cora (1760). — Noch bemerken wir einen großen Grabstein von Marmor außen an der linken Sakristeimauer, welcher mit der Inschrift und dem adeligen Wappen verziert ist, und dem Sigmund Richard von Lasberg zu Leuzmannsdorf († 15. Februar 1638), und seine Gemahlin Maria Elisabeth, geborne Gefreiterin von Pernau, nebst seinen vier Kindern betrifft.

Zur hiesigen Kirche sind eingepfarrt: St. Georgen am Ipsfelde, Petersdorf 6 Minuten, Gumpenberg ¼, Dalling ½, Au ½, Palldorf ½, Hörmannsdorf ¼, Leutzmannsdorf ½, Matzendorf ½, Hard ½, Allersdorf ¼, Seisenegg ½, Triesenegg ¼, Galtbrunn ¾, Führamühl ½, Krahof 1½, Sindhof 1¼ und Kienberg ½ Stunde entfernt. Der Gottesdienst und die Seelsorge wird von einem Pfarr-Vicar versehen; der systemisirte Cooperator ist seit vielen Jahren nicht mehr angestellt. — Der Leichenhof liegt um die Kirche herum.

Das vorhandene Trauungsprotokoll beginnt mit dem Jahre 1616; das Sterbprotokoll mit dem Jahre 1690 und das Taufbuch mit dem Jahre 1694. — Die ältesten Urkunden aber abschriftlich sind hierorts: 1) ein Stiftsbrief der Herren Friedrich und Hans von Sinzendorf und Oberheimber vom Jahre 1419 mit den Zeugen: Balthasar von Seyßeneckh, Pfleger zu Walsee; Gilg von Wolfstein, Simon Aschpen, Ulrich von Rohrbach, Pfleger zu Seißeneckh; 2) ein Stiftsbrief des Johann Wilhelm Grafen und Herren von Sinzendorf und Woltendorf, als damaliger Herr der Herrschaft Auhof vom 29. December 1601.

In welchem Jahre die hiesige Kirche gegründet wurde, ist uns unbekannt, jedoch ist solche von sehr hohen Alter, und stand, wie schon der Name St. Georgen es beweist, eher als das Dorf, welches den Namen von der Kirche erhielt. Wohl dürfte ihre Entstehung jedenfalls in das X. Jahrhundert gehören, wenn übrigens die noch bestehende Sage wahr ist, daß das Gewölbe unter dem Thurme einmal die Sakristei war, wie wir schon mehrere solche getroffen haben, so muß in den früheren Zeiten ein bedeutender Umbau Statt gefunden haben, weil dieß Gewölbe dermal am hintersten

Ende der Kirche, dem Hochaltare gegenüber, befindlich ist. Die vorerwähnte Seitencapelle aber mit dem Frauenaltar ist nach dem obigen Stiftsbrief im Jahre 1419 von den Brüdern von Sinzendorf der Kirche angebaut worden. — In den alten Zeiten war der Bezirk der Pfarre St. Georgen viel größer als jetzt, und erstreckte sich sogar bis über die Yps hinüber; so ist auch bei der Josephinischen Pfarr-Regulirung die hierher gehörige Filiale Blindenmarkt sammt Umgebung zur eigenen Pfarre erhoben worden.

Die Schicksale der Pfarre in neuerer Zeit anbetreffend, so ist die hiesige Kirche bei der französischen Invasion im Jahre 1809 geplündert worden.

Greimpersdorf.

Ein aus 15 Häusern bestehendes Dorf, wovon Amstetten als die nächste Poststation bezeichnet wird.

Zur Kirche und Schule gehört der Ort nach Amstetten. Das Landgericht, die Orts- und Grundherrschaft ist Seisenegg; Conscriptionsobrigkeit aber der Magistrat in Amstetten. Der Werbkreis gehört zum 49. Linien-Infanterie-Regiment.

Es befinden sich hier 22 Familien, 40 männliche, 49 weibliche Personen und 11 schulfähige Kinder; der Viehstand zählt: 2 Pferde, 18 Ochsen, 25 Kühe, 78 Schafe, 1 Ziege und 10 Schweine.

Die hiesigen Einwohner sind Landbauern, und beschäftigen sich mit dem Feldbau der gewöhnlichen Körnergattungen; sie haben auch Obst in ihren Hausgärten, und treiben nur in so fern die Viehzucht mit Anwendung der Stallfütterung, als es der Hausbedarf fordert. — Die Grundstücke gehören zu den mittelmäßig ertragsfähigen.

Greimpersdorf ist ein unregelmäßig gebautes Dorf, dessen Häuser mit Stroh gedeckt sind, und liegt zwischen der Yps

und der Reichspoststraße auf dem Ipsfelde, eine halbe Stunde
südöstlich von Amstetten; die vier dazu gehörigen Kleinhäuser
aber auf dem sogenannten O e d e n h o f - F e l d, zwischen der Ips
und dem Gegenbruche. Diese sind in dem Jahre 1830 neu entstanden, und werden theils von gewöhnlichen Handwerksleuten,
theils von Taglöhnern bewohnt. — Gute reine Luft und ziemlich
gutes hinreichendes Trinkwasser sind dieser Gegend eigenthümlich. — Die Jagd liefert Rehe, Hasen, Rebhühner, Wildenten und anderes Federwild.

a) G r u b

Eine aus 10 Häusern bestehende Rotte, mit der nächstgelegenen Poststation Melk.

Diese ist zur Pfarre und Schule nach Neustadtl angewiesen. Das Landgericht, die Orts- und Conscriptionsobrigkeit ist die Herrschaft Seisenegg. Als Grunddominien werden
Auhof, Seisenegg, Weinzierl und die Pfarre Ips bezeichnet. Der Werbkreis gehört zum 49. Linien-Infanterie-Regiment.

Hier befinden sich 13 Familien, 23 männliche, 37 weibliche Personen und 6 schulfähige Kinder; an Viehstand besitzen
diese: 20 Ochsen, 21 Kühe, 19 Schafe und 8 Schweine.

Die Einwohner, aus Bauern und einigen Handwerkern
bestehend, sind im Besitze einer guten Grundbestiftung; sie
treiben, wie alle nachbarlichen Orte hier, den für den Hausbedarf nothwendigen Körnerbau der gewöhnlichen Fruchtgat-
tungen, etwas Obstpflege, und die für ihren Wirthschaftsbedarf erforderliche Viehzucht, bei der die Stallfutterung in
Anwendung steht. — Wasser, Klima und die Jagd sind gut.

Grub enthält zerstreute Häuser mit Stroh gedeckt, die
eine Viertelstunde ausgedehnt sind, und die im Thale bis
zum P f a f f e n b e r g hinan und am H o h e n s t e i n liegen,

von wo aus sich eine weit umfassende prachtvolle Aussicht gegen Süden und Osten eröffnet. — Vom Pfarrorte Neustadtl
ist diese Rotte ein und eine halbe Stunde entfernt.

b) G r u b.

Eine kleine Rotte von 7 Häusern, mit der nächsten Poststation Amstetten.

Diese ist zur Pfarre und Schule nach Viehdorf angewiesen. Das Landgericht, die Orts- und Conscriptionsobrigkeit besitzt die Herrschaft Seissenegg. Grundddominien, die
hierorts behauste Unterthanen besitzen, sind: Seisenegg, Hainstetten, die Kirche Aschbach und die Pfarre St. Georgen am
Ipsfelde. Der Werbkreis gehört zum 49. Linien-Infanterie-
Regiment.

Hier leben in 8 Familien, 17 männliche, 16 weibliche
Personen und 5 schulfähige Kinder. Diese besitzen an Vieh-
stand: 6 Pferde, 15 Ochsen, 30 Kühe, 28 Schafe und 13
Schweine.

Die hiesigen Bewohner gehören zur Klasse der Landbauern, welche eine gute Grundbestiftung besitzen. Im Allgemeinen werden Weizen, Korn, Gerste und Hafer gebaut,
wozu auch ertragsfähiges Ackerland vorhanden ist. Die Obstpflege und Viehzucht darf bedeutend genannt werden, bei welch'
letzterer die Stallfutterung angewendet wird. Hier gibt es,
wie bei Ensfeld, kleine Bergschafe, mit etwas gröberer Wolle
als die gewöhnlichen.

Die Häuser dieser Rotte liegen zerstreut in einem Thale,
nur eine Viertelstunde vom Pfarrorte Viehdorf, in einer angenehmen und auch gesunden Gegend, welche gutes Wasser
in Fülle enthält. — Der Jagdnutzen liefert Rehe, Hasen und
Rebhühner.

Im Bezirke und zu dieser Rotte gehörig, liegt der schon

vorne erwähnte Freisitz, unter der Benennung: Freinhof (eigentlich freier Hof). Diesen Hof besaß im Jahre 1696 Philipp Hanibal Wettscher, durch Kauf von den Zaglerischen Erben; im Jahre 1716 Rebekka Schneeweiß, von ihrem Vater Mathias Schweighofer; im Jahre 1732 Franz Joseph Schneeweiß, von seiner Mutter Rebekka; im Jahre 1734 nebst diesem auch seine Frau, Maria Barbara; und im Jahre 1766 Barbara Dorothea Schneeweiß, geborne Terpeniß, worauf dieser Freisitz an die Herrschaft Seisenegg gelangte, und die ständische Einlage davon auch im Jahre 1782 dieser Herrschaft zugeschrieben wurde.

Zugleich enthält diese Rotte auch den Harasbach und Phüra. — In Grub hier entspringt das Grubbächel, welches sich bald mit dem Seisenegger-Bach vereiniget.

Gumpenberg.

Ein aus 4 Häusern bestehendes Dörfchen, wovon Melk die nächste Poststation ist.

Dieses ist zur Pfarre und Schule nach St. Georgen am Ipsfeld gewiesen. Das Landgericht, die Orts- und Conscriptionsobrigkeit besitzt die Herrschaft Seisenegg. Als Grundherrschaften werden Auhof, Krennstetten und Ulmerfeld bezeichnet. Der Werbkreis ist zum 49. Linien-Infanterie-Regiment einbezogen.

Die Seelenzahl umfaßt 5 Familien, 10 männliche, 10 weibliche Personen und 2 schulfähige Kinder; an Viehstand sind vorhanden: 4 Pferde, 10 Ochsen, 19 Kühe, 48 Schafe und 6 Schweine.

Die Bewohner sind Bauern und im Besitze einer ungleichen Bestiftung; sie beschäftigen sich übrigens mit dem Feldbau, der Obstpflege und einer ziemlich guten Viehzucht, wo=

bei die Stallfutterung in Anwendung steht. Die Gründe sind gut, nur der Reif schadet bisweilen in den niedern Gegenden. Hier fließt nördlich das sogenannte Thallingerbächlein vorüber, welches an und für sich unbedeutend ist, und sich nächst Thalling mit dem Oelsitzbache vereinigt.

Diese, das Oertchen bildenden vier Häuser, liegen auf dem Hügel, welcher nordöstlich das Ipsfeld und die Pfarre Blindenmarkt begrenzt, haben Strohdächer, und was seltsam ist, verschiedenartiges Trinkwasser; so z. B. schmeckt jenes im Hause Nr. 2 ganz säuerlich, und hat die sonderbare Eigenschaft, die Leinwand so steif zu machen, daß schwer eine Nadel durchgeht. Ferners trifft man hier auch einen Lehmboden, der zur Ziegelbereitung vortrefflich wäre. — Klima und Jagd sind gut.

Haaberg.

Eine Rotte von 9 Häusern, mit der nächsten Poststation Amstetten.

Zur Kirche und Schule gehört dieselbe nach Amstetten. Das Landgericht und die Ortsherrlichkeit besitzt die Herrschaft Seisenegg. Conscriptionsobrigkeit ist der Markt Amstetten. Als Grundherrschaften werden bezeichnet: Ensegg, Seisenegg, Ulmerfeld und Wolfpassing. Der Werbkreis gehört zum 49. Linien-Infanterie-Regiment.

Die Seelenzahl besteht in 11 Familien, 25 männlichen, 38 weiblichen Personen und 7 schulfähigen Kindern; der Viehstand in 2 Pferden, 12 Ochsen, 26 Kühen, 37 Schafen und 7 Schweinen.

Unter den hiesigen Einwohnern gibt es Bauern und Taglöhner, wovon erstere Klasse gut bestiftet ist. Der Ackergrund ist lehmig und kalt, auch mitunter etwas schotterig, und daher nur mittelmäßig, weßhalb auch meist Korn, Lins und

Hafer, Weizen und Gerste aber blos zum Hausbedarf gebaut werden. Wiesengründe gibt es wenige, und auch diese sind nicht von besonders guter Beschaffenheit. — Die Obstpflege erfreut sich einer gedeihlichen Aufnahme. — Die Viehzucht wird mit lobenswerther Thätigkeit betrieben, und zwar mit Besorgung der Stallfutterung.

Haaberg liegt mit seinen zerstreuten, mit Stroh gedeckten Häusern in der Fläche, westlich oberhalb Amstetten, links ungefähr fünf Minuten von der Poststraße, zwei Häuser davon aber, jenseits des Grabens, kaum zehn Minuten von Amstetten entfernt. — Das Klima ist gut, das Wasser aber schlecht, und überdieß muß solches noch ziemlich weit herbeigeholt werden. — Hier entspringt das kleine **Silberweißbächlein** und fließt gegen Amstetten in den Mühlbach. — Zu dieser Rotte gehören die Einöden **Ehrenhöh** und **Besenberg** genannt.

Hainstetten.

Eine Rotte von 8 zerstreuten Häusern, wovon Amstetten die nächste Poststation ist.

Diese gehört zur Pfarre und Schule nach Viehdorf. Das Landgericht und die Conscriptionsobrigkeit nebst Ortsherrlichkeit gehört der Herrschaft Seisenegg. Grunddominien gibt es mehrere, welche hierorts behauste Unterthanen haben; diese sind: Arbagger, Hainstetten, Kröllendorf, Seisenegg und die Kirche in Amstetten. Der Werbkreis ist dem 49. Linien-Infanterie-Regiment zugewiesen.

Hier befinden sich 9 Familien, 21 männliche, 22 weibliche Personen und 5 schulfähige Kinder. Der Viehstand zählt 2 Pferde, 8 Ochsen, 17 Kühe, 5 Schafe und 4 Schweine.

Die Einwohner sind Landbauern, welche sich mit den Feldbau, der Obstpflege und Viehzucht befassen.

Die Häuser der Rotte liegen zerstreut, nahe bei den geschlossenen Häusern von Hainstetten, welches eine eigene Herrschaft ist, und die wir bereits beschrieben haben, auf welche wir den geehrten Leser verweisen, hierbei aber nur noch bemerken, daß diese 8 Häuser zur Ortsherrlichkeit von Seisenegg gehören, und die eigenen Namen: Reinswiedl, Wolfsgrub, Weg, Reitl und Gartwinklern führen.

Als Sage oder alte Prophezeihung verdient bemerkt zu werden, daß sich die Donau von Ardagger her, durch diese Gegend noch einstmal Bahn brechen wird. Es ist wohl allerdings wahr, daß die Donau bei Ardagger eine auffallende halbzirkelförmige Krümmung gegen Süden bildet; in wie ferne aber dieser Ausbuch in der Folge sich ganz nach Süden wenden, und in dieser Richtung ein neues Rinnsel sich auswühlen soll, dieß vermag selbst der geschickteste Hydrauliker nicht zu bestimmen, auch nicht einmal abzusehen.

Harth.

Ein Dorf von 16 Häusern, wovon Amstetten als die nächste Poststation bezeichnet wird.

Der Ort ist nach St. Georgen am Ipsfelde eingepfarrt und eingeschult. Das Landgericht, die Orts- und Conscriptionsobrigkeit ist die Herrschaft Seisenegg. Grundherrschaften sind: Albrechtsberg an der Pielach, Auhof, Hainstetten und Seisenegg. Der Werbkreis von diesem Ortsbezirk gehört zum Linien-Infanterie-Regiment Nr. 49.

Es leben hier 21 Familien, 55 männliche, 53 weibliche Personen und 13 schulfähige Kinder; der Viehstand zählt: 9 Pferde, 22 Ochsen, 35 Kühe, 96 Schafe und 8 Schweine.

Die Einwohner sind größtentheils gut bestiftete Bauern, unter denen sich blos ein Hufschmied befindet. Da die Gründe sehr schotterig, also ziemlich schlecht sind, besonders in trocke-

nen Jahren, so sind blos Korn und Hafer die Hauptfrüchte,
welche gebaut werden. Die Obstpflege erstreckt sich blos auf
die Hausgärten, und die Viehzucht, obschon gut und mit
Stallfutterung, nicht weiter, als auf den eigenen Wirth=
schaftsbedarf.

Harth bildet ein ziemlich regelmäßiges Dorf, welches
auf dem Ipsfelde, zwischen Amstetten und Blindenmarkt, un=
weit der Reichsstraße gelegen ist, und mit derselben durch die
Seisenegger-Straße in Verbindung steht. — Klima und Was=
ser sind gut, letzteres in hinreichender Menge vorhanden. —
Hier besteht blos Feldjagd, die Hasen und Rebhühner liefert,
und der Herrschaft Seisenegg zugehört.

Bemerkenswerth ist es, daß vor Zeiten hier die alte
Poststraße durchgeführt habe, welche zwischen Galtbrunn
und Triesenegg nach Blindenmarkt zuführte, und etwa 8 Mi=
nuten vor demselben die Richtung der dermaligen Chausee
nahm. Von diesem alten Postwege sieht man noch Spuren,
besonders Straßengräben; auch werden öfters Hufeisen gefun=
den, die etwas breiter, ohne Griff, und die Stollen nicht
ganz zurück angebracht waren, so, daß ein Eisentheil rück=
wärts hervorragte; auch waren sie geringer als die jetzigen,
und hatten 7 bis 8 Nagellöcher.

Vor der Josephinischen Pfarr-Eintheilung war ein
Theil des Dorfes nach Amstetten eingepfarrt, weil nämlich die
durchführende Straße die Pfarrgrenze bildete.

Haubenberg.

eigentlich Haumberg, eine Rotte von 7 Häusern, wovon
Amstetten die nächste Poststation ist.

Diese gehört zur Pfarre und Schule nach Viehdorf.
Das Landgericht, die Orts= und Conscriptionsobrigkeit ist die
Herrschaft Seisenegg; Grundobrigkeiten sind: Arbagger, Sei=

senegg, Weinzierl und Wolfpassing. Der Werbbezirk ist zum 49. Linien-Infanterie-Regiment einbezogen.

In 8 Familien befinden sich 14 männliche, 16 weibliche Personen nebst 2 Schulkindern; der Viehstand zählt: 2 Pferde, 14 Ochsen, 16 Kühe, 17 Schafe und 9 Schweine.

Die hiesigen Bewohner sind theils gering, theils gut bestiftete Landbauern, die übrigens aber ziemlich ertragsfähige Gründe haben, welche sie in der Regel blos mit Korn, Lins und Hafer bebauen. Die Obstpflege kann mittelmäßig genannt werden, doch sind jene Obstgärten von den Bauernwirthschaften zu Aichet, Ruttenstein und Schwertberg die besseren. Die Viehzucht gehört blos für den eigenen Bedarf. — Gutes Klima und Wasser sind Vorzüge dieser hübschen Gegend.

Die Rotte liegt mit den 7 Häusern in einer halbstündigen Ausdehnung entfernt, drei Viertelstunden vom Pfarrorte Viehdorf, und man genießt am Hauben- und Aichberg eine sehr schöne, weitumfassende Aussicht. — Die noch hierher gehörigen Häuser sind Reith, Aichberg, Aichet, Schwertberg und Ruttenstein benannt. — Im Hauben- oder Haumberg wird feiner weißer Sand gehauen, der in die ganze Gegend metzenweise zu 12 und 15 Kreuzer C. M. verkauft wird.

Hochholz.

Eine Rotte von 9 Häusern, mit der nächstgelegenen Poststation Amstetten.

Zur Pfarre und Schule gehört dieselbe nach Viehdorf. Das Landgericht, die Orts- und Conscriptionsherrschaft ist Seisenegg; Grundobrigkeiten sind folgende: Arbagger, Auhof, Hainstetten, Wolfpassing, Erlakloster, die Pfarre St. Georgen am Ipsfelde und die Kirche in Viehdorf. Der Werbkreis gehört zum 49. Linien-Infanterie-Regiment.

Hier leben 12 Familien, 27 männliche, 23 weibliche Personen und 2 schulfähige Kinder; der Viehstand zählt 4 Pferde, 18 Ochsen, 30 Kühe und 15 Schweine.

Die hiesigen Bewohner sind Landbauern, unter welchen sich ein Maurer befindet. Gebaut werden meist Korn und Hafer, wenig dagegen Weizen und Gerste, weil, obschon die Mehrzahl der Gründe gut, doch einige gegen Norden gelegene, sandig sind. Die Obstbaumzucht ist im gedeihlichen Bestande und wird jährlich vermehrt. Die Viehzucht darf gut genannt werden und genießt die Stallfutterung. — Das Klima, Wasser und die Jagdbarkeit, Rehe, Hasen und Rebhühner liefernd, sind gut und letztere ein Eigenthum der Herrschaft Seisenegg.

Die Rotte Hochholz, zu der auch die Bauerngüter am Teich, die großen Wegbauern zu Berwinkl, zu Zappling, zu Hinterthana und der Holzbauer gehören, besteht in zerstreuten Häusern, und liegt theils im Thale, theils auf der Anhöhe, eine halbe Stunde vom Pfarrorte Viehdorf. Der Teichbach begränzt den Rotten= und Pfarrbezirk gegen Kollmitzberg und Neustadl. Zu Zappling öffnet sich eine freie und herrliche Aussicht. — Der Weg nach Kollmitzberg führt hier durch die Rotte, welcher schlecht ist und eine bedeutende Verbesserung bedarf.

Hörmersdorf.

Ein aus 11 Häusern bestehendes Dorf, wovon Amstetten die nächste Poststation ist.

Dieses ist nach St. Georgen am Ipsfeld eingepfarrt und eingeschult. Das Landgericht, die Orts= und Conscriptionsherrschaft ist Seisenegg; Grunddominien sind Auhof, Haagberg und die Pfarre St. Georgen am Ipsfeld. Der Werbkreis gehört zum 49. Linien=Infanterie=Regiment.

In 12 Familien leben 35 männliche, 27 weibliche Per=
sonen und 4 schulfähige Kinder; sie besitzen 6 Pferde, 12
Ochsen, 25 Kühe, 50 Schafe und 9 Schweine.

Die hiesigen Bewohner sind theils ziemlich gut bestif=
tete Bauern, theils gewöhnliche Bauerslente. Gebaut werden
blos Korn, Lins und Hafer; sie haben etwas Obst und die zu
ihrem Wirthschaftsbedarf erforderliche Viehzucht, wobei die
Stallfutterung in Anwendung steht.

Das Dorf Hörmersdorf enthält theils unregelmäßig
zusammengebaute, theils zerstreute Häuser, die mit Stroh ge=
deckt sind; sie liegen am flachen Ipsfelde, zunächst dem
Ipsflusse, durch welche die Freibeggerstraße führt, und mit
der in neuerer Zeit von der Herrschaft Auhof erbauten, so=
genannten hohen Brücke, die dies= und jenseitige Ipsge=
gend in Verbindung stellt. Für die Benützung dieser Brücke
wird sowohl von Fußgängern als Fahrenden eine angemessene
Mauthgebühr entrichtet. — Auch bemerken wir noch, daß die
in der Ips sich vorfindenden Kalksteine in der sogenannten
Termühle zu Kalk gebrannt werden. — Am Ipsmühl=
bache steht auch eine Mahlmühle von drei Gängen und
einer Bretersäge. — Das Klima hier ist vortrefflich, das
Wasser sehr gut, nur bisweilen wenig. Die Jagd, ein Eigen=
thum der Herrschaft Seisenegg, liefert blos Hasen und Reb=
hühner.

Hößgang.

Ein Dorf von 25 Häusern, mit der nächsten Poststation
Amstetten.

Dieses gehört zur Pfarre und Schule nach Neustadel.
Das Landgericht und die Grundherrlichkeit besitzt die Herr=
schaft Greinburg in Oberösterreich, nämlich jenseits der Do=
nau von hier; Orts= und Conscriptionsobrigkeit ist Seisenegg.

Der Werbkreis gehört zum 49. Linien-Infanterie-Regiment.

Die Seelenzahl besteht in 30 Familien, 68 männlichen, 69 weiblichen Personen und 12 schulfähigen Kindern; der Viehstand zählt 4 Ochsen, 30 Kühe, 1 Ziege und 2 Schweine.

Die hiesigen Einwohner sind zum Theil Bauern, meist aber Handwerker und Schiffleute, nebst einem Schiffmeister und zwei Wirthen. Die Grundstücke liegen um die Häuser herum, sind von schlechter Beschaffenheit, werden aber fleißig mit großen Aufwand von Mühe bearbeitet, und größtentheils zum Futter-, Gemüse- und Obstbau benützt. — Klima und Wasser sind gut; die Jagd liefert Rehe und Hasen, bisweilen auch Hirsche, und gehört der Herrschaft Greinburg.

Der Ort Hößgang liegt hart am rechten Ufer der Donau, am Fuße der sich hier erhebenden Gebirgen ein und eine Viertelstunde von Neustadl, gegenüber dem Strudel und dem oberösterreichischen Markte Struden. Nur drei Bauerngüter liegen davon abseits. — Die meisten Häuser haben Strohdächer. Hier mündet sich das Bächlein, welches von Nadling, Riedbach und Nabegg kömmt, und eine Mühle mit zwei Gängen treibt. Die Häuser sind solcherart situirt, daß die Donauüberschwemmungen keinen Schaden anrichten. — Neben dem Hößgang (so wird ein Donauarm genannt, wovon auch das Dorf den Namen erhielt, führt der sogenannte Treppelweg (Huffchlag) vorbei.

Den Ort Hößgang nennt man auch Freigericht oder Markt, weil die Bewohner mit Ausnahme der schon erwähnten drei abseits liegenden Bauerngehöften, vom Todten- und Laudemial-Pfundgelde frei sind.

Bemerkenswerth ist hier der sogenannte Wörthbauer (Inselbewohner), welcher die Insel neben dem gefürchteten Donau-Strudel besitzt und bewohnt, und welche nach den stabilen Catastral-Daten: 1 Joch 501 Quadr. Klafter Ackerland, 5 Joch 372 Quadr. Klftr. Wiesengrund, 1281 Quadr. Klftr. Wiesen mit Obstbäumen besetzt, 106 Quadr. Klftr. Bauarea, 17 Joch 838 Quadr. Sandbank, 675 Quadr. Klftr. als Felsen mit der Thurm = Ruine und 415 Quadr. Klftr. als Huffschlag, also zusammen 25 Joch 988 Quadr. Klftr. Land besitzt. — Diese Bauernwirthschaft soll vor ungefähr 1 ob. 200 Jahren noch mit dem diesseitigen Ufer zusammenhängend gewesen, und bei der Gelegenheit abgerissen worden seyn, als die Donau den sogenannten Hößgang bildete, das ist der Arm, der zwischen dem festen Lande in diesem Viertel und der Werdinsel durchfließt und bei hohem Wasserstande sogar mit größern Fahrzeugen befahren wird. Dieser Arm soll der Sage nach dadurch entstanden seyn, weil der Meier in Hößgang auf seinem Acker eine Furche gemacht hatte, die zum Einreißen so sehr Gelegenheit gab. Bei der sogenannten Allerheiligengieß im Jahre 1787, hat der Wörthbauer, der einst zu seiner Bewirthschaftung vier Ochsen halten konnte, wieder viel Grund verloren, und die Donau hatte auf der Insel einen Durchbruch gemacht, der noch sichtbar ist, und dieselbe bei höherem Wasserstande in zwei Theile theilt. Bei einer solchen Ueberschwemmung mußten die Bewohner sammt den Vieh das Haus verlassen, und sich daneben auf den Berg flüchten.

Diese Gegend und Insel wird seit einigen Jahren bei schöner Jahreszeit von den Honoratioren der Umgebung öfters in großen und lustigen Gesellschaften besucht, und im Freien unter erheiternden Scherz, Sang und Klang, unter knallenden und wiederhallenden Schüssen einige Stunden zugebracht, da dieses kleine Inselland wirklich einen eigenthümlichen Charakter inmitten der majestätischen Donau an sich trägt, und jeder Besucher nicht sobald die Annehmlichkeit dieses Werders vergessen wird. Hierbei wollen wir auch anrathen, sich bei diesem Ausfluge mit Speise und Trank zu versehen, weil man dies von Hößgang und selbst jenseits von Struden aus, nicht immer befriedigend erhält.

Knapp neben dem **Strudel**, der unter der Regierung der Kaiserin **Maria Theresia** im Jahre 1777, bestmöglich durch Sprengen von den vorragenden Klippen gereiniget, und für die Schifffahrt minder gefährlich gemacht wurde, ist der hohe Felsen, welcher eine **Thurm=Ruine** mit einem großen eisernen Kreuze enthält und ohne Gefahr bestiegen werden kann, von welcher aus man nicht nur eine pitoreske und höchst interessante Ansicht von den romantisch gelegenen **Greinburg** genießt, sondern auch die Schifffahrt gegen und durch den noch immer gefährlichen **Strudel** ganz deutlich wahrnehmen kann. — Nachdem diese Fahrt und über den nahe liegenden **Wirbel** viele Vorsicht, Localkenntniß und eine besondere Direction fordert; so nehmen sich alle Fahrzeuge nächst **Grein** eine eigene Person hierzu auf, welche **Sturm=** eigentlich **Strudelfahrer** heißen, und deren es mehrere gibt. Obwohl fast jährlich bei der Durchfahrt durch Auffahren oder Anstoßen an die Klippen und Felsensteine Fahrzeuge beschädiget werden, oder gar mit der Ladung verunglücken, so trifft dieß doch in Folge der bestehenden zweckmäßigen Strompolizei äußerst selten ein Menschenleben.

Sehr gemüthlich, aber höchst wahr, berichtet der hochwürdige Herr Pfarrer **Tuma** von **Neustadel** in den uns gütevoll übersendeten Notizen, zum Behufe unsers Werkes, über den **Strudel** und **Wirbel**. »An die Pfarre Neustadel grenzt die Donau mit dem **Strudel** und **Wirbel**, stets gefährliche Oerter, da jedes Jahr ein Unglück daselbst vorgeht. Bei kleinem Wasser ist der **Strudel** gefährlich, der **Wirbel** nicht; bei hohem Wasser der **Strudel** ohne aller Gefahr, der **Wirbel** gefahrvoll. Die rohen Schiffleute, wenn sie sonst ausgelassen sind, werden kleinlaut, stellen ihre ungeschliffenen Kurzweilen ein, sind ganz stille, oder beten recht emsig; da erkennen sie den Herrn, der auch dem Wasser befehlen kann! — und wenn es Noth thut, schreien sie um Hilfe.« —

Das kleine Pulver-Magazinsgebäude zur oben erwähnten Felsensprengung ist am Fuße des Felsenberges noch als angehende Ruine vorhanden.

Beim Rabenstein, oberhalb Höß gang, wurden früher die durch den Höß gang aufwärtsgehenden Schiffe, den auf- oder abwärts fahrenden Fahrzeugen durch eine Fahne signalisirt, damit sie in Tiefenbach, in Grein, oder bei der Fähre, gegenüber von Rabenstein, zufuhren. Die durch den Strudel aufwärts gehenden Schiffzüge wurden auf gleiche Weise und zu gleichem Behufe zu Grein und beim Saurüßl in Oberösterreich angezeigt. — Die Züge müssen also zwei bis drei Stunden vor ihrer Ankunft beim k. k. Mauth-amte in Struden angezeigt werden, und so wird das Be-gegnen auf der gefährlichsten Passage und sonst unvermeidli-ches Unglück gegen geringe Gebühren verhütet. — Uebrigens ist es, wie schon gesagt, eine bekannte Sache, daß der Stru-del bei hohem Wasserstande sicherer zu befahren ist, als bei niederem, weil dann die Felsen und Klippen tiefer liegen.

Zwischen Höß gang und Sand, gegenüber von dem Wasserthurme zu St. Nicola in Oberösterreich, gegen das diesseitige Ufer, erhebt sich der Hausstein, ein Felsen von 331 Klafter mit einer Thurm-Ruine, auf der jetzt eine eiserne Statue des heiligen Johann von Nepomuck angebracht ist. Mittelst dieser zwei Thürme — so besteht die Sage — soll in alten Zeiten die Donau durch Ketten und Haken gesperrt, dieselben übrigens aber im dreißigjährigen oder Schwedenkriege zerstört worden seyn. — Der Donauarm, zwischen dem Hausstein und dem diesseitigen Ufer, heißt das »Luegwasser«, ist förmlich ausgepflastert und bei niederem Wasserstande meist trocken, bei hohem aber schiffbar.

Gleich unter dem Haussteine, von dem oberösterreichi-

19

schen kleinen Markte St. Nicola gegenüber, ist in der Donau der sogenannte Wirbel, der in einem fort trichterför-
mig kreiselt, und wenn er nicht zweckmäßig befahren wird,
das Fahrzeug in seinen wilden Knäuel zieht, dann bricht,
oder gar in seinen grausen Abgrund begräbt. Mit Anwendung der local= und sachkundigen, oben erwähnten Strom-
fahrer, geschehen jedoch Unglücksfälle nur mehr äußerst selten.
Uebrigens ist der Wirbel bei hohem Wasserstande, wie na-
türlich, gefährlicher zu überfahren, als bei niederem, weil er
viel größere Kreise bildet. — Der geehrte Leser wird daraus
entnehmen, daß die Ueberfahrt also zu jeder Zeit an einen
Ort doch immer gefährlich ist, und zwar bei kleinem Wasser
beim Strudel und bei großen beim Wirbel. Wer demnach diese beiden Punkte zu befahren sich scheuet, kann den
Weg von Grein bis Sarningstein, wo sich immer Zufuhren befinden, zu Fuß machen, und sich zu diesem Behufe
ausholen und an's Ufer führen lassen. Hierbei bemerken wir,
daß die Entfernung vom Strudel bis zum Wirbel 632
Current=Klafter beträgt.

Nach glücklich zurückgelegten Strudel und Wirbel,
wird man durch einen nachrudernden Sammler von St. Nicola mit einer hölzernen Statue des heiligen Nicolaus bitt-
lich zu Dankesgaben aufgefordert, welche Spenden theils zum
Besten der Nicolder=Kirche und Armen, theils zu andern nütz-
lichen frommen Zwecken verwendet werden.

Judenhof.

Eine Rotte von 11 Häusern, wovon Amstetten als die
nächste Poststation bezeichnet wird.

Diese gehört zur Pfarre und Schule nach Neustadtl. Ueber
die Häuser Nr. 1, 2, 3 und 11 ist Seisenegg das Landgericht,
über die übrigen aber die Herrschaft Carlsbach zu Auhof. Orts-

und Conscriptionsobrigkeit ist Seisenegg; Grundherrschaften sind: Hainstetten, Seisenegg, Waldhausen und Weinzierl. Der hiesige Bezirk gehört zum Werbkreise des 49. Linien = Infanterie = Regiments.

Es leben hier 17 Familien, 48 männliche, 38 weibliche Personen und 4 schulfähige Kinder; der Viehstand zählt 22 Pferde, 24 Kühe, 34 Schafe und 10 Schweine.

Die Einwohner sind Bauern, welche sich mit der Feldwirthschaft und der Viehzucht beschäftigen. Obst gibt es sehr wenig.

Judenhof enthält bei drei Viertelstunden zerstreut liegende, mit Stroh gedeckte Häuser, theils im Thale, theils auf Anhöhen, welche ein und eine halbe Stunde von Neustadtl entfernt sind. Die näher gelegenen Häuser am Judenhof und großen Windhag haben schöne und weit umfassende Aussichten gegen Osten, Süden und Westen. — Klima und Wasser, letzteres etwas wenig, sind vortrefflich. Die Jagd liefert Rehe und Hasen, und gehört dem größeren Theile nach der Herrschaft Auhof, der übrige der Herrschaft Seisenegg.

Wahrscheinlich an der Anhöhe stand früher ein, von einem Juden bewohntes Gehöft, woher die Rotte den Namen Judenhof erhielt.

Kienberg.

Eine kleine Rotte von 7 Häusern, mit der nächsten Poststation Amstetten.

Zur Kirche und Schule ist dieselbe nach St. Georgen am Ipsfelde gewiesen. Das Landgericht, die Orts = und Conscriptionsobrigkeit ist die Herrschaft Seisenegg. Als Grunddonien werden bezeichnet: Auhof, Hainstetten, Seisenegg, Waldhausen und Weinzierl. Der Werbkreis gehört zum 49. Linien-Infanterie=Regiment.

19 *

Hier leben in 8 Familien 14 männliche, 14 weibliche Personen und 4 schulfähige Kinder; der Viehstand zählt 1 Pferd, 16 Ochsen, 17 Kühe, 17 Schafe und 5 Schweine.

Die Einwohner sind blos bis auf einen Hofstattler und einen behausten Zimmermann ziemlich gut bestiftete Landbauern, die meist nur Korn und Hafer bauen, wozu die Gründe zur mittelmäßigen Classe gehören. Die Obstpflege und Viehzucht, mit Anwendung der Stallfutterung, ist befriedigend.

Die Häuser dieser Rotte liegen zerstreut, eine halbe Stunde vom Pfarrdorfe St. Georgen am Ipsfelde, theils in Thälern, theils auf Hügeln, welche letztere liebliche Aussichten gewähren. Diese Gegend enthält schöne Partien, gutes Wasser und Klima. — Der Jagdnutzen, in Rehen, Hasen und Rebhühnern bestehend, gehört der Herrschaft Seisenegg. — Zur hiesigen Rotte gehören auch der **Wagenhof**, **Oedtbauer** und der **Weber in Oberholz**.

Kopplern,

auch **Kobling** genannt, eine Rotte von 6 Häusern, wovon Amstetten die nächste Poststation ist.

Diese gehört zur Pfarre und Schule nach Amstetten. Das Landgericht, die Grund- und Ortsherrlichkeit besitzt die Herrschaft Seisenegg; Conscriptionsobrigkeit ist der Magistrat in Amstetten. Der Werbkreis gehört zum 49. Linien-Infanterie-Regiment.

In 7 Familien leben 22 männliche, 16 weibliche Personen und 5 schulfähige Kinder. Diese besitzen 9 Pferde, 6 Ochsen, 21 Kühe, 6 Schafe und 7 Schweine.

Die Bewohner haben als Landbauern eine gute Grundbestiftung, wovon Grund und Boden zu dem besseren der hiesigen Gegend gehört. Es werden Weizen und Gerste, meist aber Korn und Hafer gebaut. Obst erhalten sie aus ihren

Hausgärten, besonders Zwetschken; und auch die Viehzucht darf gut genannt werden, welche mit Stallfutterung betrieben wird.

Von den sechs Häusern liegen drei ziemlich nahe beisammen, die drei andern aber eine Viertelstunde zerstreut, größtentheils in Niederungen, in der Nähe des Verbindungsweges von Viehdorf nach Amstetten, von letzterem eine halbe Stunde entfernt. — Die hiesige Gegend enthält gute reine Luft und auch vortreffliches Wasser, welches jedoch wenig ist. — Der Jagdnutzen ist ergiebig und liefert Rehe, Hasen und Rebhühner. — Hieher gehören auch die Bauerngüter zu Hinterbuch, am Weg und in der Grub.

Koröd.

Eine aus 10 Häusern bestehende Rotte, mit der nächsten Poststation Amstetten.

Zur Kirche und Schule gehört dieselbe nach Neustadtl. Das Landgericht wird von der Herrschaft Carlsbach zu Auhof ausgeübt; Orts- und Conscriptionsobrigkeit ist Seisenegg, die auch mit Auhof und Weinzierl die hierorts behausten Unterthanen und Grundholden besitzt. Der Werbkreis gehört zum 49. Linien-Infanterie-Regiment.

Die Seelenzahl besteht in 12 Familien, 24 männlichen, 34 weiblichen Personen und 7 schulfähigen Kindern; diese besitzen 16 Ochsen, 17 Kühe, 8 Schafe und 6 Schweine.

Unter den hiesigen Einwohnern, die meist nur ganz gering bestiftet sind, gibt es auch einige Handwerker als Kleinhäusler. Sie beschäftigen sich mit dem Feldbau, etwas Viehzucht und einer unbedeutenden Obstpflege, und haben beinahe die schlechtesten Gründe in der Pfarre Neustadtl.

Die Häuser von Koröd, welche sich ungefähr drei Viertelstunden zerstreut ausdehnen, liegen eine Stunde entfernt vom Pfarrorte Neustadtl, theils in einer Niederung und versteckt, theils hoch mit einer prachtvollen Aussicht, besonders jene am obern Kirnberg. Zu dieser Rotte gehören die Häuser mit den Benennungen: Lueg= und Kirnberg, Gansenöd, Gatterer, Mühlweg, Klein=Windhag und Kratzer.

Das hiesige Klima ist sehr gut, das Wasser vortrefflich, jedoch wenig; die Jagd liefert etwas Rehwild und Hasen, und gehört der Herrschaft Auhof.

Krahof.

Eine Rotte von 29 Häusern, wovon Amstetten als die nächste Poststation bezeichnet wird.

Diese ist nach St. Georgen am Ipsfelde eingepfarrt und eingeschult. Die Häuser Nr. 6, 7 und 8, gehören zum Landgerichte nach Auhof, die übrigen nach Seisenegg, welche Herrschaft zugleich auch Orts= und Conscriptionsobrigkeit ist. Als Grundherrschaften erscheinen: Auhof, Hainstetten, Seisenegg, Wolfpassing, dann die Kirche und Pfarre St. Georgen am Ipsfelde. Der hiesige Bezirk gehört zum Werbkreise des 49. Linien=Infanterie=Regiments.

Es befinden sich hier 32 Familien, 71 männliche, 71 weibliche Personen und 12 Schulkinder; der Viehstand zählt: 38 Ochsen, 41 Kühe, 69 Schafe und 20 Schweine.

Die Einwohner gehören in die Classe der mittelmäßig bestifteten Bauern mit den gewöhnlichen Professionisten versehen. Sie treiben den Feldbau, wovon sie aber nur Korn und Hafer fechsen, weil die Gründe größtentheils sandig, steinig und absonnig sind, und überdieß nicht selten Reife schädlich einwirken; Obst wird auch nur wenig erzeugt, und die Viehzucht, bei der die Stallfutterung in Anwendung steht, deckt blos den häuslichen Bedarf.

Krahof besteht aus zerstreuten, mit Stroh gedeckten Bauern= und Kleinhäuser, welche in einer Ausdehnung von zwei Stunden, auf Bergen, Hügeln und im Thale, anderthalb Stunden von St. Georgen am Ipsfelde entfernt, liegen. Diese Rotte enthält die Häuser mit den Benennungen: am Bach, schwarzen Steinberg, Rauchleithen, Oehlsitzer, Holzer, Diepoldswiesen, Reiseneb, Amasegg, Weg, Hehenberg, Kahing, Schmidsberg, Voitgrub, Reisach und die Scheiben. — Eine besondere Bemerkung verdient die Oehlsitzmühle von zwei Gängen und einer Säge, wegen ihrer wildromantischen Lage in einer schauerlichen Schlucht.

Die hiesige Gegend zeichnet sich durch gutes Klima und Wasser besonders aus; auch die Jagd ist ziemlich gut, liefert Rehe und Hasen, manchmal Hirsche und gehört größtentheils nach Seisenegg, der übrige kleine Theil nach Auhof.

Am Kachinger genießt man die schönste Aussicht, allwo auch, als dem höchsten Punkte, ein großes Catastral=Triangulirungs=Zeichen errichtet ist.

Durch die Rotte fließt der Oehlsitzbach, und der sogenannte schwarze Steinberg ist als Berg und mit starken Wald besetzt, bemerkenswerth.

Kremslehen.

Eine aus 8 Hausnummern bestehende Rotte, mit der nächsten Poststation Melk.

Zur Kirche und Schule gehört dieselbe nach Neustadtl. Das Landgericht, die Orts= und Conscriptionsobrigkeit ist Seisenegg; Grunddominien sind: Ardagger, Auhof, Seisenegg, Wolfpassing und die Pfarre Neustadtl. Der hiesige Bezirk gehört zum Werbkreis des 49. Linien-Infanterie=Regiments.

In 9 Familien befinden sich 13 männliche, 22 weibliche

Perfonen nebft 6 fchulfähigen Kindern; an Viehftand befitzen diefe: 14 Ochfen, 18 Kühe, 1 Ziege und 5 Schweine.

Die Bewohner find mittelmäßig beftiftete Bauern und behaufte Handwerksleute. Sie befchäftigen fich mit dem Acker= bau der gewöhnlichen Körnerfrüchte, einer ziemlich guten Vieh= zucht und Obftpflege.

Die Rotte, zu welcher auch die Häufer von Wagenle= ben, Thonaholz, der Zeitl=, Kühhof und der Oehlin= ger gehören, liegt in zerftreuten Häufern von einer halben Stunde Ausdehnung, zum Theil auf Anhöhen, zum Theil in der Niederung vom Oehlingberg und vom Thonaholze, drei Viertelftunden von Neuftadtl entfernt, in einer fchönen und gefunden Gegend, die auch vortreffliches Waffer enthält. — Die Jagd ift ein Eigenthum der Herrfchaft Seifenegg. — Wir bemerken hier auch, daß vor mehreren Jahren im Krem= fergrund verfuchweife auf Silber gegraben, aber diefer Ver= fuch bald wieder aufgegeben wurde.

Kroißenreith.

Eine aus 14 Häufern beftehende Rotte, mit der näch= ften Poftftation Melk.

Diefe ift nach Neuftadtl eingepfarrt und eingefchult. Das Landgericht, die Orts= und Confcriptionsobrigkeit ift Seifenegg. Grundherrfchaften, welche die hierorts behaufte Unterthanen und Grundholden befitzen, find: Ardagger, Auhof, Erlaklo= fter, Seifenegg, Zeilern und die Pfarre Ips. Der Werbkreis gehört zum 49. Linien=Infanterie=Regiment.

Hier befinden fich 23 Familien, 33 männliche, 48 weib= liche Perfonen und 10 fchulfähige Kinder. Der Viehftand zählt: 22 Ochfen, 29 Kühe, 10 Schafe, 2 Ziegen und 12 Schweine.

Als gering beftiftete Bauern, unter welchen fich einige

behauste Handwerker befinden, treiben die hiesigen Einwoh=
ner die Feldwirthschaft, und die zu ihrem eigenen Bedarf
erforderliche Viehzucht mit Anwendung der Stallfütterung.

Die Rotte Kroißenreith dehnt sich mit ihren zer=
streuten, mit Stroh gedeckten Häusern, gegen zwei und eine
halbe Stunden aus, und liegt vom Pfarrorte ein und eine
Viertelstunde entfernt, meist auf Anhöhen, die gegen Ost,
Süd und West herrliche Aussichten gewähren, vorzüglich bei
der sogenannten Hausleithen, von der man auf den Do=
nau=Wirbel und die nächste Umgebung sieht. Zu dieser Rotte
gehören auch jene Häuser, welche unter der Benennung: an
der Hausleithe, Hinterhaslau, Schöngrub, Kapf=
ham, Nadling, Kirchsteig, Kagerer und Schau=
berg bestehen, welch' letzteres Bauerngehöft eine gothische
Bauart enthält, und daher aus alten Zeiten stammt. — Hier
ist gesundes Klima und gutes aber weniges Wasser vorhan=
den. — Die Jagd liefert Rehe, Hasen und Rebhühner.

Langenödt.

Eine Rotte von 10 Häusern, mit der nächstgelegenen
Poststation Melk.

Diese ist zur Pfarre und Schule nach Neustadtl gewie=
sen. Das Landgericht wird von der Herrschaft Carlsbach zu
Auhof ausgeübt; Orts= und Conscriptionsobrigkeit ist Sei=
senegg; Grundherrschaften sind Auhof und der Pfarrhof Ips.
Der Werbbezirk ist dem Linien=Infanterie=Regiment Nr.
49 untergeordnet.

In 13 Familien leben 25 männliche, 30 weibliche Per=
sonen und 2 schulfähige Kinder; diese besitzen einen Viehstand
von 14 Ochsen, 16 Kühen, 5 Schafen und 5 Schweinen.

Die Bewohner sind theils gut, theils gering bestiftete
Bauern und behauste gewöhnliche Handwerker. Ihre Nah=

rungszweige sind Feldwirthschaft, Vieh = und Obstbaumzucht.

Langenöbt besteht aus zerstreuten mit Stroh gedeck=
ten Häusern, die sich eine halbe Stunde lang ausdehnen, auf
kleinen Anhöhen gelegen, und bei zwei Stunden von der Pfarr=
kirche in Neustadtl entfernt sind. Zu dieser Rotte gehört das
Bauerngut Waser, das kleine Reith, der Reithof und
der Großberg, dann das Panholzergut, welches am
weitesten von der Pfarre entfernt ist. — Gutes Klima und
Waffer sind Vorzüge dieser Gegend. — Die Jagd auf Hirsche,
Rehe und Hasen, ist in Rücksicht der nahe gelegenen großen
herrschaftlichen Panholz= und Scheiterbühl=Wälder,
sehr gut, und gehört der Herrschaft Auhof.

Lengrub.

Eine Rotte von 10 Häusern, mit der nächsten Poststation
Melk.

Zur Pfarre und Schule gehört dieselbe nach Neustadtl.
Die Häuser Nr. 5, 6 und 7 gehören zum Landgerichte nach
Seisenegg, die übrigen zu jenem der Herrschaft Carlsbach zu
Auhof. Die Orts= und Conscriptionsobrigkeit besitzt Seisenegg.
Grunddominien sind: Auhof, Hainstetten, Seisenegg, Wald=
hausen und der Pfarrhof Ips. Der Werbkreis gehört zum
49. Linien=Infanterie=Regiment.

Es befinden sich hier 13 Familien, 31 männliche, 23 weib=
liche Personen und 5 Schulkinder; der Viehstand zählt: 24
Ochsen, 23 Kühe, 28 Schafe, 1 Ziege und 8 Schweine.

Unter den hiesigen, ziemlich gut bestifteten Einwohnern,
welche Bauern sind, befinden sich zwei Mühlbesitzer am soge=
nannten Moosmüllerbach, und ein Kleinhäusler mit der
geprüften Hebamme, für die Pfarre Neustadtl. — Ihre
wirthschaftlichen Zweige bestehen in Ackerbau, der Vieh= und
Obstbaumzucht.

Lengrub, zu welcher die Häuser gehören mit der Benennung: **Wundergrueb, Mayeregg, Spitzhof, Moos, Niederstang** und die **Mittermühle,** besteht aus lauter zerstreuten Häusern, welche bei drei Viertelstunden ausgedehnt, theils im Thale, theils auf Anhöhen stehen; bei **Mayeregg** genießt man nach allen Seiten hin eine wunderlieblichen Aussicht. Vom Pfarrorte ist die Rotte eine und eine Viertelstunde entfernt. — Gutes Klima und Wasser sind vorherrschend. — Die Jagd gehört eines Theils nach Auhof und andern Theils nach Seisenegg; sie ist mittelmäßig und liefert Rehe, Hasen und Füchse. — Zwischen der **Moos-** und **Mittermühle** steht ein Kreuz, welches ein Pestgrab bezeichnen soll.

Lindmühl.

Eine kleine Rotte von 5 Häusern, wovon Melk als die nächste Poststation bezeichnet wird.

Diese ist zur Pfarre und Schule nach Neustadtl angewiesen. Das Landgericht wird durch die Herrschaft Auhof ausgeübt, welche auch mit Weinzierl die einigen behausten Unterthanen besitzt. Die Orts- und Conscriptionsobrigkeit ist die Herrschaft Seisenegg. Der Werbkreis gehört zum 49. Linien-Infanterie-Regiment.

Hier befinden sich 9 Familien, 19 männliche, 29 weibliche Personen und 4 schulfähige Kinder; der Viehstand zählt nur 2 Ochsen und 5 Kühe.

Die hiesigen Einwohner bestehen aus zwei Bauern, einen Lederer und zwei Müller. Sie beschäftigen sich mit der Feldwirthschaft, etwas Viehzucht und Obstpflege.

Die Rotte besteht aus zerstreuten Häusern, welche mit Stroh gedeckt sind, und liegt in einen Graben, zwischen ziemlich hohen Bergen, welche schmale Thalgegend von den Moos-

müller- und Freinsteinerbach, an welchen zwei kleine
Mühlen mit Bretersägen stehen, durchflossen wird.
Diese Häuser liegen vom Pfarrorte Neustadtl eine Stunde,
von Freinstein und der Donau eine Viertelstunde entfernt.
— Unter den hiesigen Gehöften wird eines davon Stiern-
eck, eines Wizenlehen und eines die Hofmühle genannt. — Klima, Wasser und die Jagdbarkeit sind gut.

(Fortsetzung folgt.)

Inhalts-Verzeichniß.

ation can be obtained
ing.com

'19
00013BB/3034/P